KB152318

PREVENTIVE DENTISTRY

3rd Edition

예방치학 실습서

송근배 최연희 성미경
박홍련 장지언 노은미 김은경
박지혜 강현경 김혜영 나희자
복혜정 이수옥 이정화 이지영
이천희 최문실 최정미 황다혜

예방치학 실습서(3판)

첫째판 1쇄 인쇄 | 2010년 09월 01일
첫째판 1쇄 발행 | 2010년 09월 05일
둘째판 1쇄 발행 | 2015년 08월 25일
셋째판 1쇄 발행 | 2022년 02월 28일

지 은 이 송근배, 최연희, 성미경, 박홍련, 장지언, 노은미, 김은경, 박지혜, 강현경, 김혜영
나희자, 복혜정, 이수옥, 이정화, 이지영, 이천희, 최문실, 최정미, 황다혜
발 행 인 장주연
출 판 기 획 한인수
책 임 편 집 임유리
표지디자인 신지원
내지디자인 임진영
발 행 처 군자출판사(주)
등록 제 4-139호(1991. 6. 24)
(10881) **파주출판단지** 경기도 파주시 회동길 338(서패동 474-1)
전화 (031) 943-1888 팩스 (031) 955-9545
www.koonja.co.kr

ISBN 979-11-5955-844-3
정가 30,000원

예방치학 실습서 | Preventive Dentistry

편집위원

예방치학 실습서 | Preventive Dentistry

집필진 (가나다 순)

강현경 신라대학교

김혜영 강원대학교

나희자 호남대학교

복혜정 부산여자대학교

이수옥 충북보건과학대학교

이정화 동의대학교

이지영 동주대학교

이천희 안동과학대학교

최문실 송원대학교

최정미 부산과학기술대학교

황다혜 경북전문대학교

PREFACE

머리말

예방치과학은 기초치의학과 임상치의학 두 분야를 넘나들며, 양쪽을 연결해주는 가교역할을 담당합니다. 따라서 예방치과학 교과 내용은 모든 기초 치의학적 지식을 근거로 임상적 술식을 완성하는 데 이바지해야 할 것입니다. 그러므로 무엇보다 기본 지식을 가진 치과인이라면 누구나 손쉽게 행할 수 있어야 하고, 만약 환자들이 어렵게 생각한다면 이를 쉽게 이해시킬 수 있어야 하며, 개인 스스로 자신의 구강건강을 증진시켜 나감으로써 국민의 삶의 질을 높이는 것을 목표로 하고 있습니다.

우리 국민들의 구강건강에 대한 인식과 중요성은 점차 높아져 가고 있습니다. 치료 수준 역시 매우 빠르게 발전하고 있는 가운데, 예방에 대한 수요와 관심도 매년 증가하고 있습니다. 이에 치과 개원가에서도 예방 업무에 관심이 있거나 수행 능력을 갖춘 치과위생사를 요구하고 있어, 대학의 학부 과정에서부터 개원가의 요구에 상응하는 예방 중심의 교육 내용과 방법이 필요할 것입니다.

이제 3번째 개정판을 내면서 학생들이 임상예방의 술식만 이해하기보다 이론적 배경도 잘 알아야 좀 더 충실한 실습서가 될 수 있다는 믿음으로 1년을 준비하였습니다.

지난 시간동안 원고를 준비하시느라 수고하신 18분의 교수님과 사진 자료 촬영 및 편집을 위해 노고를 아끼지 않으신 경북대학교 치과대학 예방치과 최연희 교수님, 임상욱 박사님, 박지혜 박사님, 그리고 군자출판사 장주연 사장님, 이하 임직원 여러분께 깊은 감사를 드립니다.

2022년 1월

저자일동

차 례

CONTENTS

PART 03 예방치위생술식

PART 01

측정

Chapter 01

구강위생상태 평가

학습목표

1. 구강위생상태를 파악할 수 있는 검사 방법을 나열할 수 있다.
2. 각 검사 방법의 조사 부위, 평가 방법 및 지수산출법을 이해한다.

1. 치면세균막 착색

1) 실습 준비물

- 기본 기구 세트(Mouth mirror, Explorer, Pincette)
- 타액 흡입기(Saliva ejector)
- 에이프런(Apron)
- 치면세균막 착색제(Disclosing solution)
- 면구(Cotton pellet)
- 바세린
- 면봉
- 종이컵

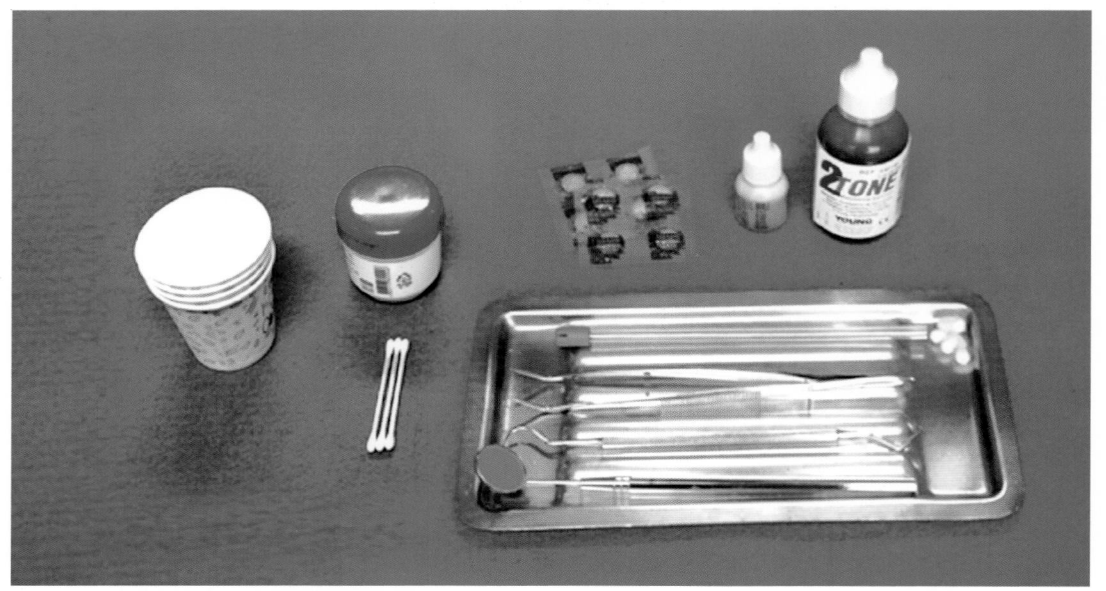

Fig. 1-1 치면세균막 착색을 위한 기본 준비물

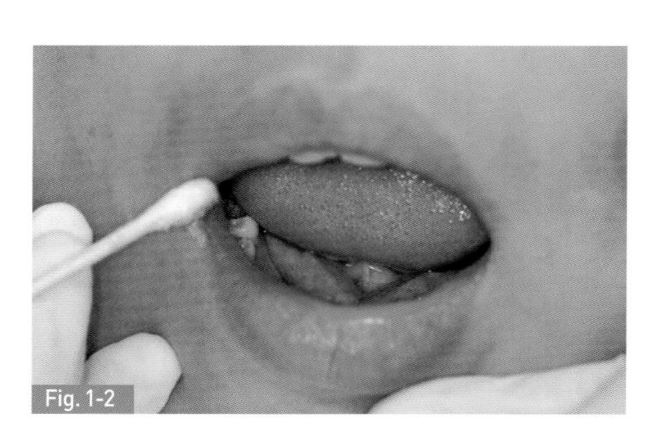

Fig. 1-2

① 치면착색제가 입술에 묻지 않도록 면봉 또는 면구에 적당량의 바세린을 묻혀 구각 부위를 포함한 위, 아래 입술에 가볍게 도포한다(Fig. 1-2).

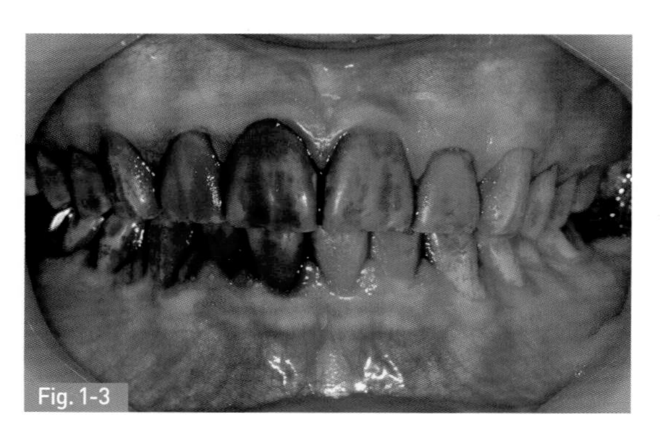

Fig. 1-3

② '면구+핀셋'으로 가능한 소량의 치면착색제를 묻혀 검사할 부위의 치면에 도포하고 물로 입안을 헹군다(Fig. 1-3).

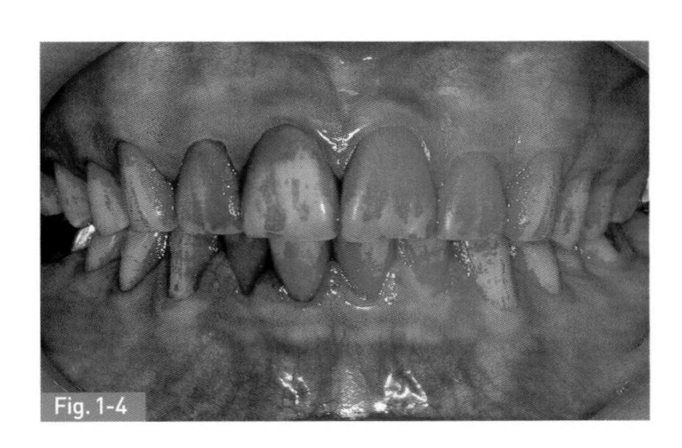
Fig. 1-4

③ 치면에 남아 있는 치면세균막을 확인한다(Fig. 1-4).

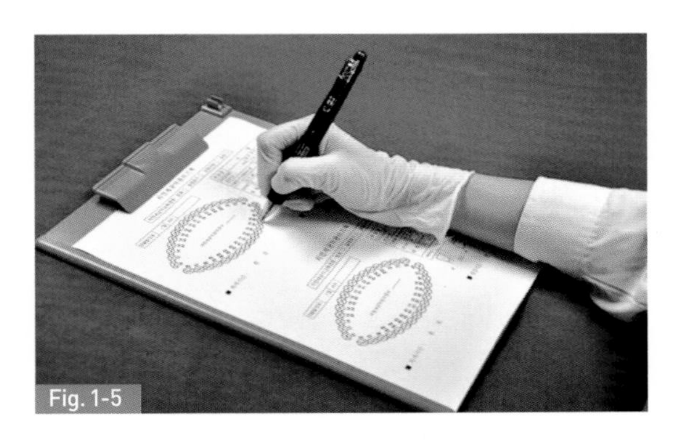
Fig. 1-5

④ 필요한 방법에 따라 차트에 기록한다(Fig. 1-5).

2. 주요 측정지표 및 구강위생 기준

1) 올리어리(O'Leary) 지수

(1) 치면착색제를 사용하기 전 음식물 잔사를 제거하기 위하여 입안을 물로 강하게 헹구어 낸다.

(2) 치면을 착색하고 여분의 착색제를 제거하기 위해 다시 한 번 물로 강하게 입안을 씻어낸다.

(3) 구강 내 모든 치아는 근심면, 원심면, 협면, 설면의 네 부분으로 나눈다. 치면세균막이 착색되어 있는 부위는 붉은 펜으로 '1'로 표시한다. 구강검사의 순서와 같이 상악 우측 협면부터 표기한다.

(4) 치경부가 붉은 색을 띄는 경우가 간혹 있는데, 탐침을 이용하여 해당 치경부의 치은을 살짝 밀어본다. 치은이 밀렸는데도 붉은 착색이 치아에 남아 있으면 '1'로 기록하고, 치은을 따라 착색이 밀려 움직이면 표기하지 않는다.

(5) 판정

① 올리어리 지수 = $\frac{\text{착색된 치면수}}{\text{전체 치면수}} \times 100$

② 치면세균막 관리 점수 = 100-올리어리지수
즉, 올리어리 지수가 20점이라면 치면세균막관리 점수는 100-20=80점이다. 이 점수는 높을수록 구강관리가 잘 된다는 의미이다.

2) 간이구강환경(위생) 지수(Simplified Oral Hygiene Index, S-OHI)

(1) 검사 대상 치아

16	11		26
46		31	36

협(순)측: 16, 11, 26, 31
설　측: 36, 46

검사 대상 치아가 상실되었거나 우식이나 외상으로 치관 부위가 소실된 경우
① 제1대구치가 없으면 제2대구치나 제3대구치를 측정
② 중절치 → 반대악 중절치

(2) 평가 기준

① 음식물 잔사 평가 기준(Debris index)

- 0 = 음식물 잔사도 외인성 색소부착도 없는 경우
- 1 = 음식물 잔사가 노출된 치면의 1/3 미만을 덮거나 음식물 잔사 이외의 외인성 색소부착이 있는 경우
- 2 = 음식물 잔사가 노출된 치면의 1/3 이상, 2/3 미만을 덮을 경우
- 3 = 음식물 잔사가 노출된 치면의 2/3 이상을 덮을 경우

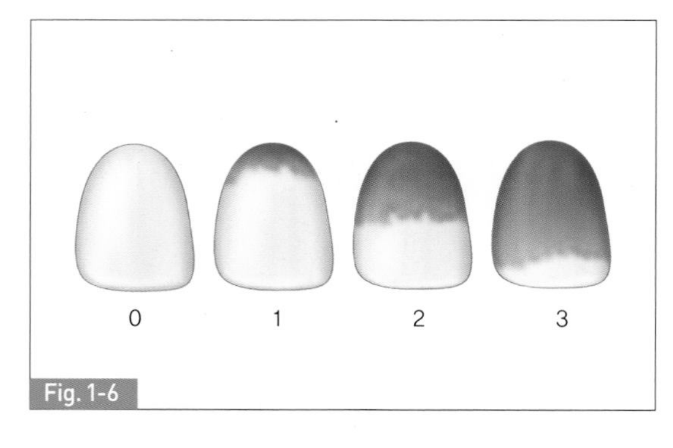

Fig. 1-6

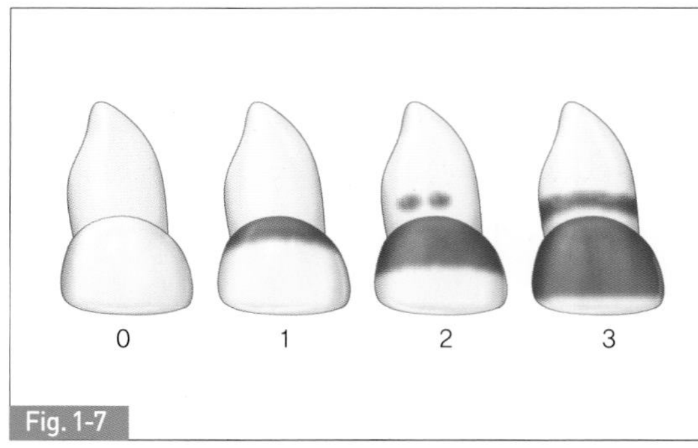

Fig. 1-7

② 치석 평가 기준(Calculus index)

- 0 = 치석이 없는 경우
- 1 = 치은연상치석이 노출된 치면의 1/3 미만을 덮을 경우
- 2 = 치은연상치석이 노출된 치면의 1/3 이상, 2/3 미만을 덮을 경우 또는 점상의 치은연하치석이 존재하는 경우
- 3 = 치은연상치석이 노출된 치면의 2/3 이상을 덮을 경우 또는 연속성 환상의 치은연하치석이 존재하는 경우

(3) 간이구강환경(위생) 지수 = 잔사 지수 + 치석 지수

$$\frac{\text{잔사 점수 총합} + \text{치석 점수 총합}}{\text{검사 치아 수}}$$

(4) 최고 점수: 6

(5) 판정

- 양호: 0.0~1.2
- 보통: 1.3~3.0
- 불량: 3.1~6.0

(6) 특성

시간이 절약되고 대량의 역학조사 시 유용하게 사용될 수 있으나, 각각 환자의 구강환경상태를 측정할 수 있을 만큼 민감하지는 않다.

3) 구강환경(위생)관리 능력 지수(Patient Hygiene Performance Index, PHP index)

구강병을 가장 근본적으로 예방하는 방법이 치면세균막 제거이다. 모든 치아 표면에서 치아우식의 발생에 중요한 역할을 하는 치면세균막을 완전히 제거할 수 있을 정도로 구강상태를 철저히 관리하게 한다는

기준에 따라 구강환경(위생) 관리 능력을 정량적으로 표시한다.

① 현재까지의 구강환경관리 정도를 평가
② 동기 유발 및 칫솔질의 효과와 치면세균막 제거 방법 제시

(1) 검사 대상 치아

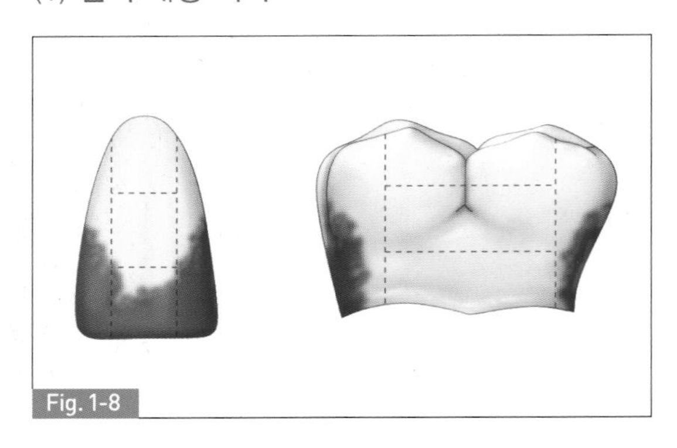
Fig. 1-8

검사 대상 치아는 6개로, 상악 우측 중절치 순면, 상악 좌·우측 제1대구치 협면, 하악 좌측 중절치 순면과 하악 좌·우측 제1대구치 설면이다. 각각의 치면을 Fig. 1-8과 같이 5부분으로 나누어 검사한다.

(2) 방법

① 환자에게 칫솔질을 시행하지 않고 내원시켜 치면세균막착색제를 이용하여 치면세균막을 염색한 후, 환자에게 보여주고 구강위생관리에 대한 교육과 동기유발을 시행한다.
② PHP index를 측정한다.
③ 환자에게 칫솔질을 하도록 한다.
④ 치면세균막을 다시 착색시킨다.
⑤ 칫솔질 결과를 환자에게 알려준다.
⑥ 올바른 칫솔질 방법을 교육한다.

(3) 판정

해당 치면에 착색이 없으면 0점, 착색이 남아 있으면 1점이다. 1개 치아당 5개면이므로 최소 0점, 최대 5점 그리고 6개 치아를 검사한 경우 합계는 0~30점이 되고, 이를 검사한 치아 수로 나눈다.

- 0~1.0: 양호
- 1.1~2.0: 보통
- 2.1~3.0: 불량
- 3.1~5.0: 매우 불량

(4) 지수의 계산

① $\text{PHP index} = \dfrac{\text{각 치면 수의 점수 합}}{6}$

② $\text{치면세균막 부착률(\%)} = \dfrac{\text{총 점수}}{\text{검사 치아 수} \times 5} \times 100$

③ 구강환경(위생) 관리 능력(%) = 100 - 치면세균막 부착률

■□■ 치면세균막관리 기록지(올리어리 지수)

치면세균막 교육 경험 : 없음 □ 설명 듣기 □ 모형 시범 □ 실습 □

칫솔질 빈도	/ 일	시기	

18 17 16 15 14 13 12 11 21 22 23 24 25 26 27 28
55 54 53 52 51 61 62 63 64 65

치면세균막 관리 점수 : ________

48 47 46 45 44 43 42 41 31 32 33 34 35 36 37 38
85 84 83 82 81 71 72 73 74 75

● 착색 시간 : 분 초 ● 평점 시간 : 분 초

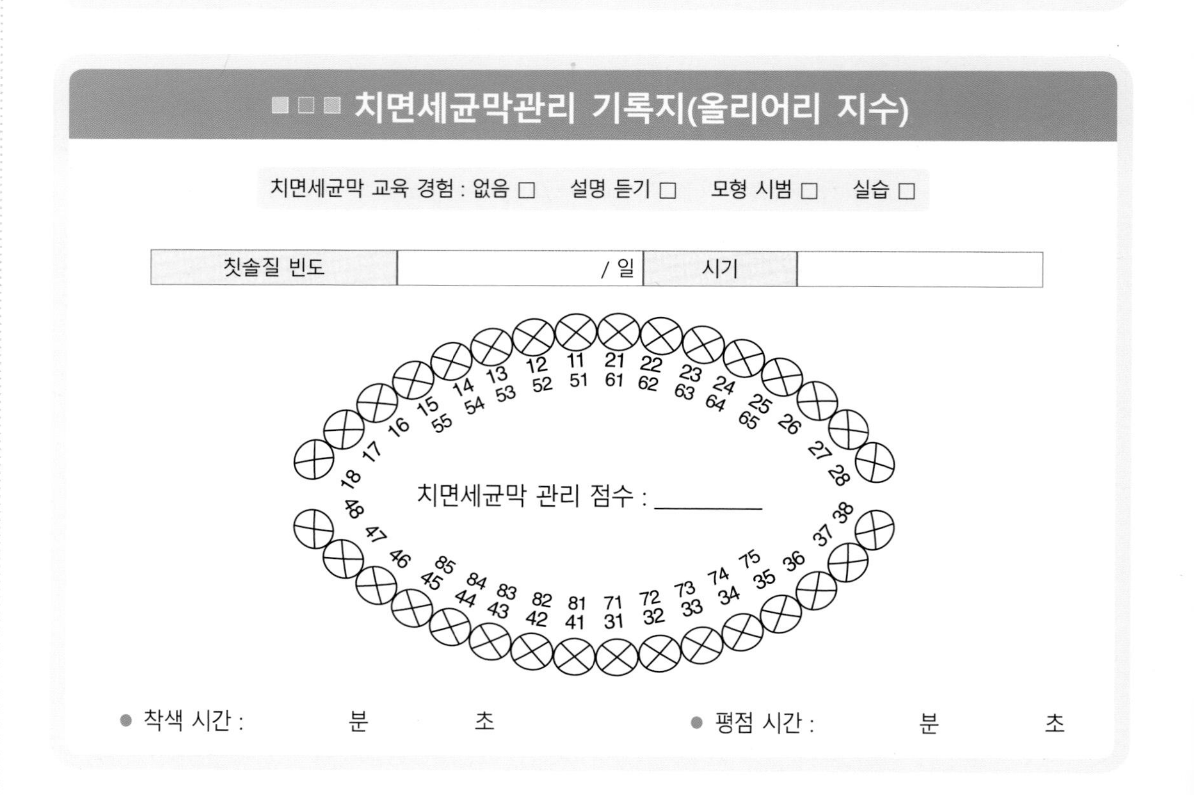

■□■ 치면세균막관리 기록지(올리어리 지수)

치면세균막 교육 경험 : 없음 □ 설명 듣기 □ 모형 시범 □ 실습 □

칫솔질 빈도	/ 일	시기	

18 17 16 15 14 13 12 11 21 22 23 24 25 26 27 28
55 54 53 52 51 61 62 63 64 65

치면세균막 관리 점수 : ________

48 47 46 45 44 43 42 41 31 32 33 34 35 36 37 38
85 84 83 82 81 71 72 73 74 75

● 착색 시간 : 분 초 ● 평점 시간 : 분 초

■□■ 치면세균막관리 기록지(올리어리 지수)

치면세균막 교육 경험 : 없음 □ 설명 듣기 □ 모형 시범 □ 실습 □

칫솔질 빈도	/ 일	시기	

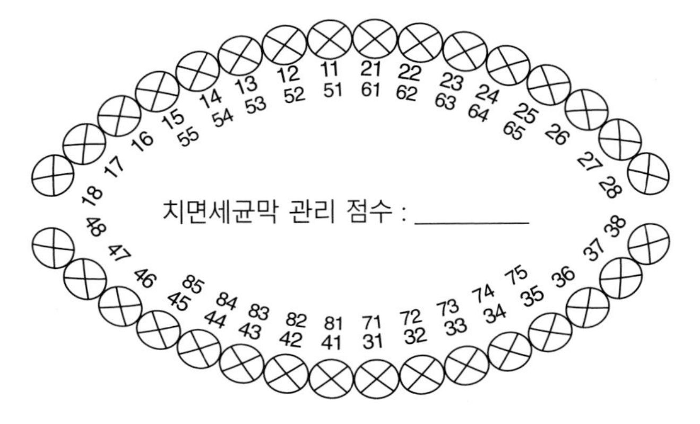

● 착색 시간 : 분 초 ● 평점 시간 : 분 초

■□■ 치면세균막관리 기록지(올리어리 지수)

치면세균막 교육 경험 : 없음 □ 설명 듣기 □ 모형 시범 □ 실습 □

칫솔질 빈도	/ 일	시기	

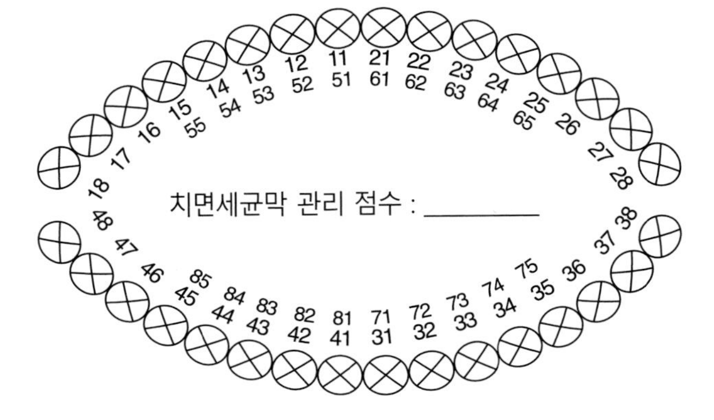

● 착색 시간 : 분 초 ● 평점 시간 : 분 초

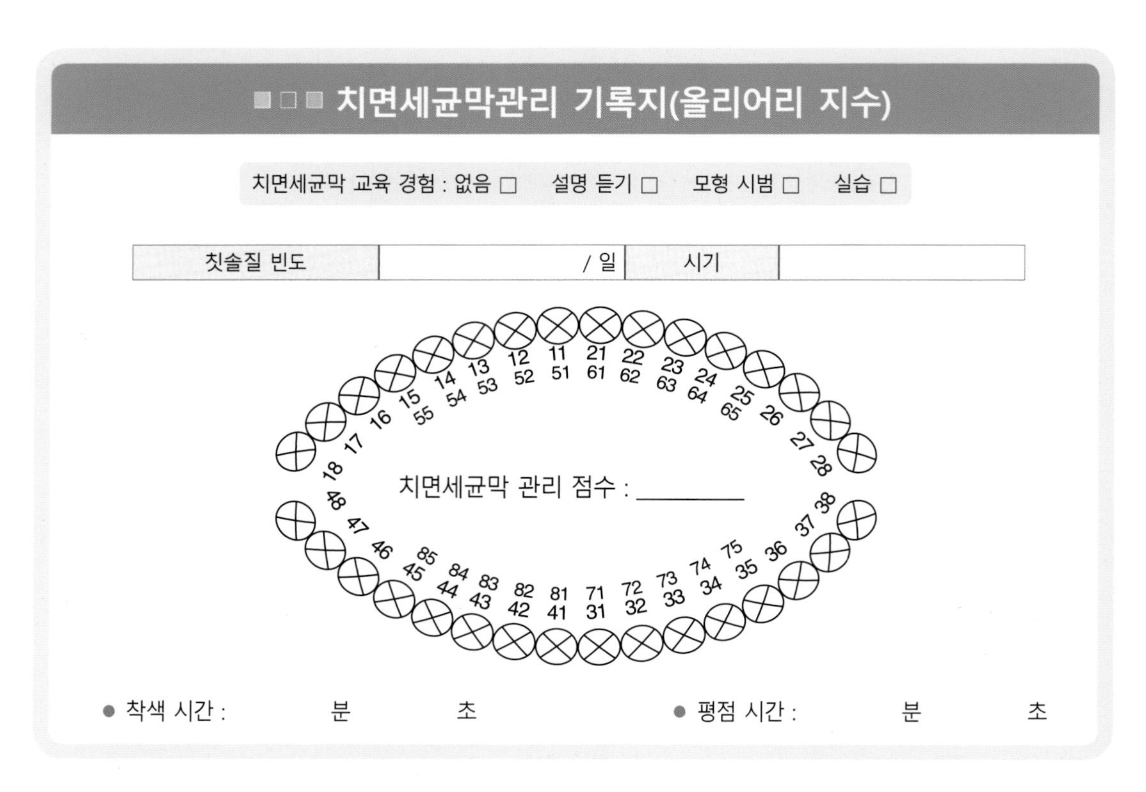

■□■ 치면세균막관리 기록지(올리어리 지수)

치면세균막 교육 경험 : 없음 □ 설명 듣기 □ 모형 시범 □ 실습 □

칫솔질 빈도	/ 일	시기	

치면세균막 관리 점수 : ________

● 착색 시간 : 분 초 ● 평점 시간 : 분 초

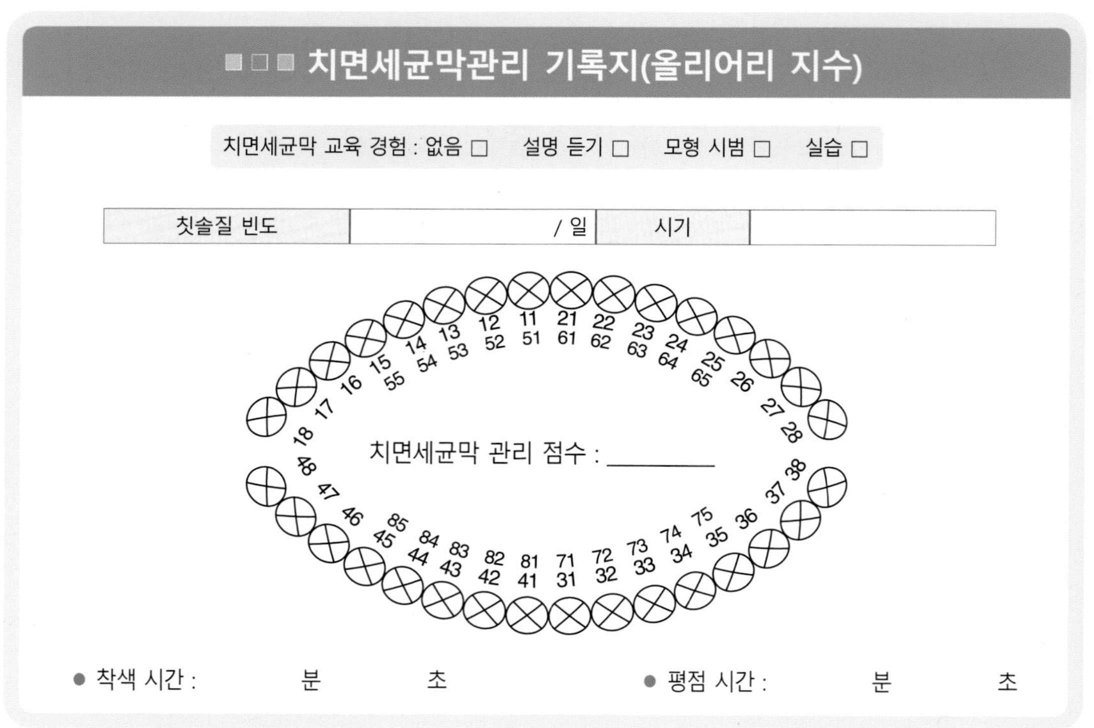

■□■ 치면세균막관리 기록지(올리어리 지수)

치면세균막 교육 경험 : 없음 □ 설명 듣기 □ 모형 시범 □ 실습 □

칫솔질 빈도	/ 일	시기	

치면세균막 관리 점수 : ________

● 착색 시간 : 분 초 ● 평점 시간 : 분 초

치면세균막관리 점수 조건표

	32	31	30	29	28	27	26	25	24	23	22	21	20		32	31	30	29	28	27	26	25	24	23	22	21	20
1	99	99	99	99	99	99	99	99	99	99	99	99	99	**65**	49	48	46	44	42	40	38	35	32	29	26	23	19
2	98	98	98	98	98	98	98	98	98	98	98	98	98	**66**	48	47	45	43	41	39	37	34	31	28	25	21	18
3	98	98	98	97	97	97	97	97	97	97	97	96	96	**67**	48	46	44	42	40	38	36	33	30	27	24	20	18
4	97	97	97	97	96	96	96	96	96	96	95	95	95	**68**	47	45	43	41	39	37	35	32	29	26	23	19	15
5	96	96	96	96	96	95	95	95	95	95	94	94	94	**69**	46	44	43	41	38	36	34	31	28	25	22	18	14
6	95	95	95	95	95	94	94	94	94	93	93	93	93	**70**	45	44	42	40	38	35	33	30	27	24	20	17	13
7	95	94	94	94	94	94	93	93	93	92	92	92	91	**71**	45	43	41	39	37	34	32	29	26	23	19	15	11
8	94	94	93	93	93	93	92	92	92	91	91	90	90	**72**	44	42	40	38	36	33	31	28	25	22	18	14	10
9	93	93	93	92	92	92	91	91	91	90	90	89	89	**73**	43	41	39	37	35	32	30	27	24	21	17	13	9
10	92	92	92	91	91	91	90	90	90	89	89	88	88	**74**	42	40	38	36	34	31	29	26	23	20	16	12	8
11	91	91	91	91	90	90	89	89	89	88	88	87	86	**75**	41	40	38	35	33	31	28	25	22	18	15	11	6
12	91	90	90	90	89	89	88	88	88	87	86	86	85	**76**	41	39	37	34	32	30	27	24	21	17	14	10	5
13	90	90	89	89	88	88	88	87	86	86	85	85	84	**77**	40	38	36	34	31	29	26	23	20	16	13	8	4
14	89	89	88	88	88	87	87	86	85	85	84	83	83	**78**	39	37	35	33	30	28	25	22	19	15	11	7	3
15	88	88	88	87	87	86	86	85	84	84	83	82	81	**79**	38	36	34	32	29	27	24	21	18	14	10	6	1
16	88	87	87	86	86	85	85	84	83	83	82	81	80	**80**	38	35	33	31	29	26	23	20	17	13	9	5	0
17	87	86	86	85	85	84	84	83	82	82	81	80	79	**81**	37	35	33	30	28	25	22	19	16	12	8	4	
18	86	85	85	84	84	83	83	82	81	80	80	79	78	**82**	36	34	32	29	27	24	21	18	15	11	7	2	
19	85	85	84	84	83	82	82	81	80	79	78	77	76	**83**	35	33	31	28	26	23	20	17	14	10	6	1	
20	84	84	83	83	82	81	81	80	79	78	77	76	75	**84**	34	32	30	28	5	22	19	16	13	9	5	0	
21	84	83	83	82	81	81	80	79	78	77	76	75	74	**85**	34	31	29	27	24	21	18	15	11	8	3		
22	82	82	82	81	80	80	79	78	77	76	75	74	73	**86**	33	31	28	26	23	20	17	14	10	7	2		
23	82	81	81	80	9	79	78	77	76	75	74	73	71	**87**	32	30	28	25	22	19	16	13	9	5	1		
24	81	81	80	79	79	78	77	76	75	74	73	71	70	**88**	31	29	27	24	21	19	15	12	8	4	0		
25	80	80	79	78	78	77	76	75	74	73	72	70	69	**89**	30	28	26	23	21	18	14	11	7	3			
26	80	79	78	78	77	76	75	74	73	72	70	69	68	**90**	30	27	25	22	20	17	13	10	6	2			
27	79	78	78	77	76	75	74	73	72	71	69	68	66	**91**	29	27	24	22	19	16	13	9	5	1			
28	78	77	77	76	75	74	73	72	71	70	68	67	65	**92**	28	26	23	21	18	15	12	8	4	0			
29	77	77	76	75	74	73	72	71	70	68	67	65	64	**93**	27	25	23	20	17	14	11	7	3				
30	77	76	75	74	73	72	71	70	69	67	66	64	63	**94**	27	24	22	19	16	13	10	6	2				
31	76	75	74	73	72	71	70	69	68	66	65	63	61	**95**	26	23	21	18	15	12	9	5	1				
32	75	74	73	72	71	70	69	68	67	65	64	62	60	**96**	25	23	20	17	14	11	8	4	0				
33	74	73	73	72	71	69	68	67	66	64	63	61	59	**97**	24	22	19	16	13	10	7	3					
34	73	73	72	71	70	69	67	66	65	63	61	60	58	**98**	23	21	18	16	13	9	6	2					
35	73	72	71	70	69	68	66	65	64	62	60	58	56	**99**	23	20	18	15	12	8	5	1					
36	72	71	70	69	68	67	65	64	63	61	59	57	55	**100**	22	19	17	14	11	7	4	0					
37	71	70	69	68	67	66	64	63	61	60	58	56	54	**101**	21	19	16	13	10	6	3						
38	70	69	68	67	66	65	63	62	60	59	57	55	53	**102**	20	18	15	12	9	6	2						
39	70	69	68	66	65	64	63	61	59	58	56	54	51	**103**	20	17	14	11	8	5	1						
40	69	68	67	66	64	63	62	60	58	57	55	52	50	**104**	19	16	13	10	7	4	0						
41	68	67	66	65	3	62	61	59	57	55	53	51	49	**105**	18	15	13	9	6	3							
42	67	66	65	64	63	61	60	58	56	54	52	50	48	**106**	17	15	12	9	5	2							
43	66	65	64	63	62	60	59	57	55	53	51	49	46	**107**	16	14	11	8	4	1							
44	66	65	63	62	61	59	58	56	54	52	50	48	45	**108**	16	13	10	7	4	0							
45	65	64	63	61	60	58	57	55	53	51	49	46	44	**109**	15	12	9	6	3								
46	64	63	62	60	59	57	56	54	52	50	48	45	43	**110**	14	11	8	5	2								
47	63	62	61	59	58	56	55	53	51	49	47	44	41	**111**	13	10	8	4	1								
48	63	61	60	59	57	56	54	52	50	48	45	43	40	**112**	13	10	7	3	0								
49	62	60	59	58	56	55	53	51	49	47	44	42	39	**113**	12	9	6	3									
50	61	60	58	57	55	54	52	50	48	46	43	40	38	**114**	11	8	5	2									
51	60	59	58	56	54	53	51	49	47	45	42	39	36	**115**	10	7	4	1									
52	59	58	57	55	54	52	50	48	46	43	41	38	35	**116**	9	6	3	0									
53	59	57	56	54	53	51	49	47	45	42	40	37	34	**117**	9	6	3										
54	58	56	55	53	52	50	48	46	44	41	39	36	33	**118**	8	5	2										
55	57	56	54	53	51	49	47	45	43	40	38	35	31	**119**	7	4	1										
56	56	55	53	52	50	48	46	44	42	39	36	33	30	**120**	6	3	0										
57	55	54	53	51	49	47	45	43	41	38	35	32	29	**121**	5	2											
58	55	53	52	50	48	46	44	42	40	37	34	31	28	**122**	5	2											
59	54	52	51	49	47	45	43	41	39	36	33	30	26	**123**	4	1											
60	53	52	50	48	46	44	42	40	38	35	32	29	25	**124**	3	0											
61	52	51	49	47	46	44	41	39	36	34	31	27	24	**125**	2												
62	52	50	48	47	45	43	40	38	35	33	30	26	23	**126**	2												
63	51	49	48	46	44	42	39	37	34	32	28	25	21	**127**	1												
64	50	48	47	45	43	41	38	36	33	30	27	24	20	**128**	0												

● PHP index 측정

1) 성 명 :
PHP 점수 :

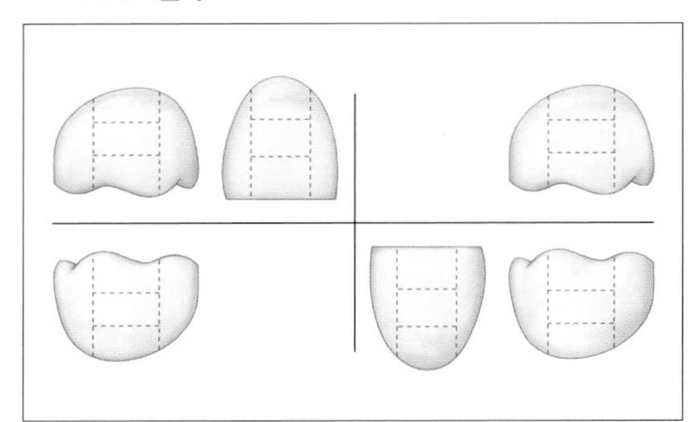

2) 성 명 :
PHP 점수 :

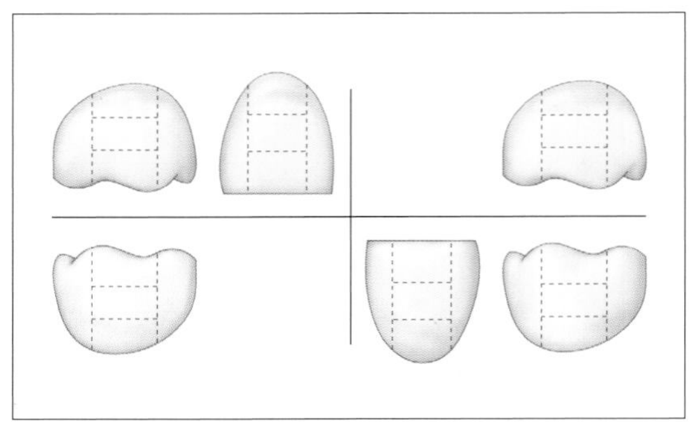

3) 성 명 :
PHP 점수 :

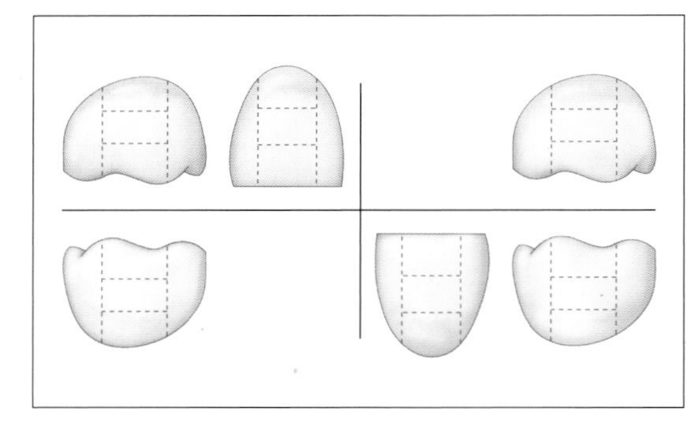

4) 성 명 :
PHP 점수 :

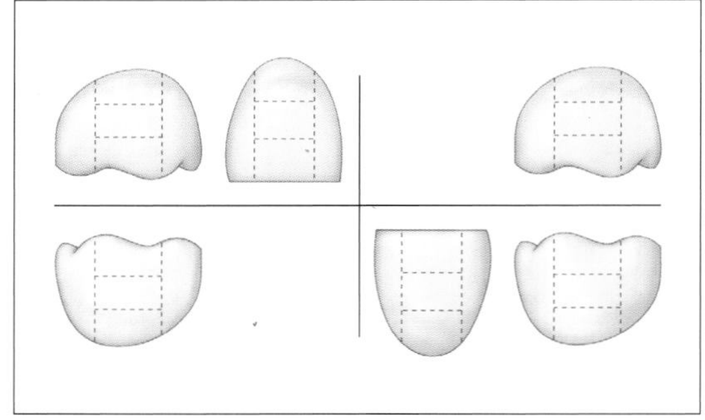

5) 성 명 :
PHP 점수 :

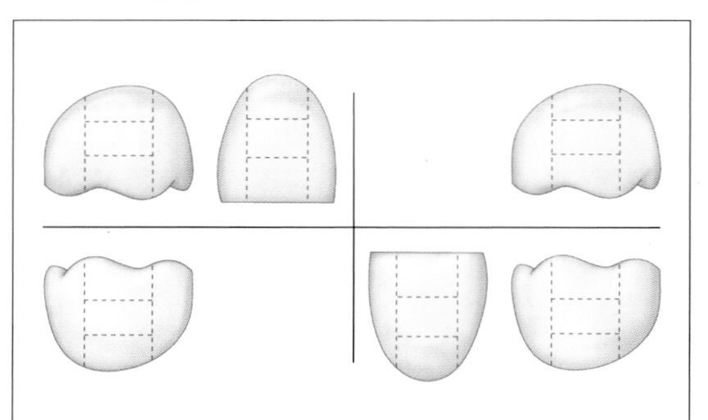

6) 성 명 :
PHP 점수 :

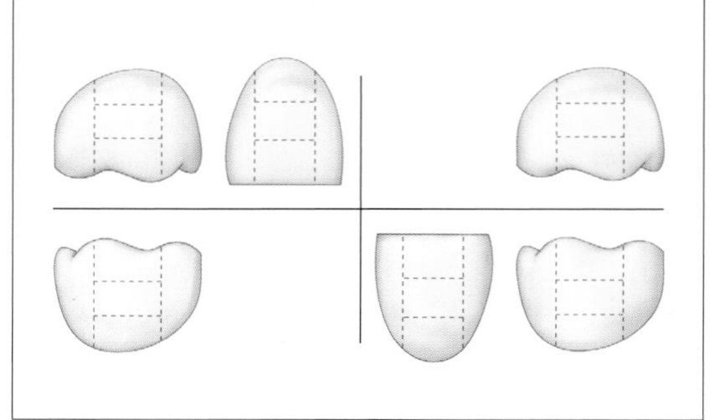

7) 성　　명 :
PHP 점수 :

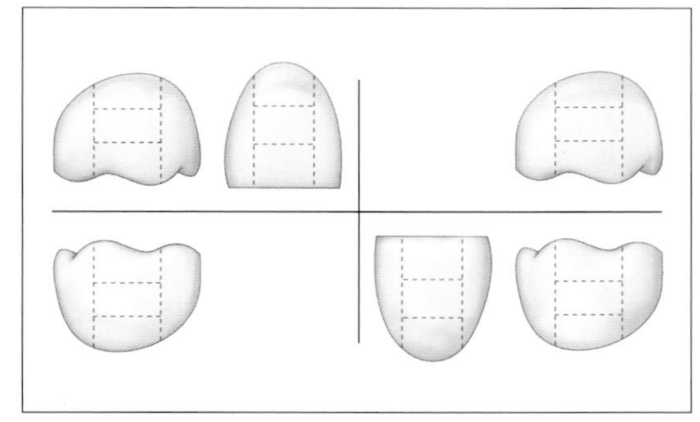

8) 성　　명 :
PHP 점수 :

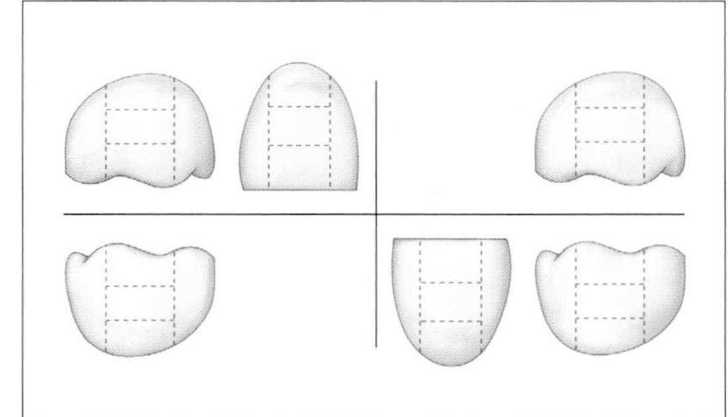

9) 성　　명 :
PHP 점수 :

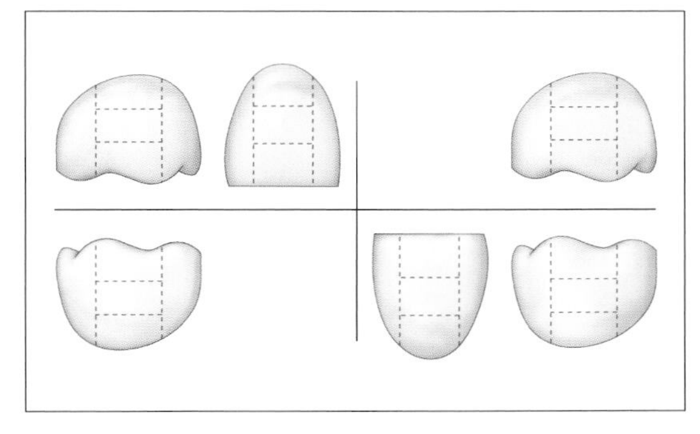

10) 성　　명 :
PHP 점수 :

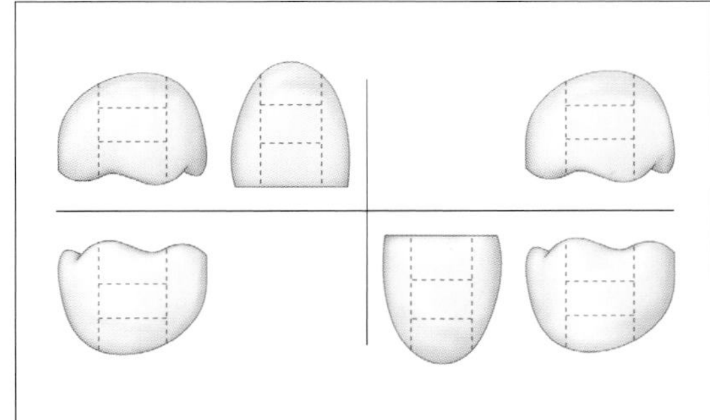

11) 성　　명 :
PHP 점수 :

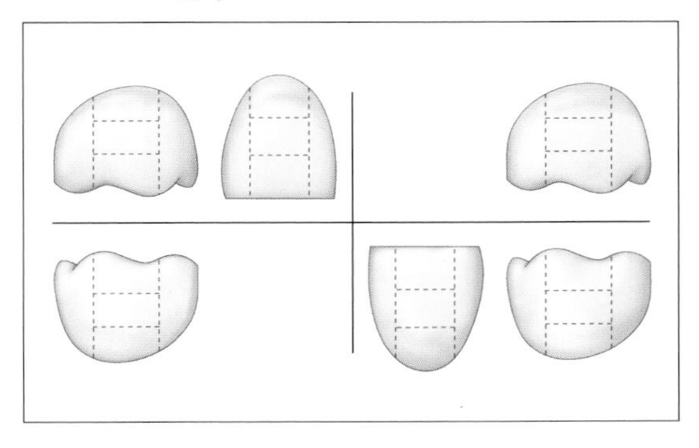

12) 성　　명 :
PHP 점수 :

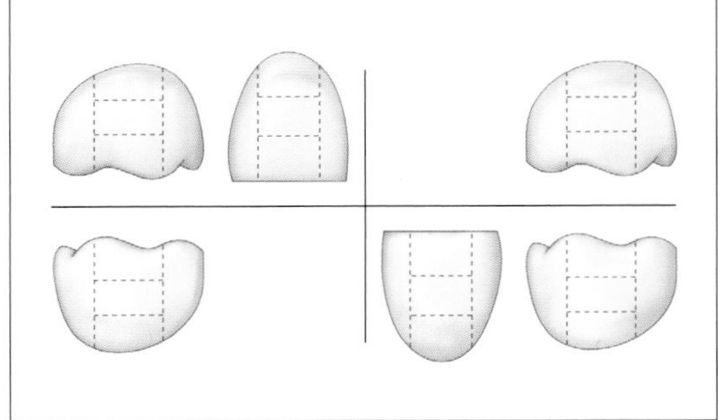

PREVENTIVE DENTISTRY

Chapter 02

치아우식활성 검사

학습목표

1. 치아우식활성 검사의 종류를 열거한다.
2. 각종 치아우식활성 검사법의 시행 방법을 설명한다.
3. 각 검사법의 결과를 판정하여 우식 발생 가능성을 예측한다.

1. 정의

치아우식은 세균, 숙주, 식이 및 시간적 요인의 복합적인 과정에 의해 발생된다. 따라서 치아우식활성 검사도 이들 요인에 기초하여 개개인에게서 상이한 치아우식 발생 요인에 대해 파악할 수 있으며, 임상에서는 우식 치료나 교정용 밴드 및 와이어, 임플란트나 고가의 수복물 및 보철물 장착하는 시기를 결정하거나 환자의 협조도를 파악하기 위해 사용하고, 때로는 치면세균막 조절 프로그램에서 환자의 동기부여에도 사용할 수 있다. 과거의 우식활성도 검사법들은 주로 우식성 세균이나 타액 등에만 관심을 두고 이루어졌으나, 최근에 와서는 숙주의 한 부분인 치아 자체에 대한 관심이 고조되고 있다.

2. 우식 발생 요인 검사법의 종류

(1) 숙주 요인 검사

타액 분비율 검사, 타액 점조도 검사, 타액 완충능 검사, 치면세균막 수소이온농도 검사

(2) 세균성 요인 검사

스나이더 검사, 개량 스나이더 검사, *S. mutans*, *Lactobacillus* colony 검사

(3) 시간적 요인 검사

구강내 포도당 잔류시간 검사, 치면 재형성률 검사

1) 타액 분비율 검사

(1) 검사 과정

① 준비물

① 깔대기　② 무가향 파라핀 왁스
③ 타액 수집 용기(메스실린더)　④ 초시계(Timer)

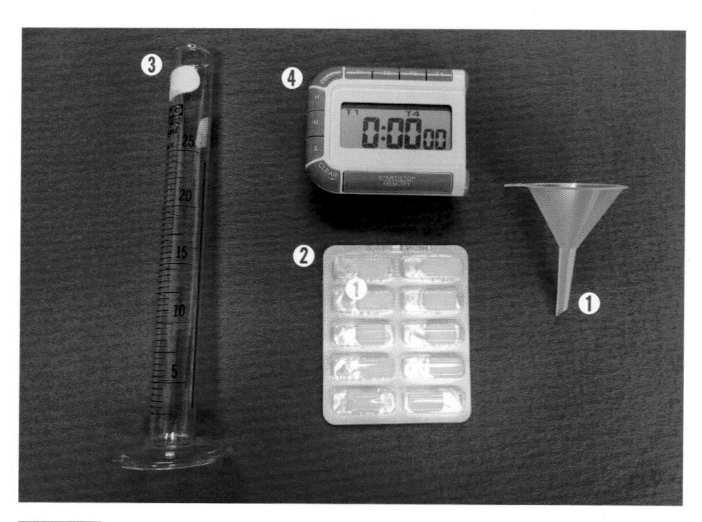

Fig. 2-1 타액 분비율 검사 시 필요한 재료 및 기구

Fig. 2-2

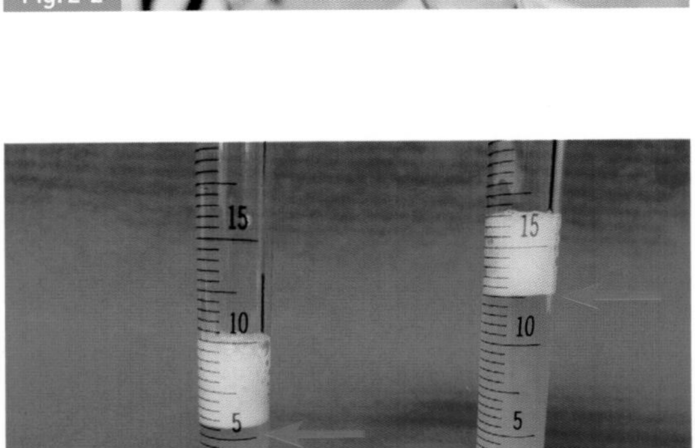

Fig. 2-3

② 안정 시(비자극성)의 타액 분비량 측정: 안정 상태에서 5분간 분비되는 타액을 25 ml의 메스실린더에 수집하여, 그 양을 1분당 ml 단위로 정량한다.

③ 자극 시의 타액 분비량 측정: 파라핀 왁스를 씹으면서 5분 동안 분비되는 타액을 메스실린더에 수집하며, 정량 방법은 비자극성 타액의 경우와 같다(Fig. 2-2).

④ 5분 후 수집된 타액 분비량을 측정한다(Fig. 2-3). 목측 시 거품을 제외한 화살표 부분까지를 읽는다.

(2) 결과 및 판정 기준(By Mercer)

판정	비자극	자극
정상	3.7 ml	13.8 ml
구강건조증*	0.1 ml 이하	0.3 ml 이하

* 1분당 수치로 환산 후 판정함

(3) 처방 및 권고사항

일반적인 생활습관, 식습관 또는 저작습관을 개선하거나 타액 분비를 촉진하는 타액선 마사지, 혀 체조 또는 구강 체조 등과 같은 대중적 요법을 권한다. 점막을 보호하는 drymund gel (동아제약), xerova spray (한국콜마) 등의 보습제를 사용하거나, 타액분비 촉진제로 salagen 5 mg정을 하루 2~3회 처방한다.

2) 타액 점조도 측정

(1) 원리

타액의 점조도가 높을수록 구강 내 자정작용이 감소하며, 그로 인해 치아우식 발생 가능성이 높다고 볼 수 있다. 통상적으로 타액의 점조도는 자극성 타액의 점조도를 측정, 평가한다.

(2) 검사 과정

① 준비물

① 오스왈드 파이펫(Ostwald pipette) ② 초시계(Timer)
③ 무가향 파라핀 왁스 ④ 증류수

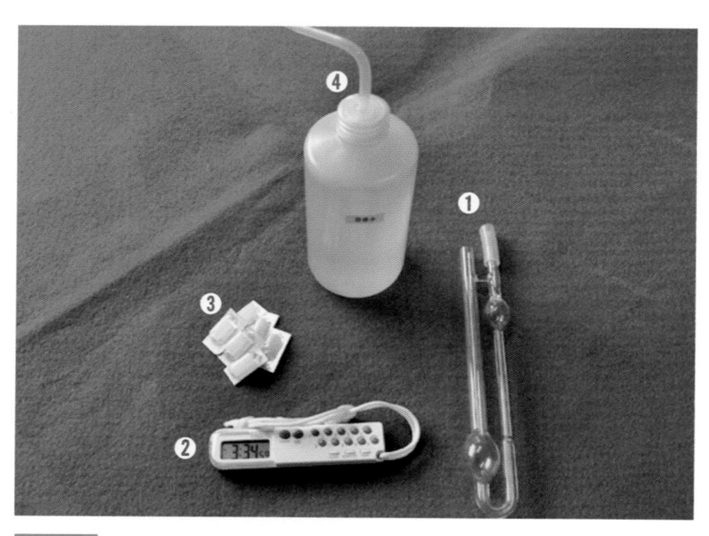

Fig. 2-4 타액 점조도 측정 시 필요한 재료 및 기구

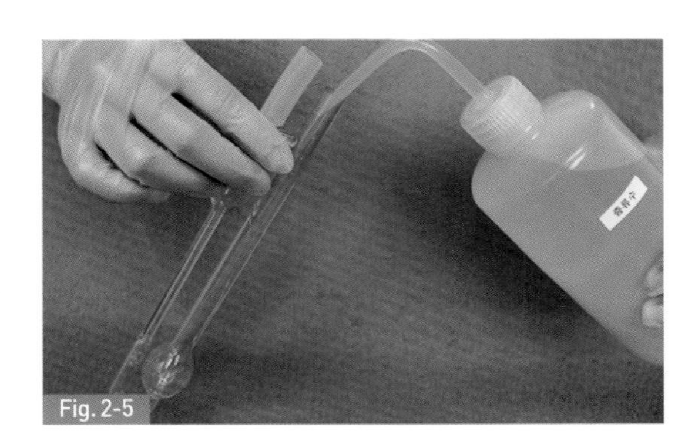
Fig. 2-5

② 증류수 2 ml를 Ostwald 피펫에 붓는다(Fig. 2-5).

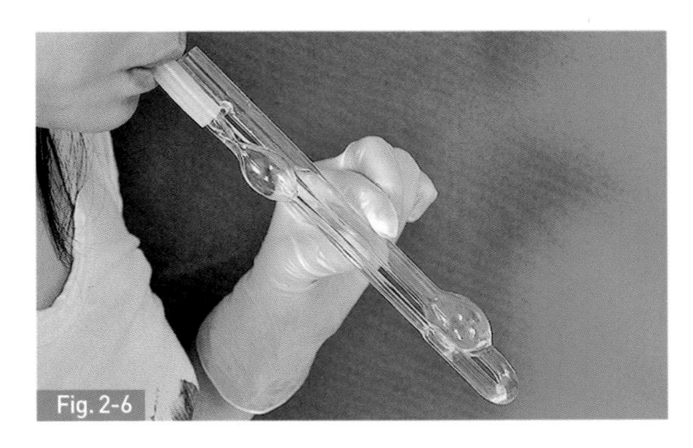
Fig. 2-6

③ Bulb 윗 눈금까지 흡입한다(Fig. 2-6).

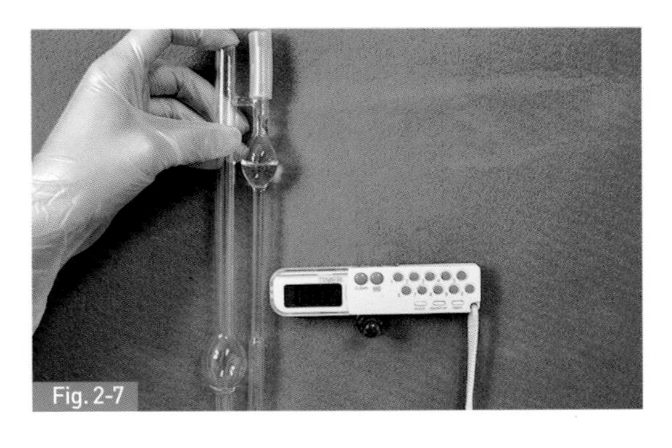
Fig. 2-7

④ 피펫의 모세관을 따라 아랫 눈금까지 흘러내리는 시간을 측정한다(Fig. 2-7).

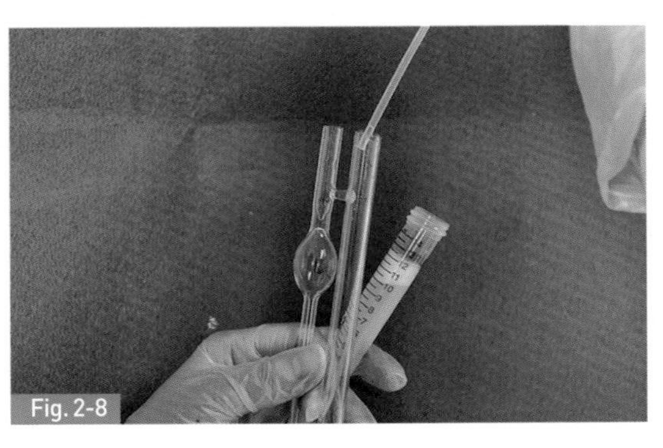
Fig. 2-8

⑤ 채취된 2 ml의 자극성 타액을 Ostwald 피펫에 넣고 동일한 방법으로 시간을 측정한다(Fig. 2-8).

⑥ 타액의 절대 점조도를 증류수의 절대 점조도로 나누어 타액 비점조도를 계산한다.

$$\text{타액 비점조도}^{*} = \frac{\text{2 ml 타액이 흐르는 데에 소요된 시간}}{\text{2 ml 증류수가 흐르는 데에 소요된 시간}}$$

* 타액 비점조도: 증류수가 흐르는 시간에 비해 타액이 흐르는 데 소요된 시간

(3) 판정 및 권고사항

자극성 타액의 점조도는 1.3~1.4가 평균값이며, 2.0 이상일 경우에는 관심을 가지고 검토해 보아야 한다. 점조도가 높은 사람은 사탕이나 스낵같은 당질 함량이 높은 식품의 섭취를 제한하고, 타액 분비가 저하된 경우와 동일한 대중요법과 처방을 사용한다.

3) 타액 완충능 측정(CRT® buffer)

(1) 검사 과정

① 준비물

① 스포이드
② 무가향 파라핀 왁스
③ 50 cc tube
④ CRT® buffer
⑤ 깔대기

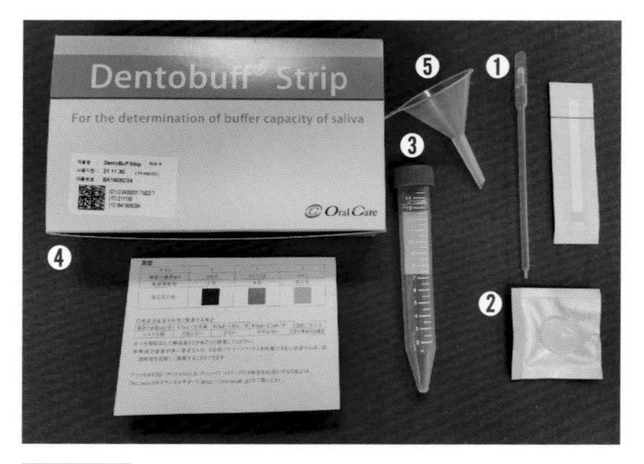

Fig. 2-9 타액 완충능 측정 시 필요한 재료 및 기구

Fig. 2-10

② 파라핀 왁스를 저작하여 자극성 타액을 채취한다(Fig. 2-10).

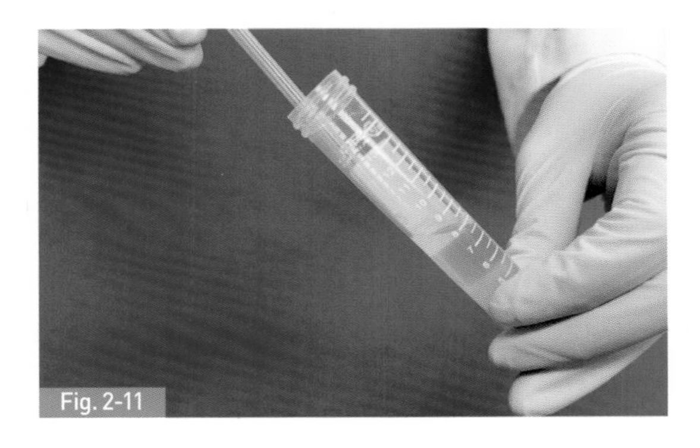
Fig. 2-11

③ 타액을 스포이드로 덜어낸다(Fig. 2-11).

Fig. 2-12

④ Test strip을 바닥에 놓고, 자극성 타액 전체가 검사 부위에 포함되도록 떨어뜨린다(Fig. 2-12).

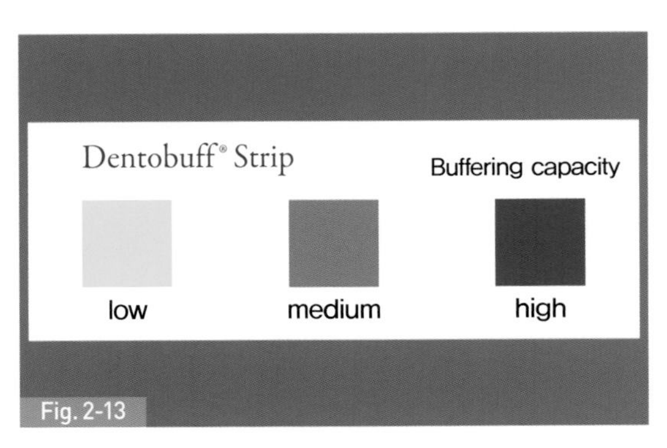

Fig. 2-13

⑤ 15분 후 검사지를 기준색과 비교한다(Fig. 2-13).

(2) 결과 및 판정 기준

판정	색상	pH
완충능 낮음	노란색	4.0 이하
완충능 보통	초록색	4.5~5.0
완충능 높음	파란색	6.0 이상

① 당분에 대한 타액의 완충능력 검사이다.
② 파란색(고도)일수록 당이 적으므로 치아우식에 이환될 확률이 낮다.

(3) 권고사항

단순히 타액 완충능만 부족할 경우 탄산소다를 사용하면 일시적으로 증가시킬 수 있으나, 일반적으로 과일이나 야체를 더 자주 섭취하도록 한다.

4) 치면세균막 수소이온농도 검사(Plaque-check+pH®)

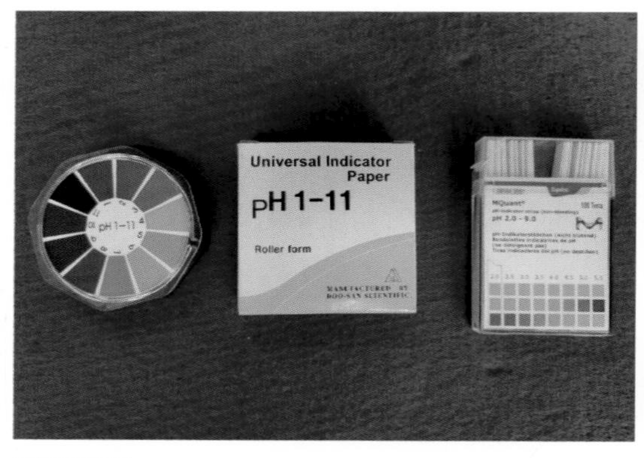

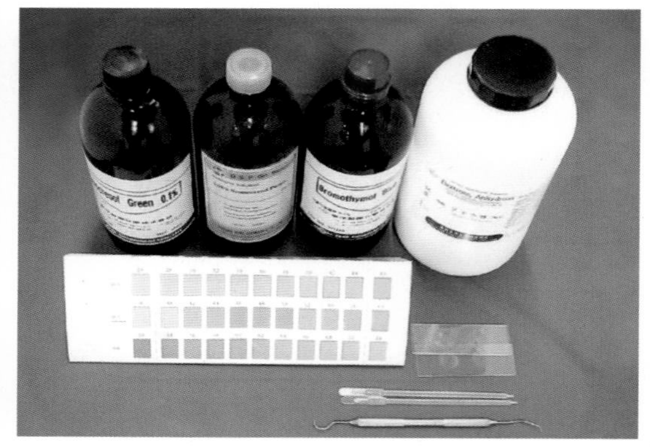

Fig. 2-14 치면세균막의 수소이온농도 검사 기구 및 재료

포도당 용액으로 양치한 후 구강 내 plaque pH는 4.6까지 낮아질 수 있으므로, 10% glucose 용액으로 구강을 세척한 후 치면세균막의 수소이온농도를 측정하여 치아우식에 대한 감수성을 판정한다.
치면세균막 수소이온농도 검사 결과, pH가 낮은 환자는 평소에도 물을 자주 마시도록 하고 특별히 구강건강관리에도 신경을 쓰도록 한다.

(1) 검사 과정

① 준비물

① 치면세균막 검사 pH 용액
② Plaque-Check+pH solution
③ Plaque-Check neutralizing solution
④ Plaque disclosing gel
⑤ Dish
⑥ Instrument

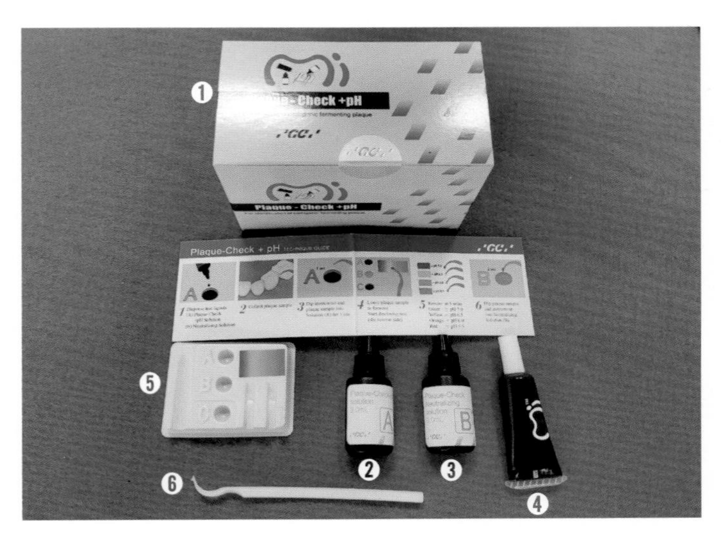

Fig. 2-15 Plaque-Check+pH 사용 시 필요한 재료 및 기구

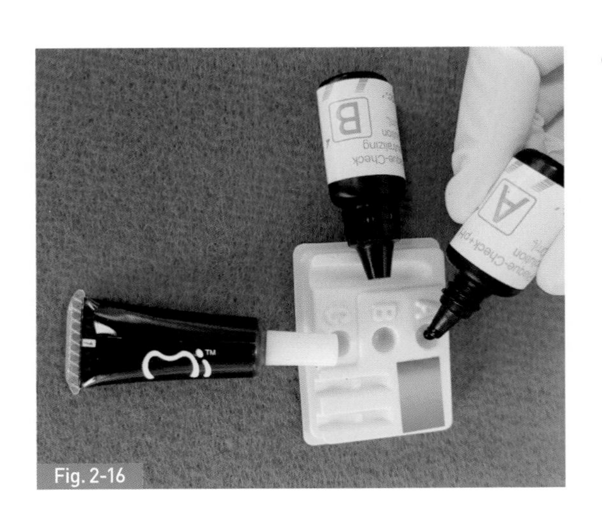

Fig. 2-16

② 준비된 용기에 A,B 용액을 각각 2방울씩 떨어뜨린다(Fig. 2-16).

Fig. 2-17

③ 치면세균막을 채취한다(Fig. 2-17).

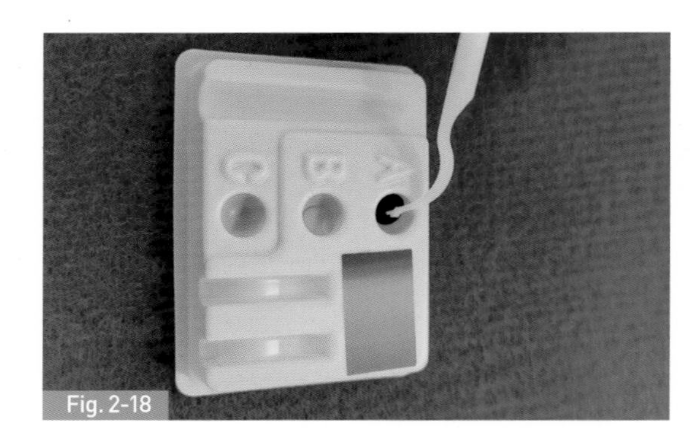

Fig. 2-18

④ 용액 A에 1초간 담근다(Fig. 2-18).

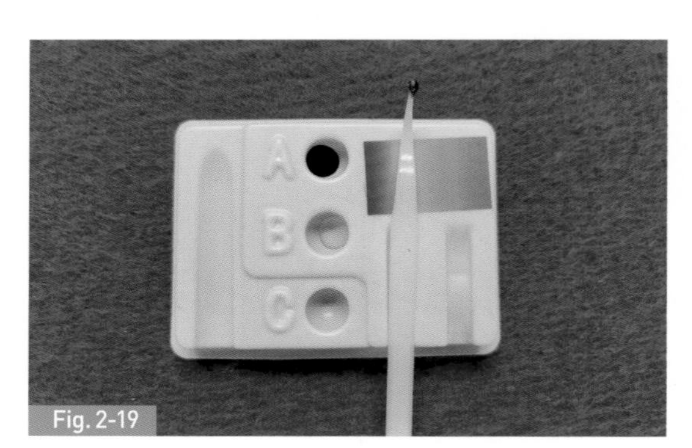

Fig. 2-19

⑤ 5분간 반응시킨 다음 판독한다(Fig. 2-19).

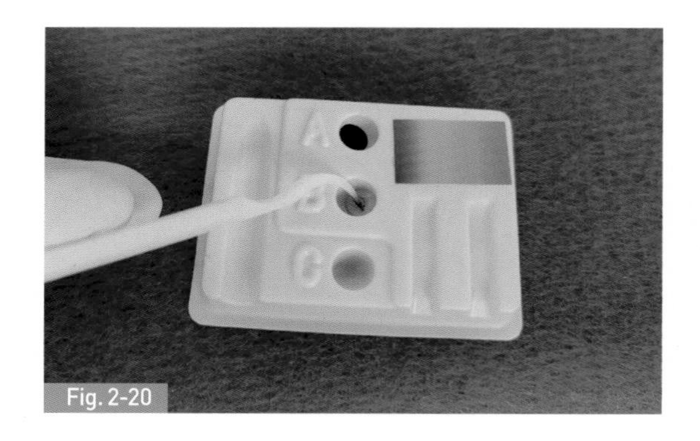
Fig. 2-20

⑥ 산성화된 치면세균막을 타액(용액 B)에 의해 중성화시킨다(Fig. 2-20).

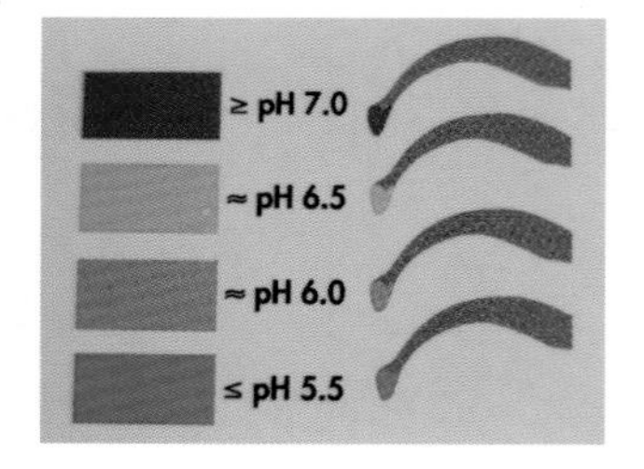

5) 스나이더 검사(Snyder test)

(1) 검사 과정

① 준비물

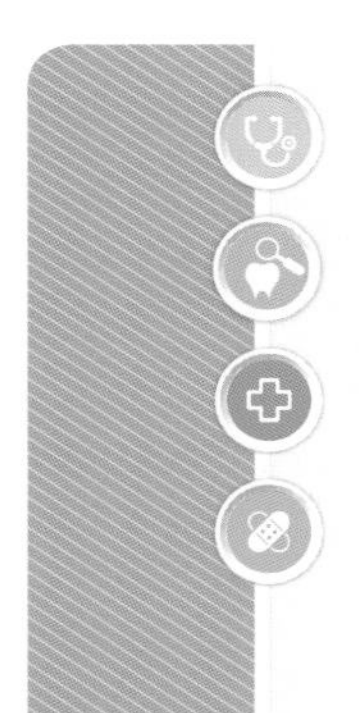

① 타액 수집용 실린더(Fig. 2-1의 3)
② 무가향 파라핀 왁스(Fig. 2-1의 2)
③ 파이펫(Micro pipette)(Fig. 2-27)
④ 고압증기 멸균기(Autoclave)(Fig. 2-26)
⑤ 배양기(Incubator)
⑥ 저울(Fig. 2-24)
⑦ Stirrer/Hot plate(Fig. 2-25)
⑧ 시험관(Test tube)과 솜마개
⑨ 시험관 스텐드
⑩ 삼각플라스크, 비이커(1,000 ml, 100 ml)

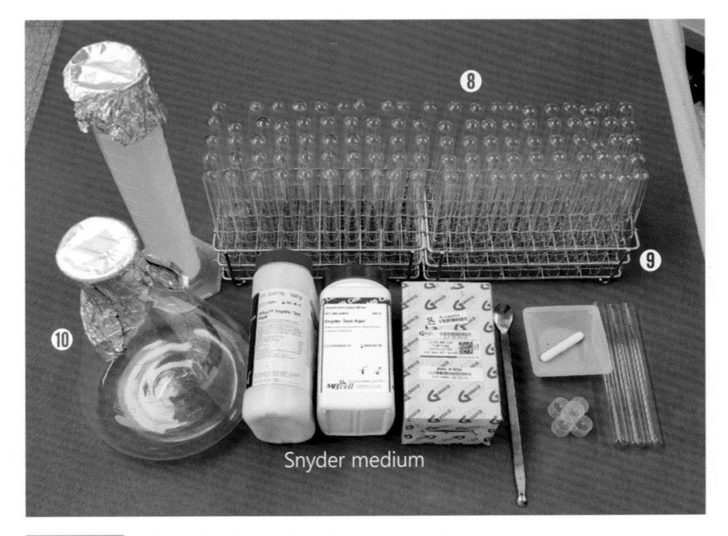

Fig. 2-21 스나이더 검사 시 필요한 재료 및 기구

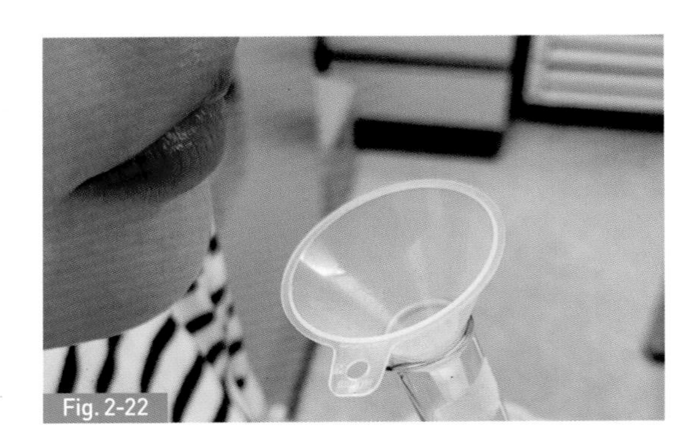
Fig. 2-22

② 아침식사 전, 파라핀 자극 타액을 수집한다 (Fig. 2-22).

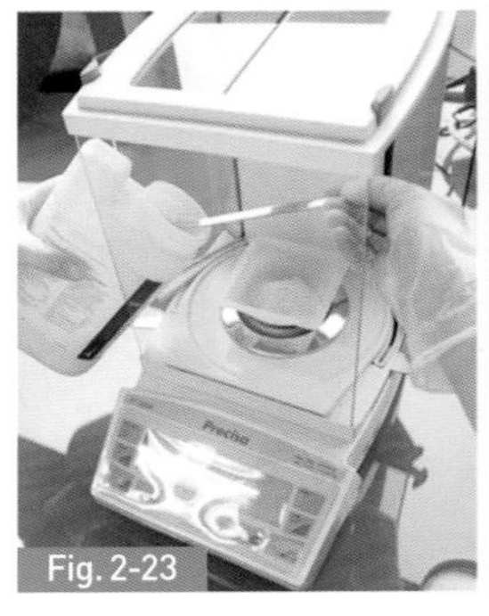

Fig. 2-23

③ Preparation of Snyder test medium (medium 29.3 g/400 ml of D.W.)(Fig. 2-23).

Fig. 2-24

④ Stirrer/Hot plate를 이용하여 배지를 잘 섞으면서 녹인다(Fig. 2-24).

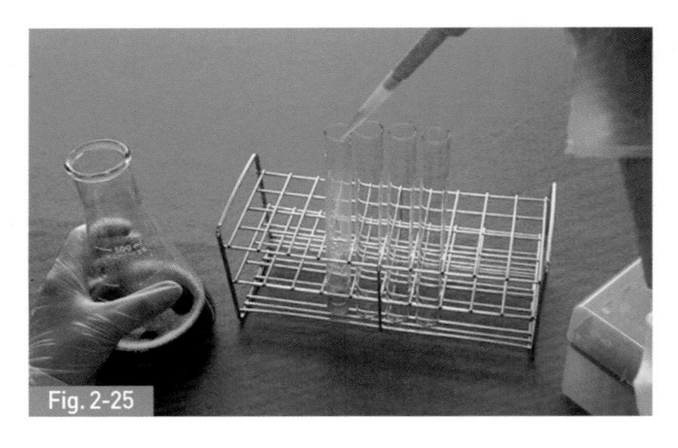
Fig. 2-25

⑤ 개별 시험관에 5 ml씩 분주한다(Fig. 2-25).

Fig. 2-26

⑥ 솜마개로 시험관 입구를 잘 막은 후, 고압멸균기에서 멸균시킨다(Fig. 2-26).

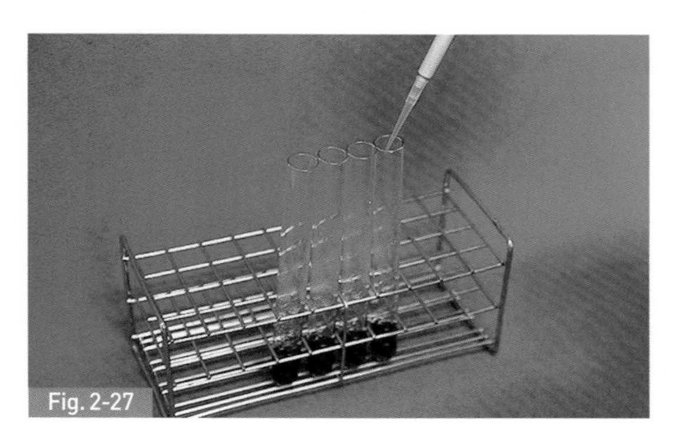
Fig. 2-27

⑦ 배지가 약간 녹은 상태에서 수집한 타액 약 0.2 ml씩을 test tube에 접종시키고 배지와 잘 섞이도록 vibration한다(Fig. 2-27).

Fig. 2-28A

⑧ 배양기에 배양하면서 매 24시간마다 72시간까지 색 변화를 관찰한다(Fig. 2-28).

Fig. 2-28B

Fig. 2-28C

Fig. 2-28D

Fig. 2-28E

(2) 결과 및 판정 기준

우식성 세균의 산생성 활성능 평가 기준

배양시간 / 산생성균 활성	24시간	48시간	72시간
현저(고도)	황색(+)		
중등도	녹색(-)	황색(+)	
경 도	녹색(-)	녹색(-)	황색(+)
무활성	녹색(-)	녹색(-)	녹색(-)

(3) 처방

판정	처방
경도	당분 섭취량과 횟수를 줄이고 식후에 칫솔질
중등도	당분 섭취량과 횟수를 줄이고 간식 섭취를 제한하여 식후 반드시 칫솔질
고도	고정성 보철물이나 교정장치의 장착 등의 치료시기를 일시적으로 보류시키고 치면세마, 칫솔질 교육, 보조구강관리용품 사용 등 집중적 관리가 필요

6) 개량스나이더 검사(Alban's test)

(1) 원리

Snyder test와 같이 타액 중의 유산균의 활성도를 비색적으로 측정하는 검사로, private dental office에서 쉽게 행할 수 있다.

(2) 방법

Fig. 2-29

① Agar를 녹일 필요 없이 5 ml의 medium이 들어 있는 test tube에 환자의 타액을 바로 agar 표면이 얇게 덮힐 정도로 직접 drooling한다(Fig. 2-29).

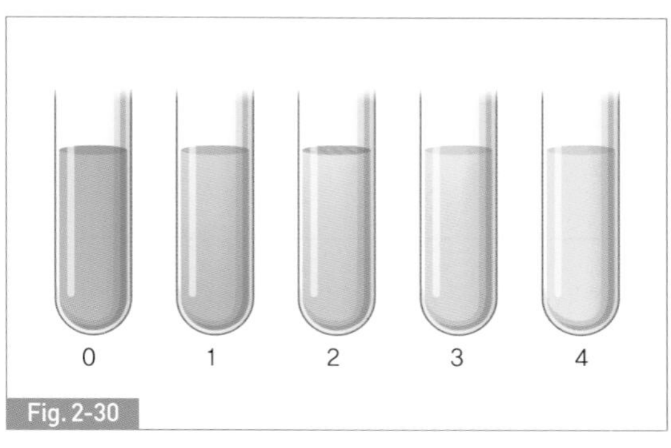

Fig. 2-30

② 4일간 배양하면서 매일 색조 변화를 관찰한다(Fig. 2-30)

(3) 결과

점수	0	1	2	3	4
색 변화	변화 없음	tube의 1/4이 yellow	1/2	3/4	모두 변화

(4) 장점

① 타액의 양을 측정할 필요가 없고 자극성 타액을 tube에 바로 채취한다.

② 번거로운 과정을 생략할 수 있다.

③ Ideal test for patient education

7) Snyder test agar 제작

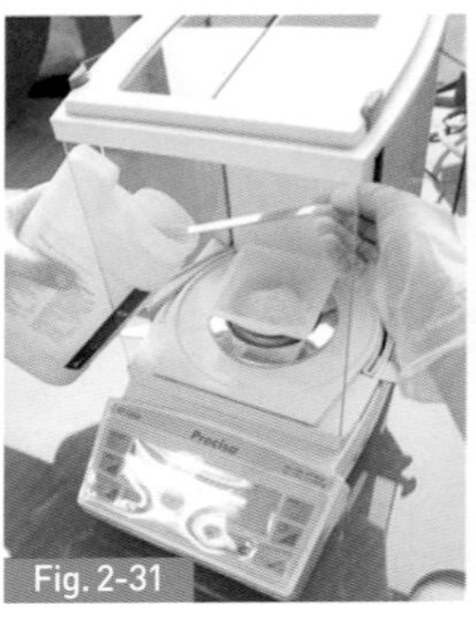

Fig. 2-31

① 제조사의 지시에 따라 Snyder test agar 65.02 gm을 1 L 증류수에 넣는다(단, 시험관 당 5 ml 씩 배분하므로 1 L인 경우 200개를 제작할 수 있다. 따라서 실험 대상자의 수에 따라 가감할 수 있다. 예를 들면, 검사 대상자가 100명인 경우 500 ml의 증류수에 32.26 gm의 medium을 넣는다. 이때 조금 더 여유분을 미리 확보해두는 것이 좋으므로 증류수 550 또는 500 ml의 양으로 환산하는 것이 좋겠다)(Fig. 2-31).

Fig. 2-32

② Stirrer/Hot plate을 이용하여 medium을 저으면서 열을 가하여 완전히 녹인다. 완전히 녹으면 배지의 색깔은 짙은 청색이 된다(Fig. 2-32).

Fig. 2-33

③ Micro pipette 또는 자동분주기를 이용하여 개별 시험관에 5 ml 씩 분주한다. 이때 사용하는 시험관은 25 cc 짜리 또는 직경 20 mm 짜리가 적당하다(Fig. 2-33).

Fig. 2-34

④ Screw cap (또는 솜마개)으로 시험관 입구를 느슨히 막은 후, 고압멸균기에서 121 ℃, 15분간 멸균한다. 멸균이 끝난 후 실온에서 식힌 다음 cap을 완전히 닫고 배지가 굳어지도록 냉장고에 보관한다(Fig. 2-34).

8) *Streptococcus mutans* 검사(Dentocult SM®)

(1) 원리

Dentocult SM 검사는 개인의 타액과 구강내 특정 4개 부위에 있는 뮤탄스연쇄상구균을 선택적으로 배양하여 세균의 양과 분포를 정량화함으로써 치아우식의 활성도를 검사하는 방법이다.

(2) 검사 과정

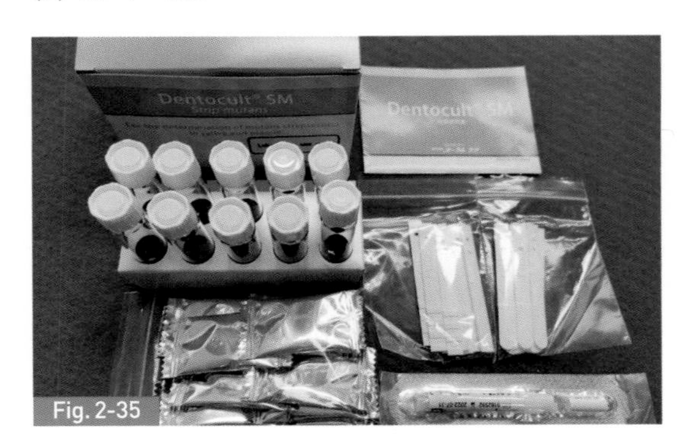

Fig. 2-35

① Dentocult-SM Kit를 준비한다. Dentocult-SM 검사는 20%의 자당이 포함된 액상의 Mitis Salivarius 배지를 사용한다(Fig. 2-35).

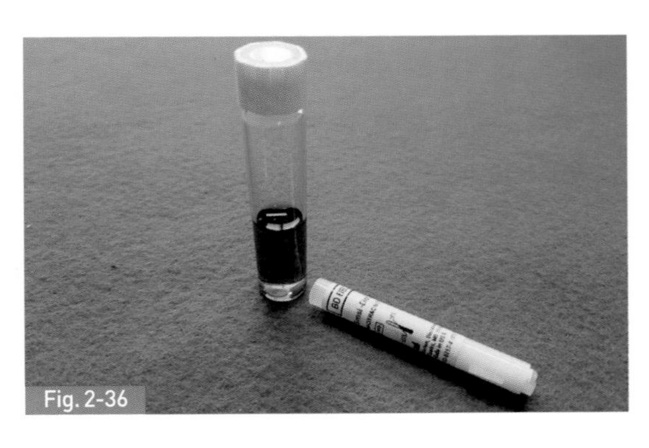
Fig. 2-36

② MS 배지가 담긴 시험관을 시료 채취 15분 전쯤 열고 Bacitracin이 함유된 disk를 넣어 뚜껑을 닫은 다음 조용히 흔들어 준다. Bacitracin은 배지 내에서 뮤탄스균이 선택적으로 잘 자라게 해준다(Fig. 2-36).

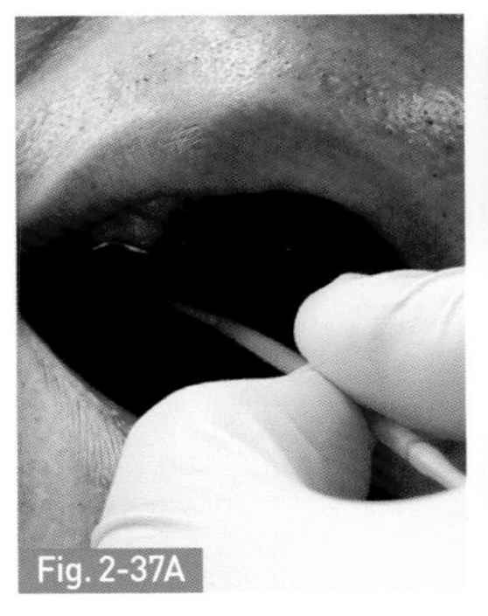
Fig. 2-37A

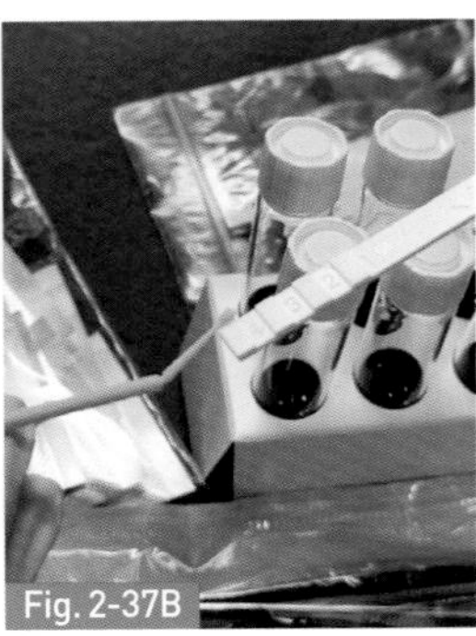
Fig. 2-37B

③ 구강 내 특정 부위 4군데에서 멸균된 micro-brush 등을 이용하여 치면세균막을 채취한 뒤, 스트립 위에 볼록하게 솟아오른 4개 부위의 Plague Strip에 차례로 묻힌다(Fig. 2-37).

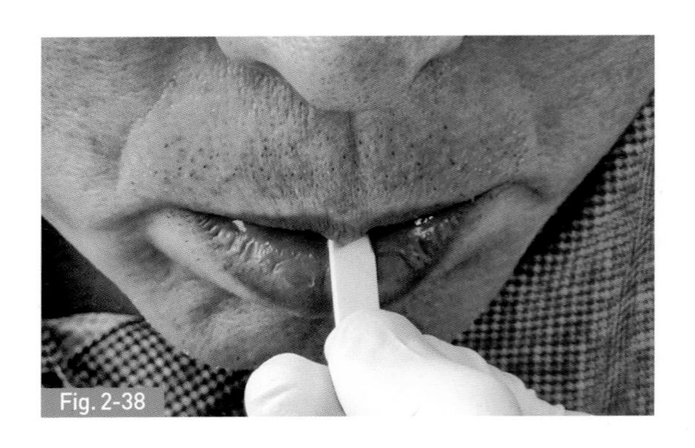
Fig. 2-38

④ Saliva Strip (타액용 배지 스트립)을 지긋이 물고 혀 위에서 두 세 번 정도 돌려가며 타액을 묻힌 뒤, 입술을 지긋이 다물고 스트립을 끄집어낸다(Fig. 2-38).

Fig. 2-39A

Fig. 2-39B

⑤ Plague Strip과 Saliva Strip은 시료가 묻지 않은 쪽을 마주보게 포갠 다음 액상 배지 용기에 넣고 뚜껑을 꽉 잠근다. 그리고 다시 살짝 1/4 바퀴만 열어준다(Fig. 2-39).

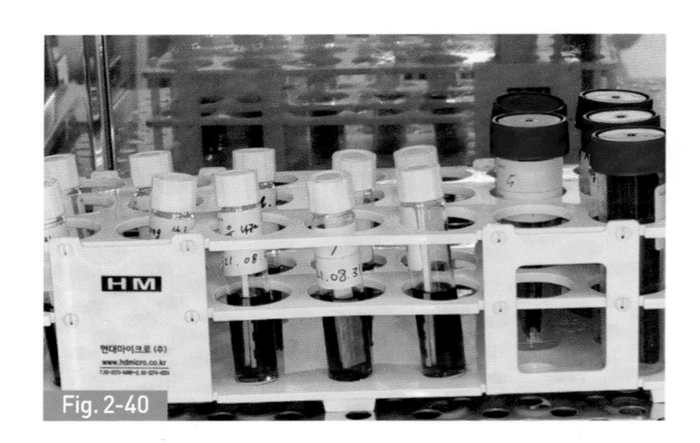

Fig. 2-40

⑥ CO_2 incubator에 넣어 48시간 배양한다. 배양이 끝난 후 기준 판정표와 대조하여 판정한다(Fig. 2-40).

9) Lactobacillus colony 검사(Dentocult LB)

(1) 원리

Dentocult LB 검사는 개인의 타액에 있는 유산균을 배양하여 세균의 양을 정량화함으로써 치아우식의 활성도를 검사하는 방법이다.

(2) 검사 과정

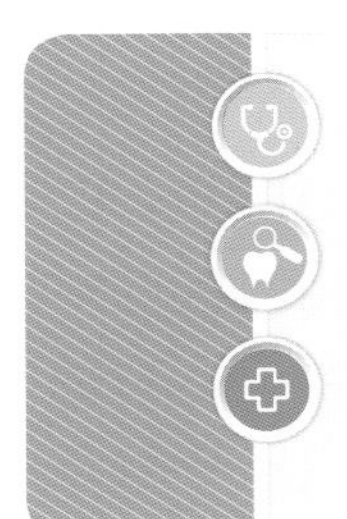

- 배양기
- 무가향 파라핀 왁스
- 자극성타액 수집 용기

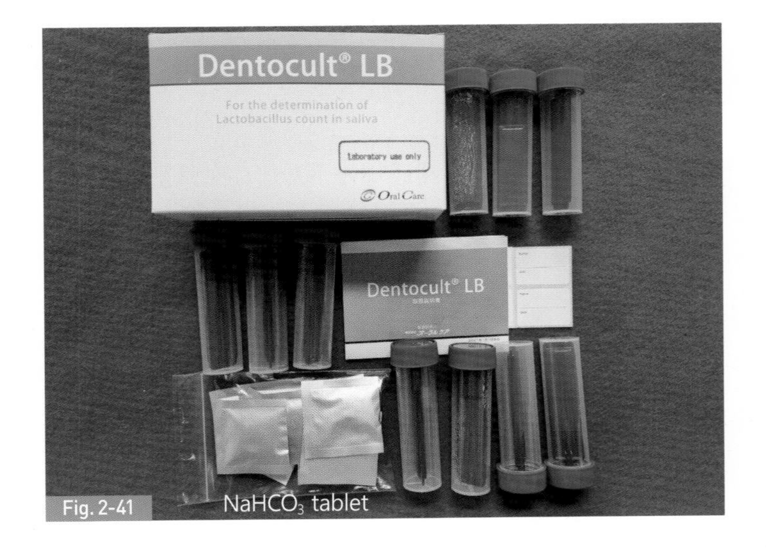

Fig. 2-41

① Dentocult-LB Kit를 준비한다.

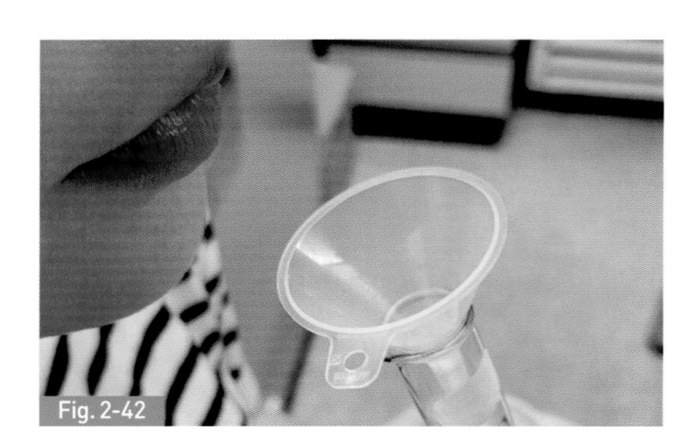
Fig. 2-42

② 자극성 타액을 채취한다(Fig. 2-42).

Fig. 2-43

③ 시험 유리병 바닥에 $NaHCO_3$(탄산수소나트륨)를 정제 투하한다. $NaHCO_3$ 정제는 타액과 접촉하여 CO_2를 발생시킴으로써 tube 내의 산소 분압을 떨어뜨려 약간의 혐기성 상태를 만들어준다(Fig. 2-43).

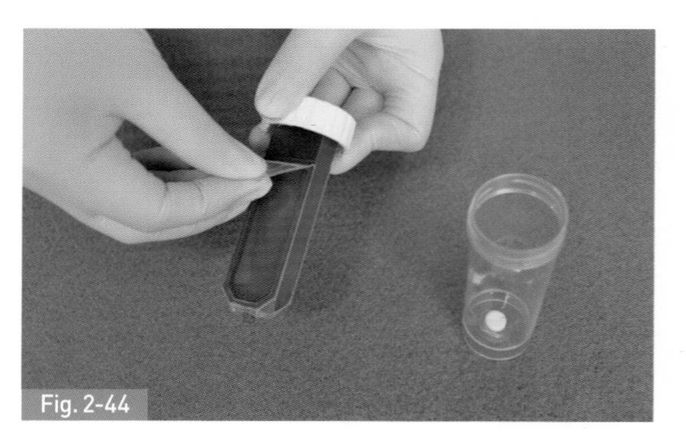
Fig. 2-44

④ 두 개의 세균 배지 표면에서 보호용 필름을 주의 깊게 제거한다(Fig. 2-44).

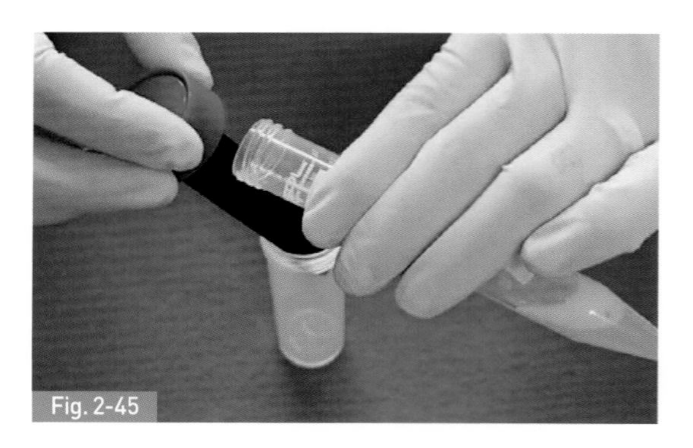
Fig. 2-45

⑤ 타액을 배지 표면에 완전히 적시고 아래로 흐르게 한다(Fig. 2-45).

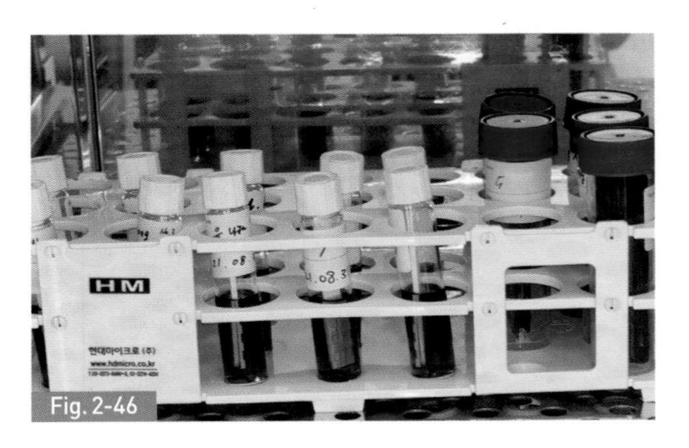

Fig. 2-46

⑥ 배지 캐리어를 유리병 안으로 다시 밀어 넣고 유리병을 단단히 닫은 후 방수 펜을 사용하여 환자의 이름과 날짜를 기록한다.

⑦ 테스트 유리병을 37 ℃에서 48시간 배양 한다. 배양이 끝난 후 기준 판정표와 대조하여 판정한다(Fig. 2-46).

(3) 판정

① *CRT Streptococcus mutans* 평가

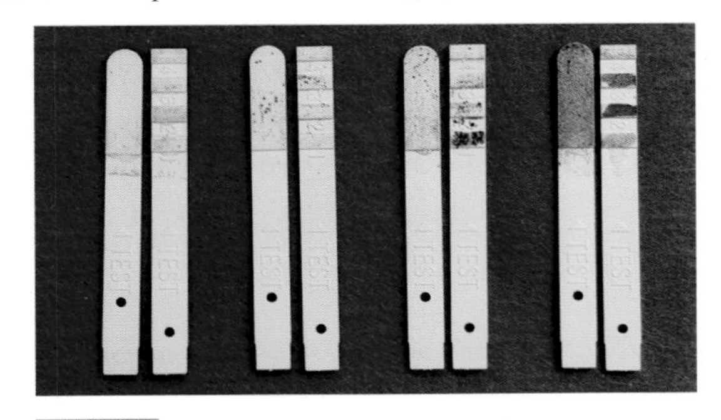

Dentocult' SM Strip mutans

Colony density

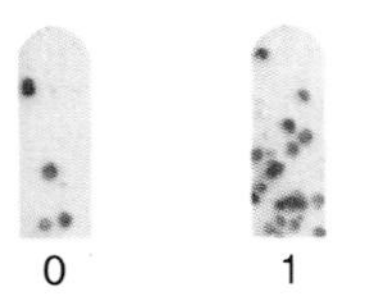

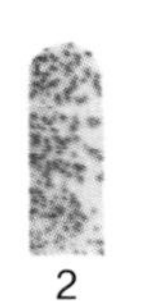

Fig. 2-47 *Mutans Streptococcl* (CFU/ml Saliva)

- 100,000(CFU/ml saliva) 이하일 경우, Low Caries Risk
- 100,000(CFU/ml saliva) 이상일 경우, High Caries Risk

* CFU: 형성되는 군집락 수

② CRT Lactobacillius 평가

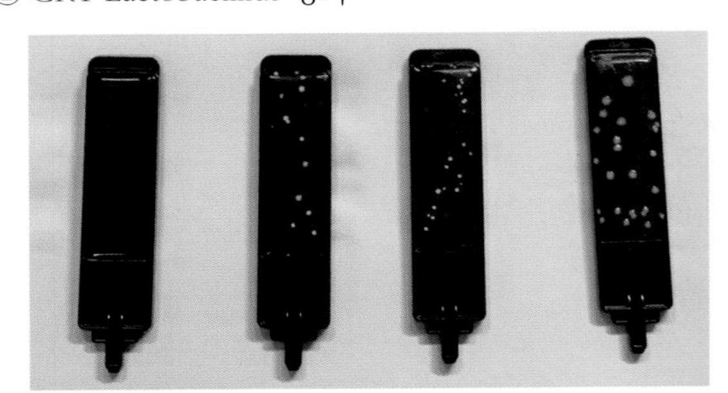

Dentocult® LB

Colony density, CFU/ml

10^3 10^4 10^5 10^6

Fig. 2-48 *Lactobacilli* (CFU/ml sallva)

• 100,000(CFU/ml saliva) 이하일 경우, Low Caries Risk
• 100,000(CFU/ml saliva) 이상일 경우, High Caries Risk

* CFU: 형성되는 군집락 수

10) 구강내 포도당 잔류시간 검사

(1) 원리

구강 내 체류되어 있는 포도당은 치아우식의 발생에 직접적인 영향을 미치므로, 캔디를 먹은 후 구강 내 타액 중의 포도당이 없어질 때까지의 시간을 측정하여 우식발생 가능성을 판정한다.

(2) 검사 과정

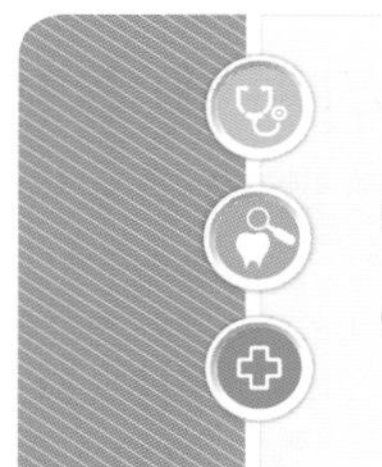

① Tes-tape ② 포도당(Glucose-candy)
③ 가위 ④ 막대면봉 또는 이쑤시개

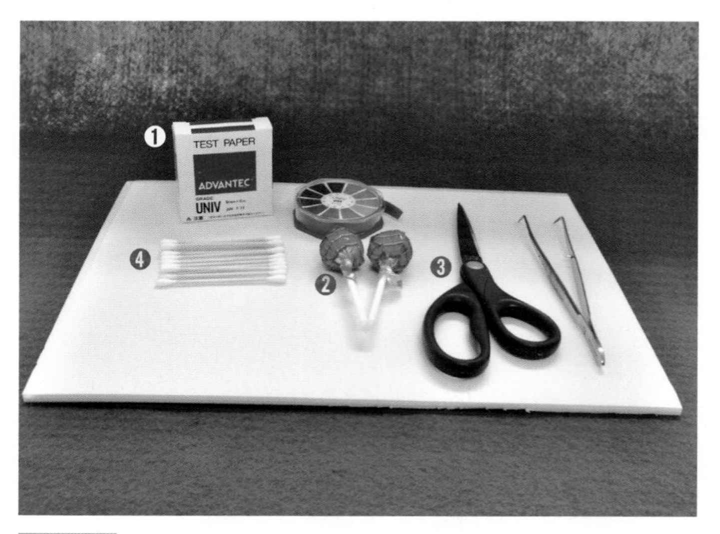

Fig. 2-49 구강 내 포도당 잔류시간 검사 시 필요한 재료 및 기구

① 포도당 측정용 tes-tape와 사탕을 준비한다(Fig. 2-49).

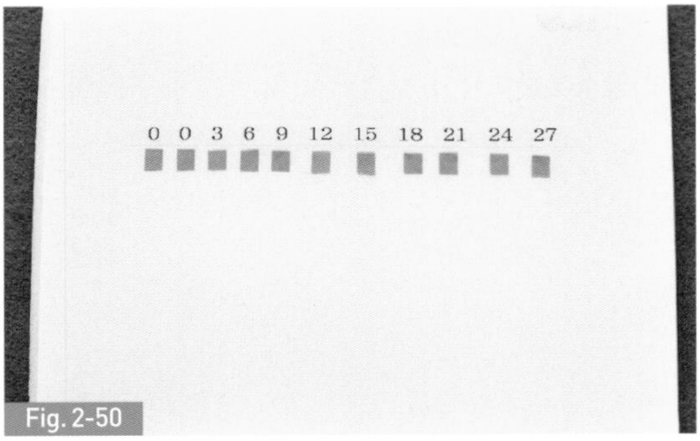

0 0 3 6 9 12 15 18 21 24 27

Fig. 2-50

② 자극성 타액을 채취하고, tes-tape를 일정한 크기로 11개를 준비한다(Fig. 2-50).

Fig. 2-51

③ 물로 입안을 헹군다(Fig. 2-51).

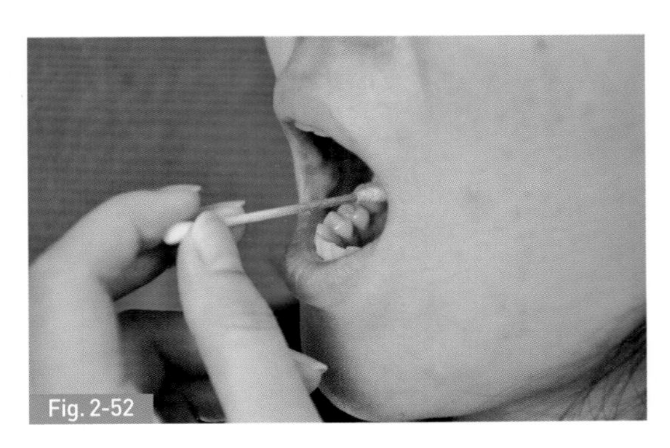
Fig. 2-52

④ 막대 면봉이나 이쑤시개를 이용하여 구치부 치간에서 타액을 채취한 뒤 0번 tes-tape 조각에 접촉시킨다(Fig. 2-52).

Fig. 2-53

⑤ 사탕을 모두 섭취 후 구치부 치간에서 타액을 채취한 뒤, 또 다른 0번 tes-tape 조각에 접촉시켜 색 변화를 관찰하여 포도당의 잔류를 확인한다(Fig. 2-53).

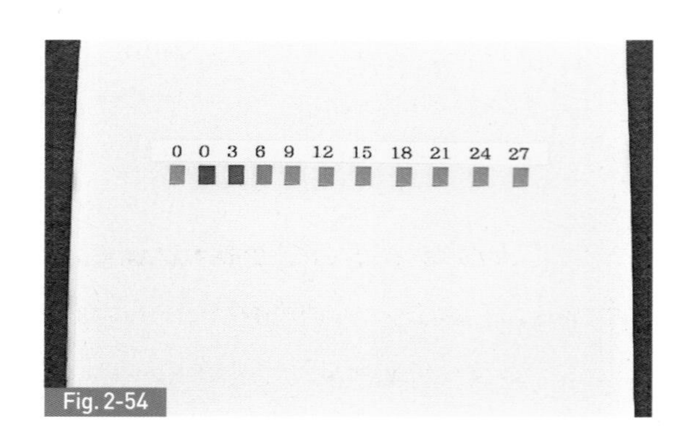

Fig. 2-54

⑥ 일정 시간(3분) 간격으로 타액을 채취하여 tes-tape에 묻혀 색이 변하지 않을 때까지 과정을 계속하며 포도당 잔류시간을 측정한다(Fig. 2-54).

(3) 판정

① 구강 내에서 포도당이 소실되는 데 걸리는 시간은 10~15분 정도를 정상 범주로 판정한다.

② 포도당이 구강 내에 잔류하는 시간이 15분 이상인 경우, 구강환경을 철저히 관리하게 하고 치아우식을 발생시키는 부착성 당질 음식의 섭취를 제한하여야 한다.

11) 치면세균막 재형성률 검사

(1) 원리

치면세균막이 재차 형성되어 부착된 정도를 스스로 관찰하게 하여 구강환경관리를 철저히 할 수 있도록 하는 방법이다.

(2) 검사 과정

① 준비물

① 기본 기구 세트(Mouth mirror, Explorer, Pincette)

② 타액 흡입기(Saliva ejector)

③ 에어프런(Apron)

④ 바세린

⑤ 종이컵

⑥ 면봉

⑦ 액상 치면착색제(Disclosing solution)

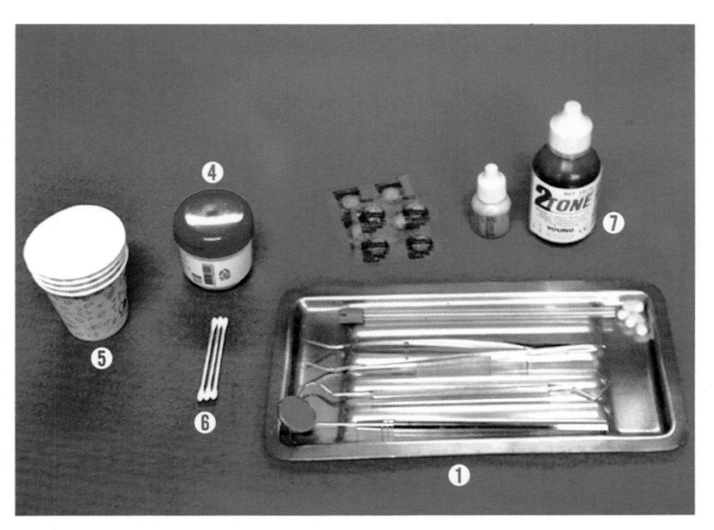

Fig. 2-55 치면세균막 재형성률 검사 시 필요한 재료 및 기구

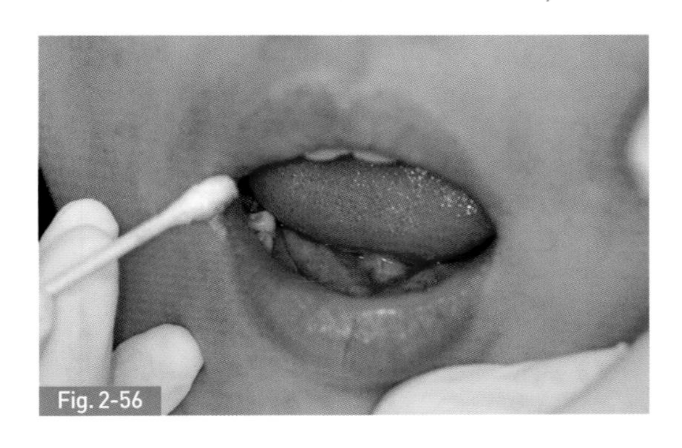

Fig. 2-56

② 치면세마 후 이틀간 칫솔질을 하지 않도록 환자에게 지시한 후 환자의 입술에 바세린을 도포한다(Fig. 2-56).

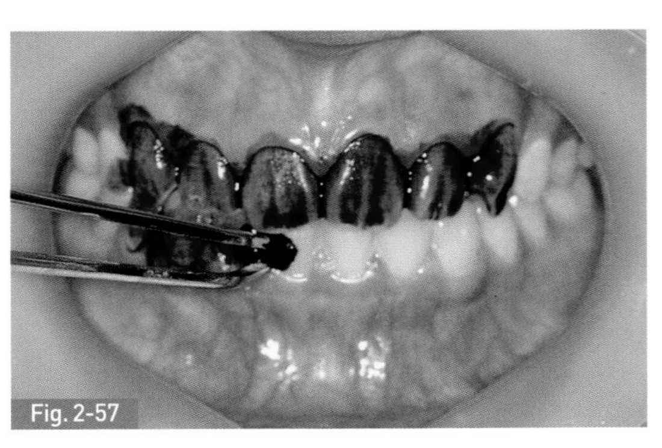

Fig. 2-57

③ 대상자의 치아 표면을 치면착색제로 착색시키고, 치면세균막이 새로 형성된 정도를 관찰, 평가한다(Fig. 2-57).

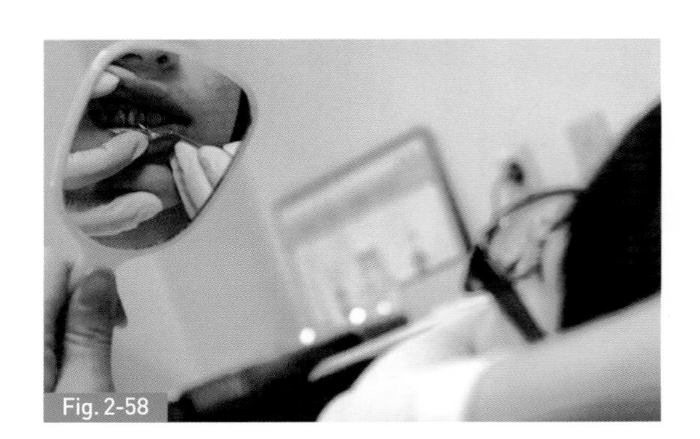
Fig. 2-58

④ 구강환경에 대해 지도한다(Fig. 2-58).

(3) 판정

① 치면세균막의 부착된 정도를 스스로 관찰하게 한다.

② 철저한 구강환경관리를 습관화해야 할 필요성을 강조한다.

③ 구강환경관리 능력을 주기적으로 평가받아야 한다는 사실을 주지시킨다.

실습보고서

	년 월 일	학번		성명	
실습제목	**타액 분비율 검사**				
준 비 물					
실습과정					
실습소견					
담당교수 확 인					

실습보고서

	년 월 일	학번		성명	
실습제목	**타액 점조도 측정**				
준 비 물					
실습과정					
실습소견					
담당교수 확 인					

실습보고서

년 월 일	학번		성명	
실습제목	타액 완충능 측정			
준 비 물				
실습과정				
실습소견				
담당교수 확 인				

실습보고서

년 월 일	학번		성명	
실습제목	치면세균막 수소이온농도 검사			
준 비 물				
실습과정				
실습소견				
담당교수 확 인				

실습보고서

년 월 일	학번		성명	
실습제목	스나이더 검사			
준 비 물				
실습과정				
실습소견				
담당교수 확 인				

실습보고서

	년 월 일	학번		성명	
실습제목	**개량스나이더 검사**				
준 비 물					
실습과정					
실습소견					
담당교수 확 인					

실습보고서

년 월 일	학번		성명	
실습제목	*Streptococcus mutans* 검사			
준 비 물				
실습과정				
실습소견				
담당교수 확 인				

실습보고서

년 월 일	학번		성명	
실습제목	*Lactobacillus colony* 검사			
준 비 물				
실습과정				
실습소견				
담당교수 확 인				

실습보고서

	년 월 일	학번		성명	
실습제목	구강 내 포도당 잔류시간 검사				
준 비 물					
실습과정					
실습소견					
담당교수 확 인					

실습보고서

년 월 일	학번		성명	
실습제목	치면세균막 재형성률 검사			
준 비 물				
실습과정				
실습소견				
담당교수 확 인				

실습보고서

년 월 일	학번		성명	
실습제목				
준 비 물				
실습과정				
실습소견				
담당교수 확 인				

PART 02

구강검진체계

PREVENTIVE DENTISTRY

Chapter 03

구강건강측정 – 치아검사

학 습 목 표

1. 구강역학조사에서 측정하는 치아 상태 평가 원칙을 이해한다.
2. 치아우식치면과 건전치면을 구별할 수 있다.
3. 치아 상태를 검사지에 기록하는 방법을 이해할 수 있다.
4. 치아 상태를 검사지에 기록할 수 있다.
5. 큐레이 시스템의 정의와 활용 대상 범위에 대해 설명할 수 있다.

1. 구강검사과정

① 구강검사 기준에 따라 검사하고, 기록 지침에 따라 검사 결과를 정확히 기록하여야 한다.

② 가운, 마스크, 글러브 등을 착용하고 양호한 조명 하에서 치경을 이용하여 검사를 시행한다.

③ 한 개의 치아를 완전히 검사한 후에 다른 치아를 검사하고, 상악에 있는 치아를 모두 검사한 후에 하악 치아를 검사한다. 전치부는 설면, 순면, 근심면, 원심면 순으로 검사하고, 구치부는 교합면, 설면, 협면, 근심면, 원심면 순서로 검사하길 권장한다.

④ 치아의 어느 한 부분이 육안으로 관찰되거나, 육안으로 관찰되지 않더라도 탐침으로 탐지될 경우에는 구강 내에 현존하는 치아로 간주한다. 혼합치열의 경우, 영구치와 유치가 동일한 부위에 공존할 때는 영구치만을 현존치아로 간주한다.

2. 구강검사 및 기록 순서

① 치아 상태 및 치료필요 상태의 검진 및 기록은 상악 우측, 상악 좌측, 하악 좌측, 하악 우측의 순서로 기록하도록 권장한다.
② 상악은 우측 치아에서 좌측 치아 쪽으로 검진하여 기록해 나가고, 하악은 좌측 치아에서 우측 치아 쪽으로 검진하고 기록한다.
③ 각각의 치아는 치아 상태와 치료필요를 일조로 하여 검진 및 기록을 마친 후 다음 치아를 검진한다.
④ 치아 상태의 모든 부위에서 유치 또는 영구치 중 한 쪽은 반드시 기록되어야 한다.
⑤ 치아 상태 판정에는 날카로운 탐침을 사용하지 않는 것을 원칙으로 한다.

3. 치면 상태 부호

- 0=건전치면
- 1=우식치면
- 3=우식경험처치치면
- 4=우식경험상실치면
- 5=우식비경험상실치면
- 6=전색치면
- 7=우식비경험처치치면
- 8=미맹출치면
- 9=기록불가치면

4. 치면 상태

1) 건전치면=0

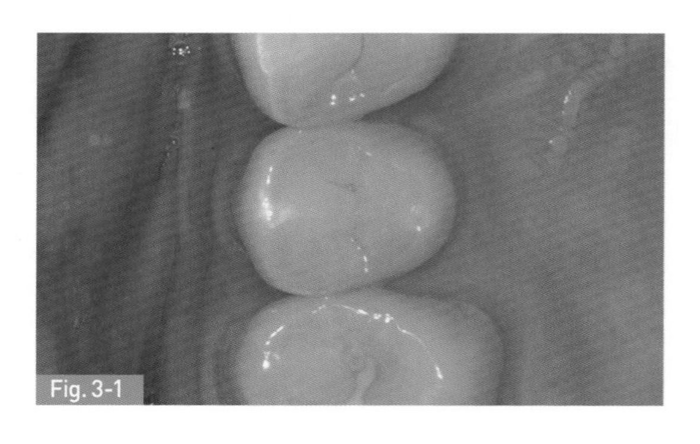
Fig. 3-1

치아우식을 치료한 흔적이 없고, 전색된 흔적이 없으며, 우식이 진행하고 있다는 증거가 보이지 않는 치면(Fig. 3-1).

2) 우식치면=1

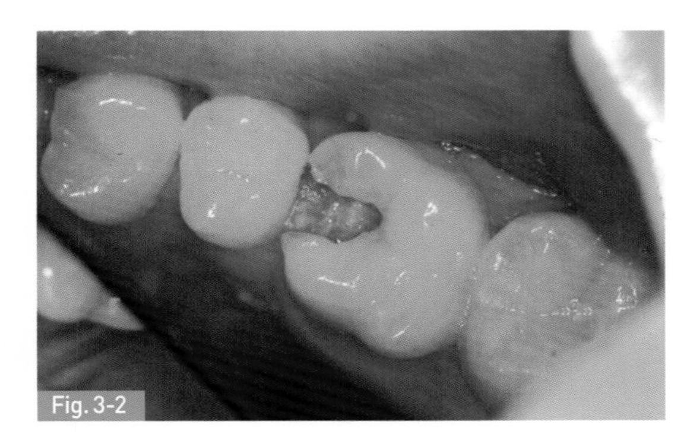
Fig. 3-2

① 치질의 파괴를 동반한 광범위한 검은 변색, 소와하부로부터 법랑질을 통해 뚜렷하게 비춰지는 검은 상아질 우식 부위 등 의심할 여지가 없는 우식와동이 있는 치면(Fig. 3-2).

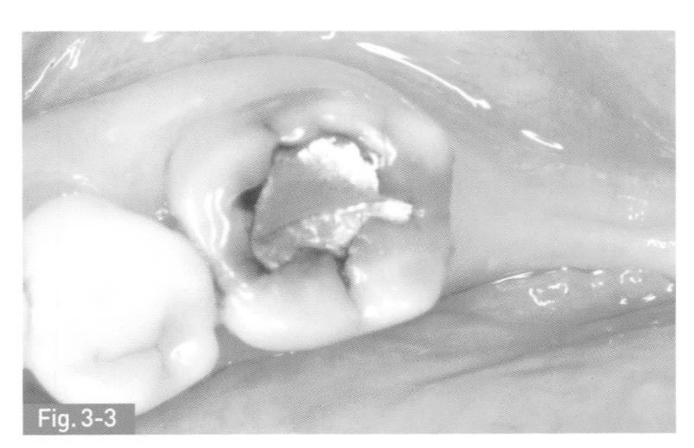
Fig. 3-3

② 한 치면에 충전물과 우식이 동시에 존재하는 경우(Fig. 3-3).

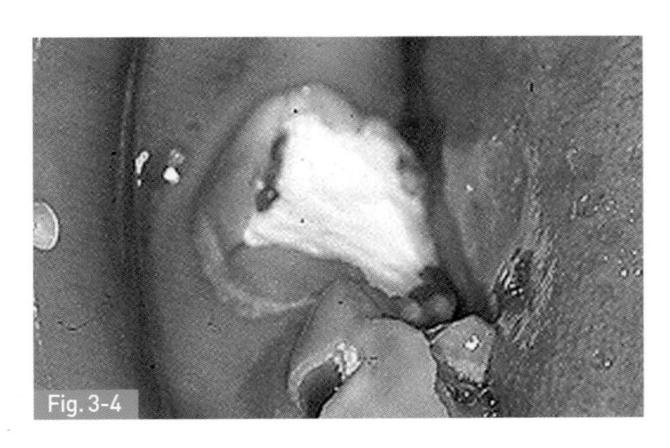
Fig. 3-4

③ ZOE나 caviton 등과 같은 임시충전된 치면(Fig. 3-4).

3) 우식경험처치치면=3

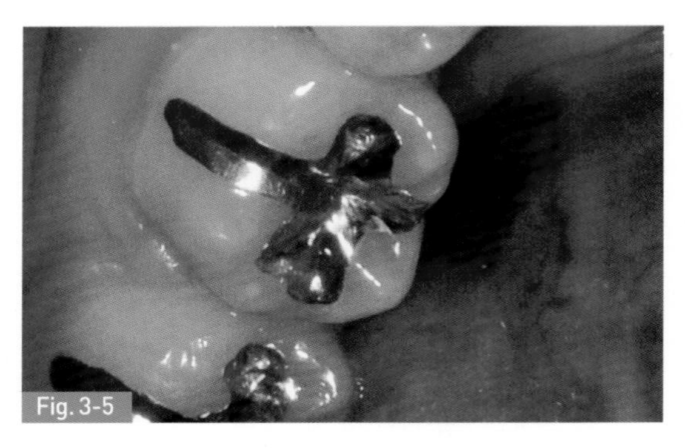
Fig. 3-5

① 진행 중인 우식이 없고 영구수복물이 있는 치면(Fig. 3-5).

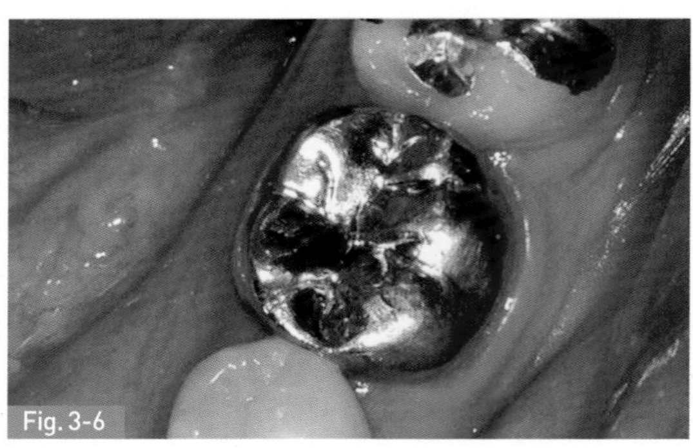
Fig. 3-6

② 치아우식으로 인해 인조치관으로 수복된 치아의 모든 치면(Fig. 3-6).

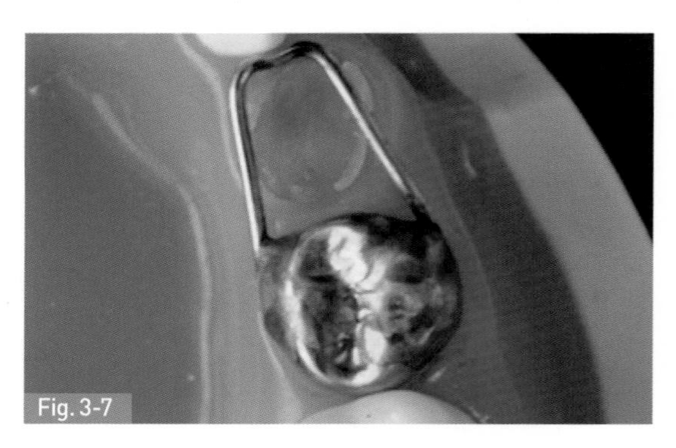
Fig. 3-7

③ 공간유지장치 설계 시 우식이 있는 경우에 crown & loop를 사용하므로, 공간유지장치용 치관은 모두 우식경험처치치면으로 기록(Fig. 3-7).

Fig. 3-8

④ 가공치 없이 복수의 치아를 인조치관의 형태로 수복하였을 경우, 수복원인이 치아우식 때문이라면 결합된 인조치관 모두를 우식경험처치치면으로 기록(Fig. 3-8).

4) 우식경험상실치면=4

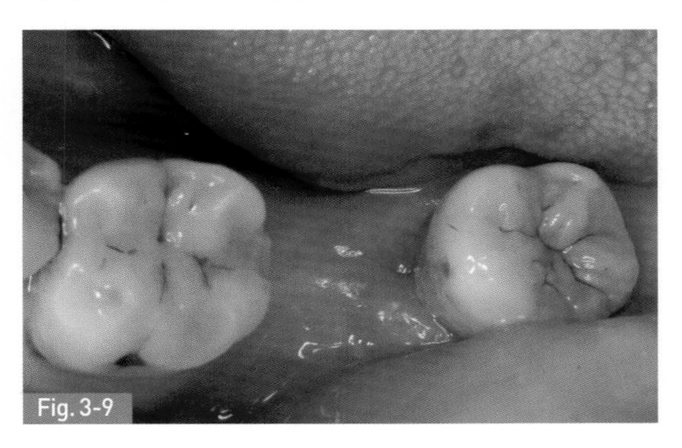
Fig. 3-9

① 우식으로 인하여 발거된 치아의 모든 치면(Fig. 3-9).
② 모든 상실치아는 상실의 경력을 문진하여 상실 원인을 판정.

5) 우식비경험상실치면=5

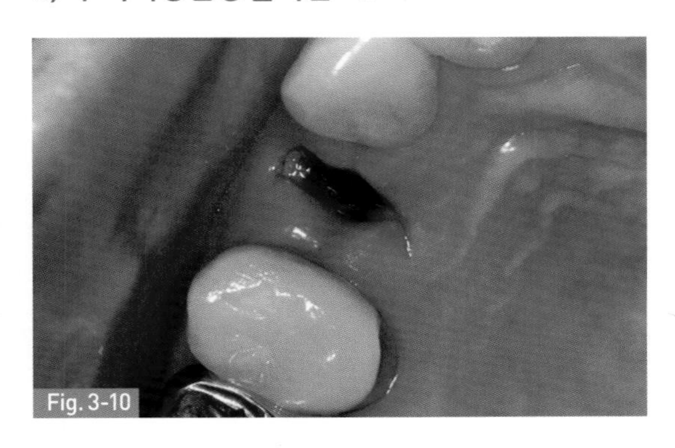
Fig. 3-10

① 외상이나 치주질환으로 인한 발거치 및 교정치료나 보철준비 등을 위한 발거치아(Fig. 3-10).
② 상실 경험은 있으나 원인을 모르는 경우 구치부는 우식경험상실치면, 전치부는 우식비경험상실치면으로 간주할 수 있음.

6) 전색치면=6

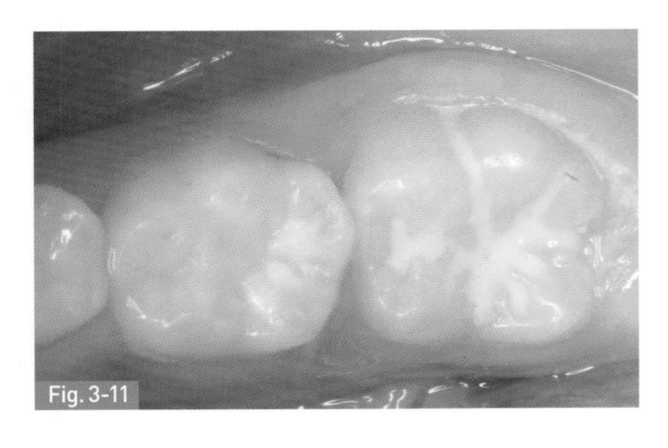
Fig. 3-11

소와 또는 열구가 치면연구 전색재로 처치된 치면(Fig. 3-11).

7) 우식비경험처치치면=7

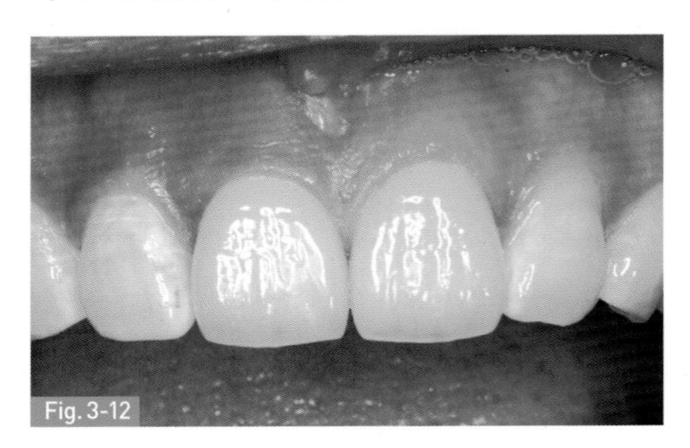
Fig. 3-12

지대치로 이용된 치아의 치면과 우식 이외의 심미 목적 등으로 순면을 덮은 베니어/라미네이트 금관 피개치면(Fig. 3-12).

8) 미맹출치면=8

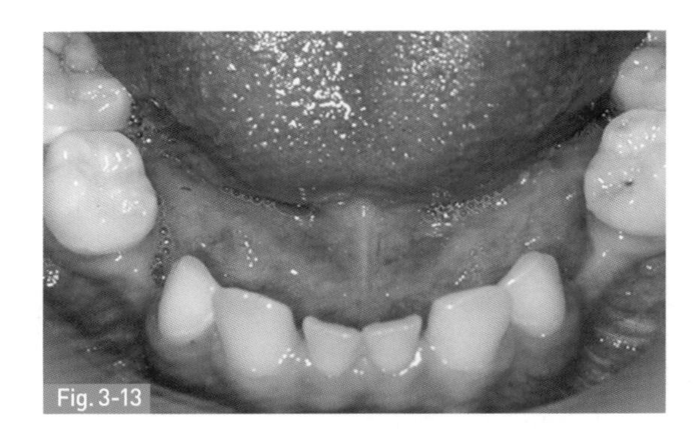
Fig. 3-13

① 상실의 기억이 없는데 구강 내에 보이지 않는 모든 치아는 치아 맹출 시기를 참조하여 미맹출 치아로 판정(Fig. 3-13).
② 만10세 또는 초등학교 5학년생 이상에서는 구강 내에 유치가 존재하더라도 유치란에 기록하지 말고 영구치 미맹출로 처리.
③ 선천성 결손

9) 기록불가치면=9

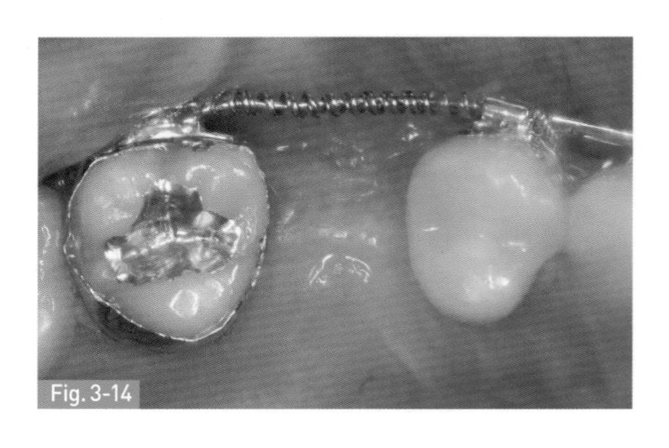
Fig. 3-14

① 교정용 밴드로 가려진 치면 및 기타 이유로 기록이 불가능한 경우(Fig. 3-14).
② 교정용 밴드가 존재하더라도 교합면은 보이는 대로 판정.

10) 지치

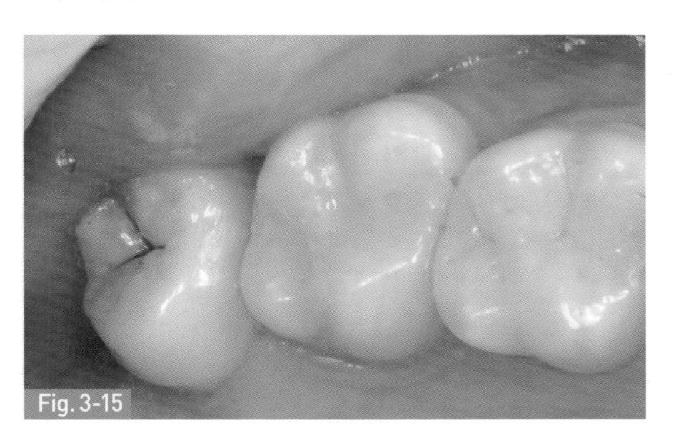
Fig. 3-15

① 지치는 문진에 의해 우식 경험 여부 확인(Fig. 3-15).

② 시진을 시작하기 전에 "사랑니를 뽑으신 적 있습니까?"라고 물은 후, 경험이 있다고 대답한 경우에 한하여 "썩어서 뽑으셨습니까?"라고 물어 지치의 우식 경험상실 여부를 판정.

③ 발거 원인을 "모른다"고 진술한 경우와 "부어서 뽑았다" 등 명확히 썩어서 뽑았다는 진술이 없는 경우에는 우식비경험상실치아로 판정.

11) 인접면 우식

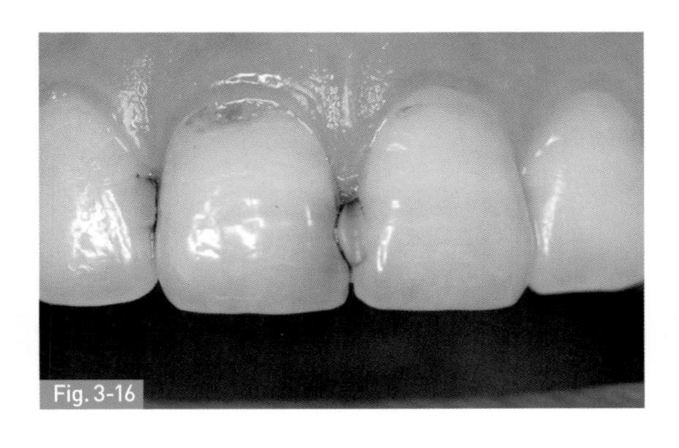
Fig. 3-16

① 인접면 우식이 협면 또는 설면으로 확대된 경우에는 와동이 협설면에서 보아 원래 치아의 근원최대폭경의 1/4 이상을 침범하지 않았을 때 인접면에 국한된 우식으로 판정(Fig. 3-16).

② 구치부는 교합면 법랑질을 통하여 우식상아질이 통과되어 보이더라도, 교합면에서 바라보아 법랑질의 파괴가 일어나지 않았다면 인접면에 국한된 우식으로 판정.

5. 치료필요 부호

- 0=치료불필요
- 1=1치면 처치필요
- 2=2치면 이상 처치필요
- 3=인조치관 수복필요
- 5=치수치료 및 수복필요
- 6=발거필요
- 7=기타 치료필요

6. 치료필요

1) 치료불필요=0

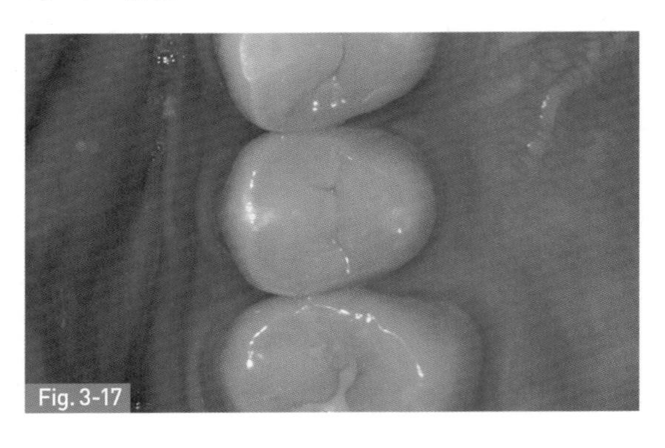
Fig. 3-17

① 모든 치면에 진행 중인 우식이 없거나, 파절 등 다른 치료를 필요로 하는 요인이 없어 치료를 받을 필요가 없는 경우(Fig. 3-17).

② 미맹출 치아

2) 1치면 처치필요=1

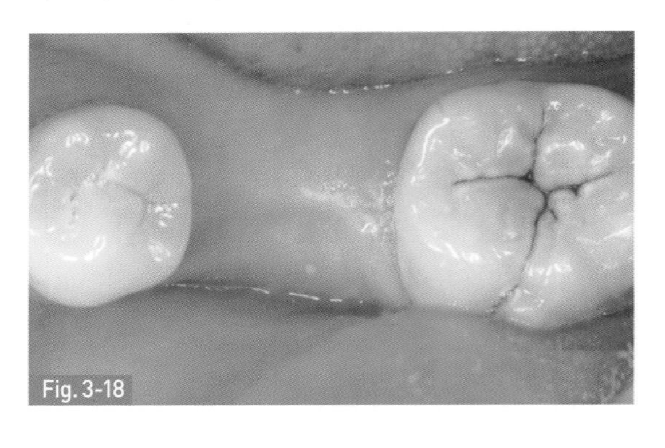
Fig. 3-18

1개 치면만의 처치가 필요한 다음과 같은 경우에 1치면 처치필요로 판정(Fig. 3-18).

① 우식 또는 외상으로 인하여 1치면만의 치료가 필요한 경우.

② 불량수복물이나 불량전색물로 1치면만 재치료가 필요한 경우.

3) 2치면 이상 처치필요=2

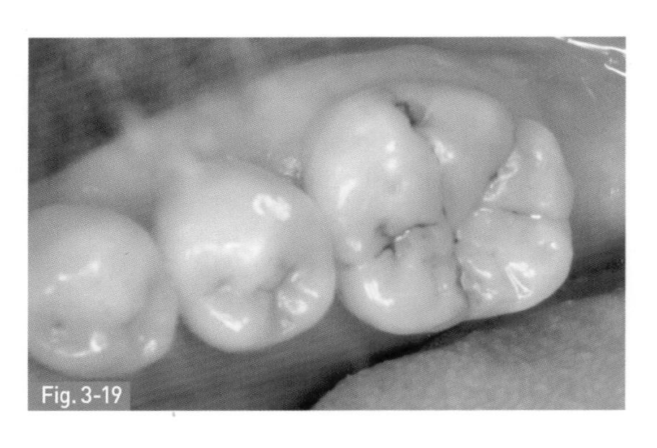
Fig. 3-19

2개 치면 이상의 처치가 필요한 다음과 같은 경우에 2치면 이상 처치필요로 판정(Fig. 3-19).

① 우식 또는 외상으로 인하여 2치면 이상의 치료가 필요한 경우.

② 불량수복물이나 불량전색물로 2치면 이상의 재치료가 필요한 경우.

③ 인접면 우식 등의 경우와 같이 1개 면에 문제가 있더라도 수복과정에서 2개 치면을 충전하여야 하는 경우.

4) 인조치관 수복필요=3

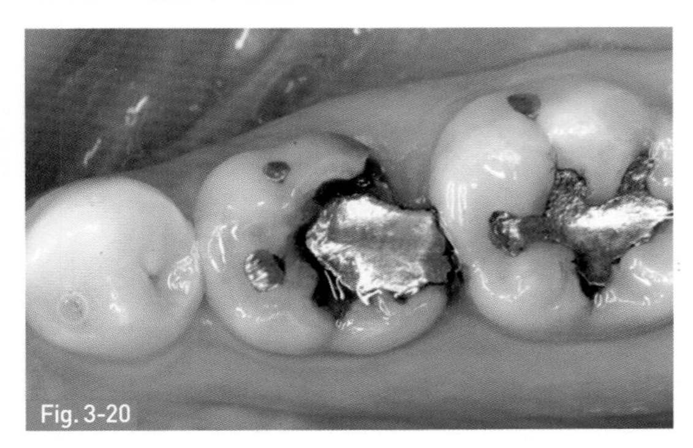
Fig. 3-20

처치가 필요한 경우 중 충전물로 수복하기 어려워 금속, 도재 내지 합성수지 인조치관을 이용한 수복이 필요한 경우(Fig. 3-20).

5) 치수치료 및 수복필요=5

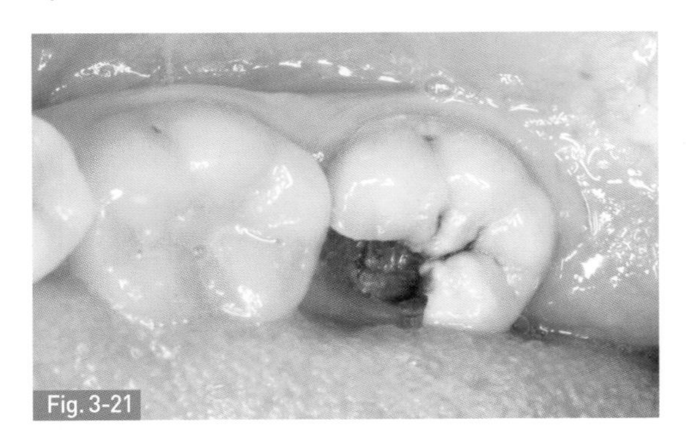
Fig. 3-21

심한 우식증이나 심한 치아파절 등으로 인하여 치수치료를 한 이후 충전 내지 인조치관수복이 필요한 경우(Fig. 3-21).

6) 발거필요=6

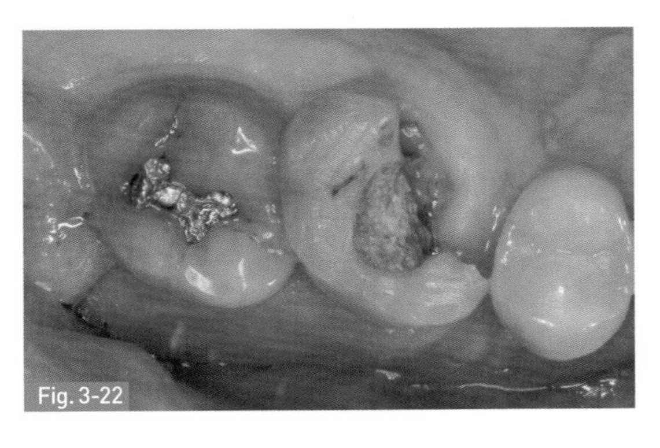
Fig. 3-22

① 치수치료 후 수복할 수 없는 수준의 심한 우식(Fig. 3-22).
② 기능 회복이 불가능하다고 판단되는 동요도가 심한 치주 질환.
③ 보철을 위해 발거가 필요한 경우.
④ 교정이 어려울 정도로 심하게 전위된 치아.
⑤ 매복으로 인하여 발거가 필요한 경우.

7. 큐레이 시스템

1) 큐레이(Q-ray) 형광검사

큐레이 형광검사는 1980년대 스웨덴의 Sunstrom 교수가 건전한 치아에 푸른색 가시광선을 조사하면 법랑질 조직은 푸른색 빛을 흡수하고 녹색 형광을 띠지만 치아우식이 있는 부위는 무기질의 소실로 인해 형광이 빛을 잃어 어둡게 나타남을 발견하였으며, 이러한 원리를 이용해 네덜란드의 Inspektor사에서 구강 내 초기 우식병소를 정량화된 수치로 제시할 수 있는 최초의 제품 Inspektor pro를 출시한 것이 큐레이 형광검사의 시작이라 할 수 있다. 큐레이의 초기 개발 목적은 치아우식 진단을 위한 검사였으나, 이후 우식과 치태의 경중도를 수치로 표현할 수 있게 되어 구강검진 및 구강보건교육에 사용하는 등 연구에서부터 진단까지 광범위하게 이용되고 있다.

2) 활용 대상 범위

초기 치아우식 및 치태·치석이 있는 환자, 치아파절 및 치아균열이 있는 환자, 보철물 파절이 있는 환자, 치아마모 등이 있는 환자, 교정환자, 임플란트 유지관리 환자, 관리가 필요한 어린이 환자, 치근우식이 우려되는 노인 환자 등 진단이 필요한 모든 환자에게 활용할 수 있다.

3) 큐레이(Q-ray)의 종류

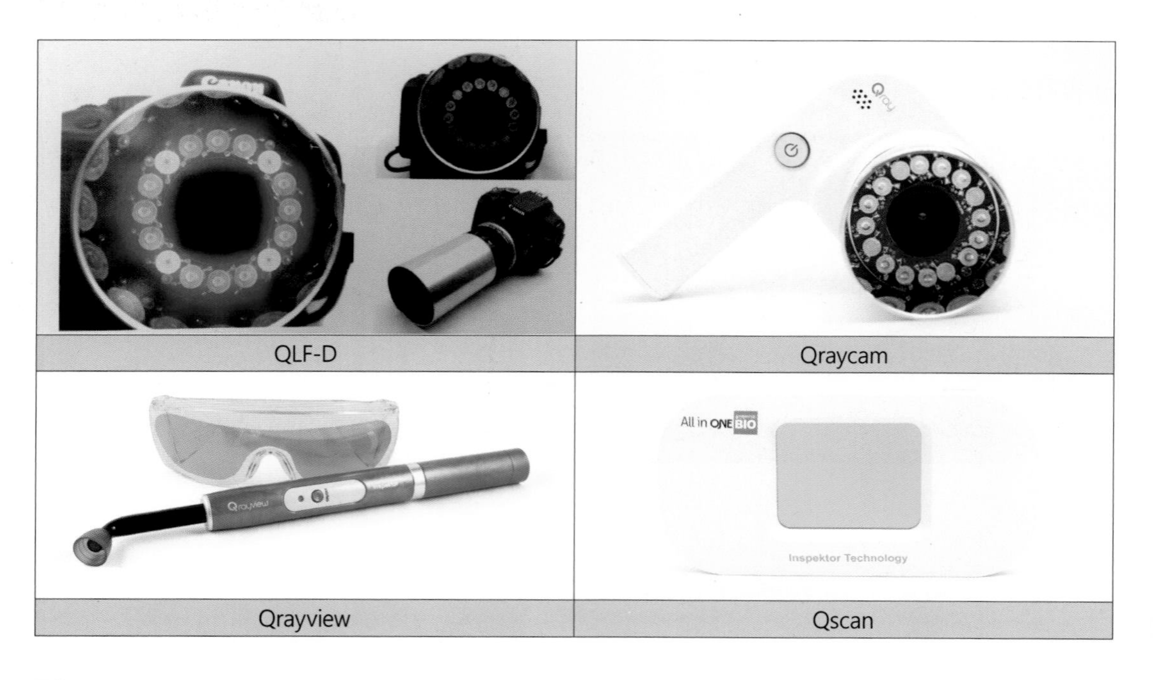

QLF-D | Qraycam | Qrayview | Qscan

4) 큐레이 판독 예

① 초기 치아우식의 경우 큐레이를 조사하면 병소 부위에서 형광이 소실되는데, 이 때 병소 부위와 정상 법랑질간의 상대적인 형광 소실 정도를 비교하여 정량화할 수 있다.

② 치태나 치석의 경우, 오래된 구강 미생물들이 porphyrin이라는 특수한 대사산물을 분비하는데, 큐레이는 이러한 물질과 반응해서 특이한 붉은 색의 형광을 발현한다.

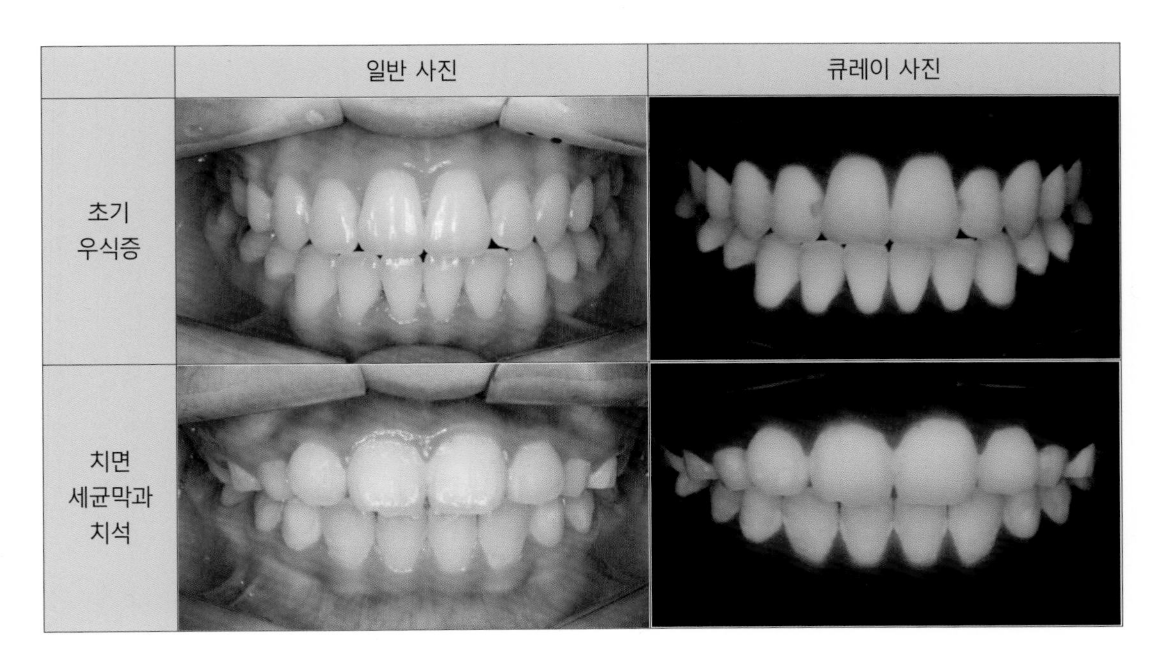

	일반 사진	큐레이 사진
초기 우식증		
치면 세균막과 치석		

실습보고서

	년 월 일	학번		성명	
실습제목	치아 검사				
준 비 물					
실습과정					
실습소견					
담당교수 확 인					

실습보고서

년 월 일	학번		성명	
실습제목				
준 비 물				
실습과정				
실습소견				
담당교수 확 인				

검사년월일

이름 :

나이

유치 : 만 10세 미만

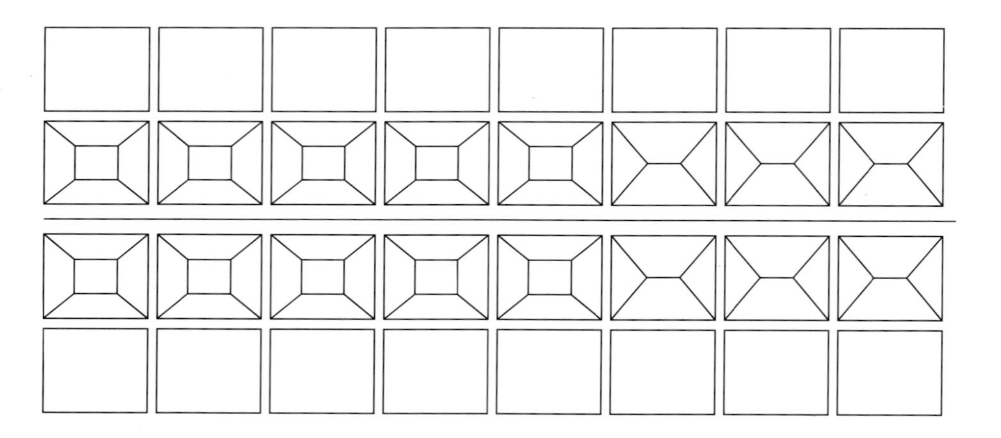

치아상태 0=건전치면
1=우식치면
3=우식경험처치치면
4=우식경험상실치면
5=우식비경험상실치면
6=전색치면
7=우식비경험처치치면
8=미맹출치면
9=기록불가치면

조사자

( )

성별 1=남자 2=여자

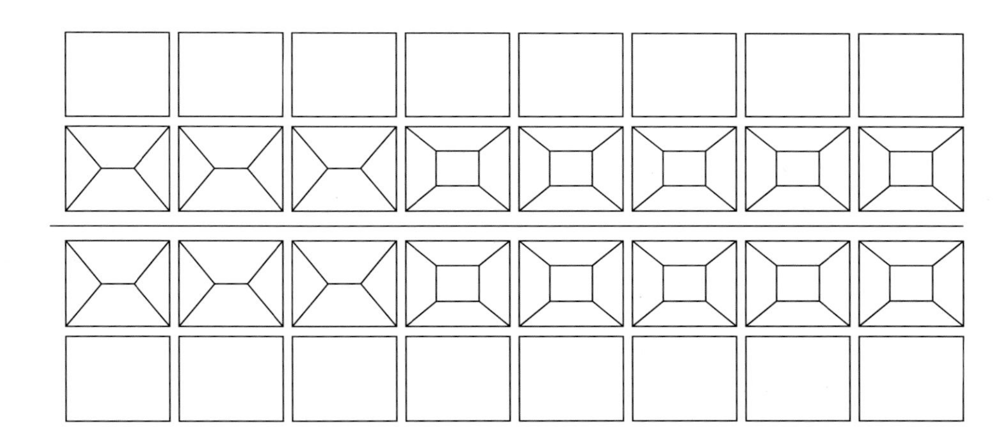

치료필요 0=치료불필요
1=1치면 처치필요
2=2치면이상 처치필요
3=인조치관 수복필요
5=치수치료 및 수복필요
6=치아발거 필요
7=기타 치료필요

검사년월일

이름 : **나이**

유치 : 만 10세 미만

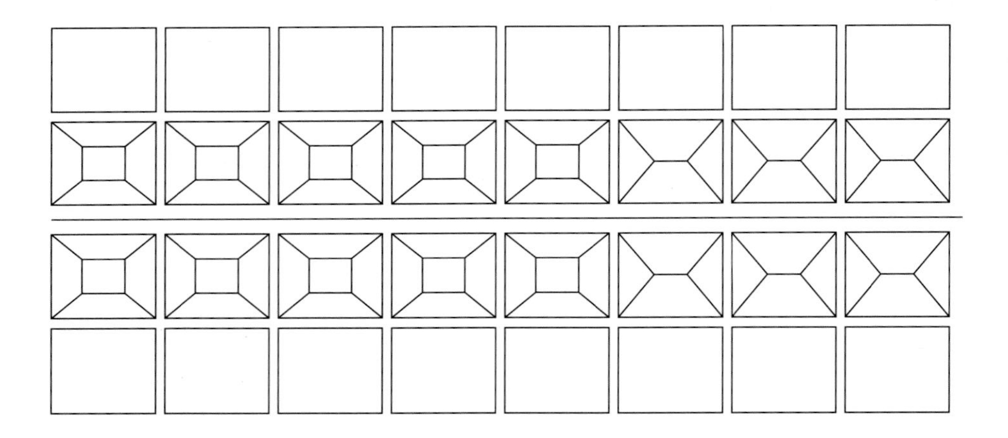

치아상태
0=건전치면
1=우식치면
3=우식경험처치치면
4=우식경험상실치면
5=우식비경험상실치면
6=전색치면
7=우식비경험처치치면
8=미맹출치면
9=기록불가치면

조사자

( )

성별 1=남자 2=여자

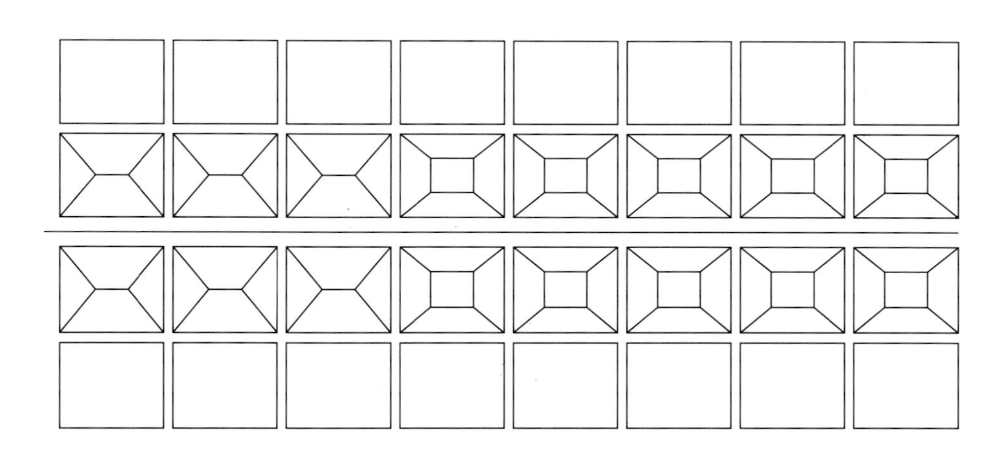

치료필요 0=치료불필요
1=1치면 처치필요
2=2치면이상 처치필요
3=인조치관 수복필요
5=치수치료 및 수복필요
6=치아발거 필요
7=기타 치료필요

Chapter 04

구강건강측정 – 치주검사

학습목표

1. 구강 역학조사에서 사용하는 지역사회 치주요양 필요지수 측정 목적을 이해한다.
2. 지역사회 치주요양 필요지수 측정 방법을 이해한다.
3. 지역사회 치주지수와 치료 필요도를 연계할 수 있다.

1. 지역사회 치주요양 필요지수 (Community Periodontal Index of Treatment Needs, CPITN)

1982년 WHO가 치주 질환의 실태와 치료의 필요성을 평가하기 위해 고안한 지수로써 지역사회 주민을 대상으로 출혈 유무, 치석 부착 유무, 치주낭 존재 여부 등을 평가하고 상태에 따라 필요한 구강관리 내용 및 수준을 쉽게 파악할 수 있는 지표이다.

1) 검사 대상 치아

(1) Sextants법

- 삼분악(三分顎, sextant)

8 7 6 5 4	3 2 1 | 1 2 3	4 5 6 7 8
8 7 6 5 4	3 2 1 | 1 2 3	4 5 6 7 8

여섯 부위로 분할되어진 각각을 1단위로 하고, 각 분악의 심한 치주조직의 상태를 점수화한다. 단, 각 분악마다 최소한 2개 이상의 기능치(발거 대상 치아 제외)가 있어야 한다. 수직동요가 있을 경우 발거 대상 치아로 간주한다.

(2) 검사 대상 치아(Index teeth)

17	16	11		26	27
47	46		31	36	37

① 20세 이상: 지정된 10개 치아를 검사하고, 각 분악에서는 가장 심한 치주조직의 상태를 기록한다.

16	11		26
46		31	36

② 10대: 지정된 6개 치아를 검사하고 각 분악의 치주조직 상태를 기록한다.

2) 조사 기구

(1) 치경

(2) 치주낭 측정기(CPI Probe); WHO probe

① 직경 0.5 mm의 ball-tip이 있고 3.5~5.5 mm까지 검은색으로 되어 있다.

② 20 g 힘으로 치은연에서 접합상피까지 치면을 따라 탐침기를 넣은 후 치주낭 바닥을 walking method로 측정한다. 20 g 힘은 치주낭측정기로 손톱 밑을 눌러서 통증을 느끼지 않는 정도의 힘이다.

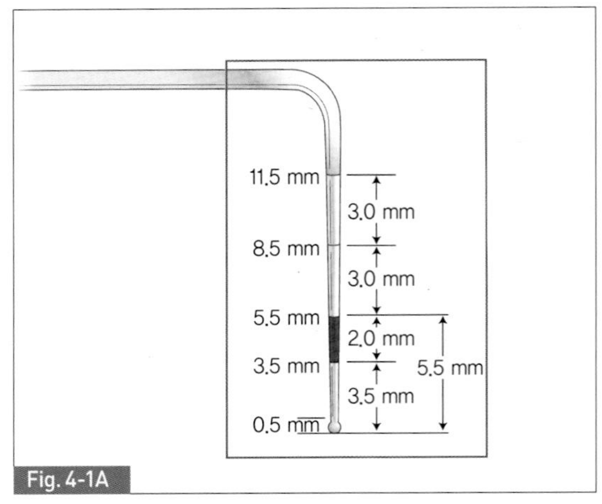

Fig. 4-1A

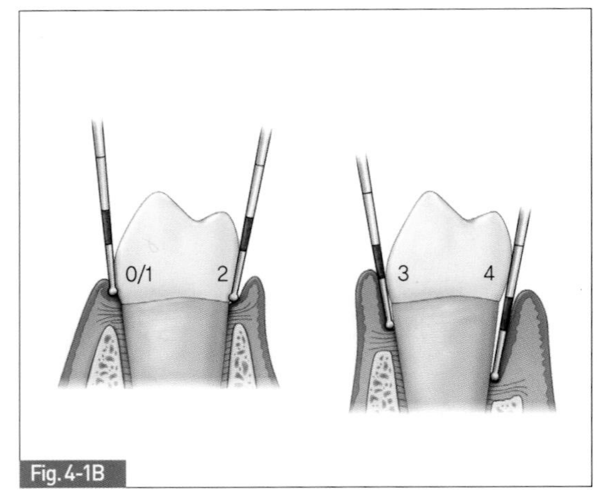

Fig. 4-1B

3) 평점기준

(1) 기록 방법(Codes)

- 0 - 건전치주조직
- 1 - 출혈치주조직
- 2 - 치석형성치주조직
- 3 - 천치주낭형성치주조직(4~5 mm)
- 4 - 심치주낭형성치주조직(6 mm 이상)
- X - 제외(폐쇄삼분악); 해당 3분악에 1개 치아가 있다면 폐쇄하고 인접 3분악에 포함
- 9 - 기록 불가

(2) 평가 기준과 치료의 필요성 분류

- 0 - 치주요양불필요자($CPITN_0$)
- 1 - 치면세균막관리필요자($CPITN_1$)
- 2 - 치면세마(Oral Prophylaxis) 필요자($CPITN_2$)
- 3 - 치면세마(Severe Scaling, Root Planning, Gingival Curettage) 필요자($CPITN_2$)
- 4 - 치주병치료필요자($CPITN_3$)

(3) 세부내용

점수	기준			치료필요도
0	건강한 상태	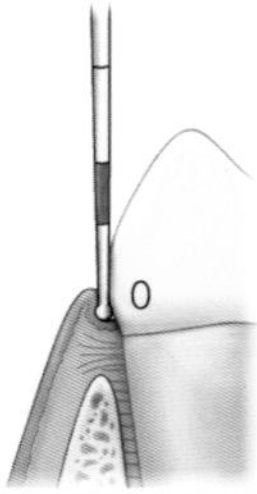 0	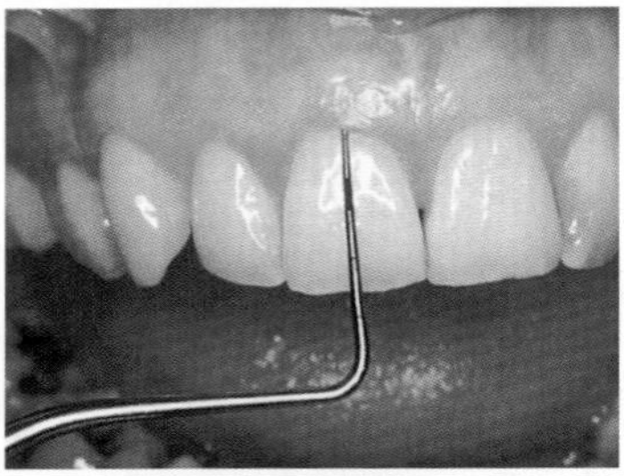	처치 필요 없음
1	탐침 시 출혈이 있는 상태	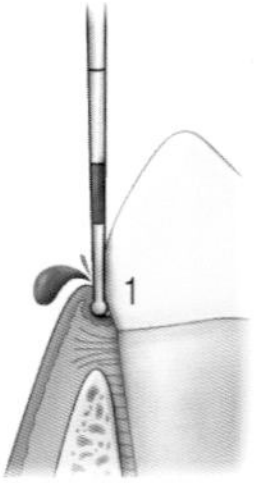 1	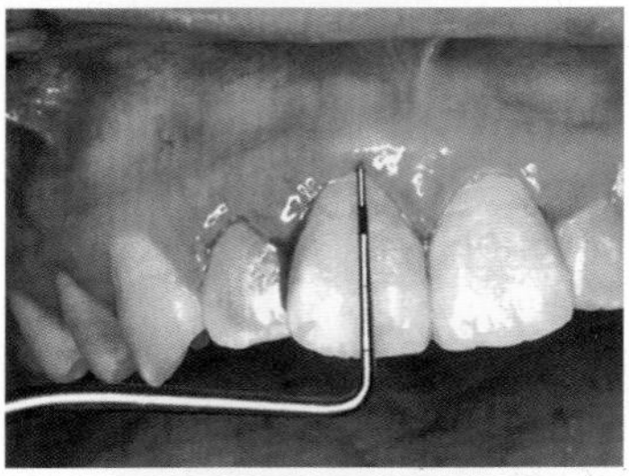	개인 구강위생의 개선
2	치은연상, 연하 치석 존재	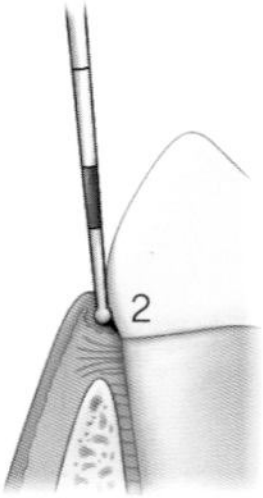 2	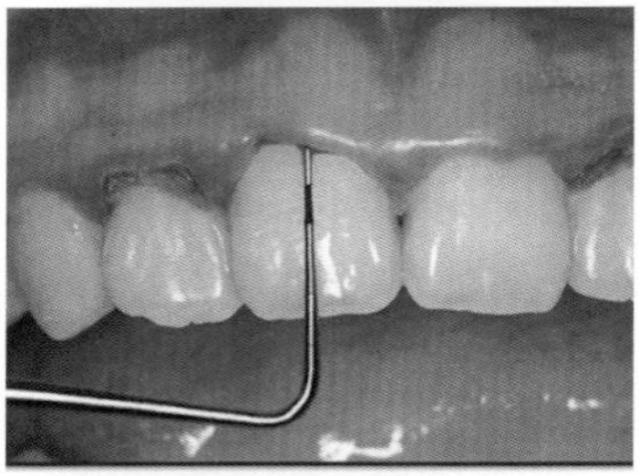	개인 구강위생 개선 + 스켈링
3	치주낭 깊이 4~5 mm	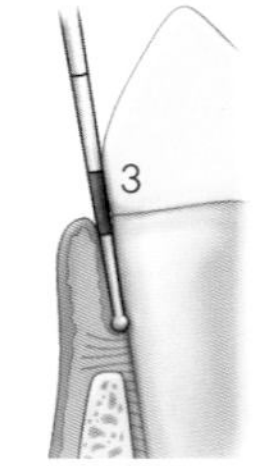 3	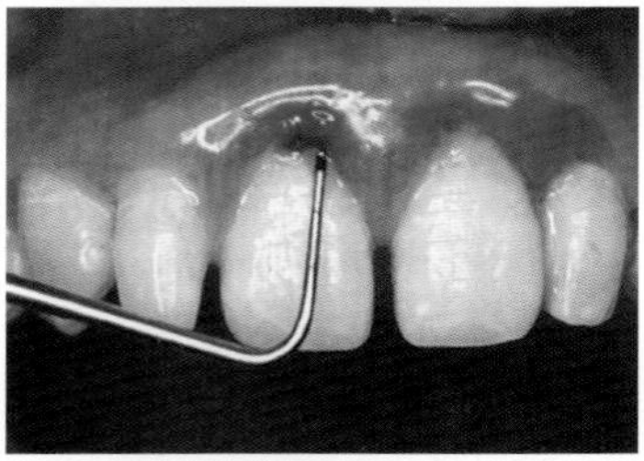	
4	치주낭 깊이 6 mm 이상	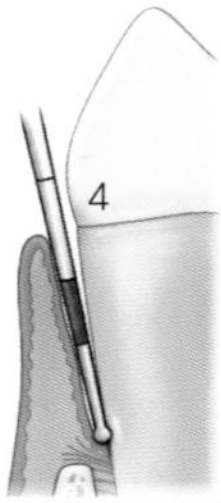 4	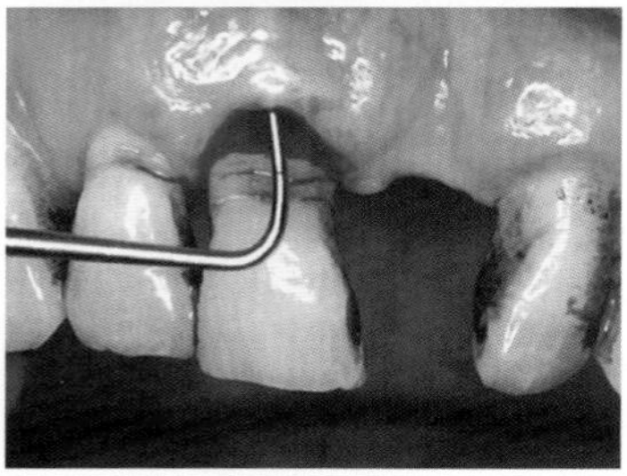	개인 구강위생 개선 + 스켈링 + 복잡한 처치

* Oral health survey (2013) 참조

2. 치주조직 검사

● 성명 :

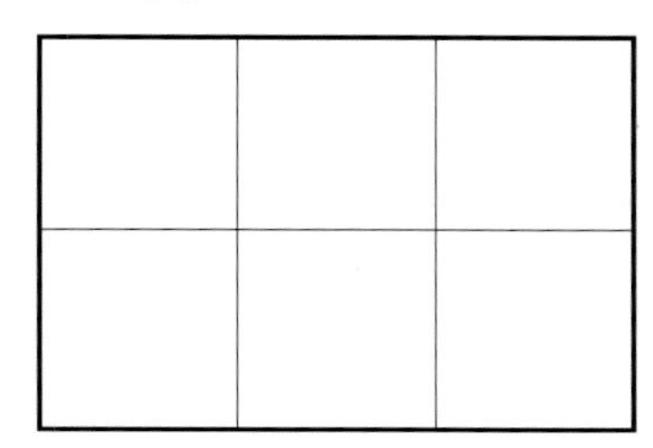

만 12세 이상만 해당

0 = 건전치주조직
1 = 출혈치주조직
2 = 치석형성치주조직
3 = 천치주낭형성치주조직(4~5 mm)
4 = 심치주낭형성치주조직(6 mm 이상)
X = 제외(※ 입력코드 = 8)
9 = 기록 불가

● 성명 :

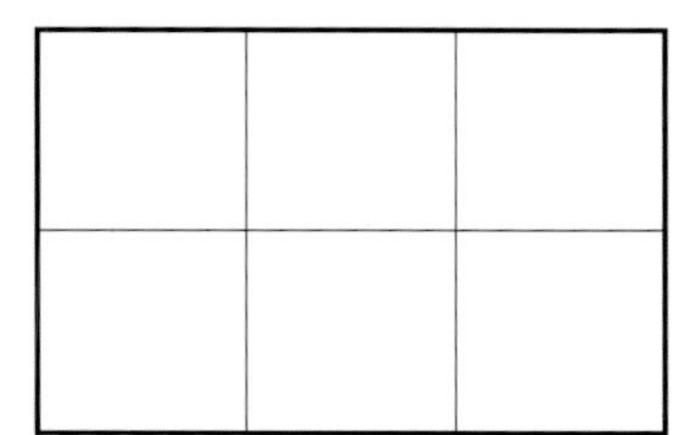

● 성명 :

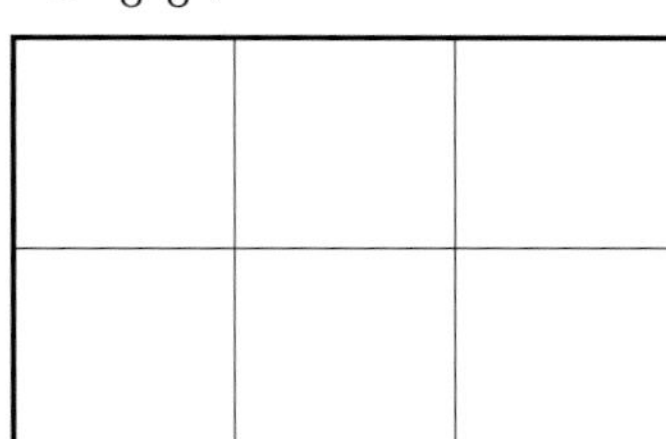

● 성명 :

● 성명 :

● 성명 :

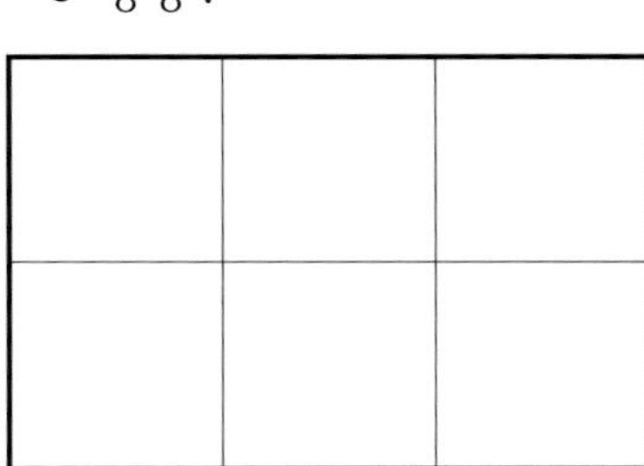

● 성명 :

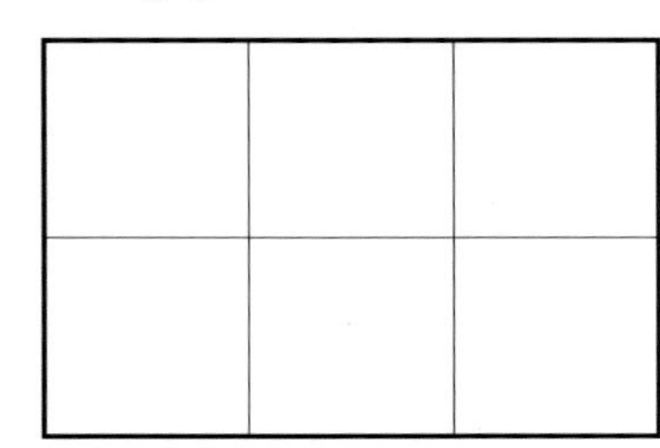

● 성명 :

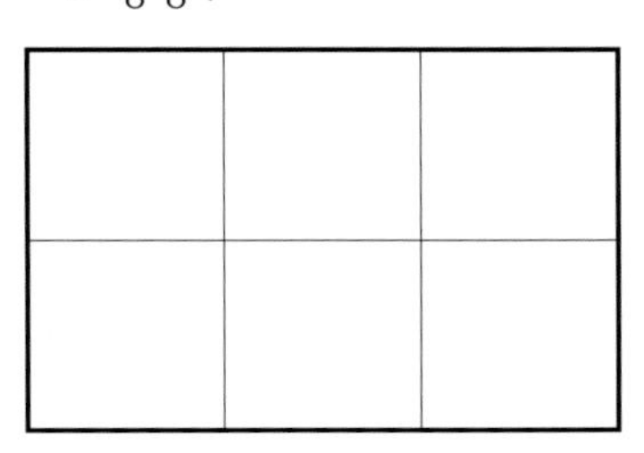

● 성명 :

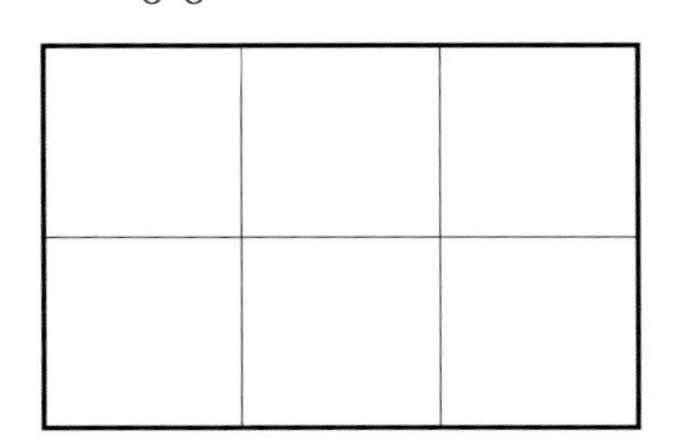

● 성명 :

✚ 앞의 CPI 기록을 가지고 항목별 치주조직 유병자율을 구하시오.

<table>
<tr><th rowspan="2"></th><th colspan="10">평점별 분포</th></tr>
<tr><th colspan="2">0</th><th colspan="2">1</th><th colspan="2">2</th><th colspan="2">3</th><th colspan="2">4</th></tr>
<tr><td rowspan="2">전체
피검자 수</td><td>해당
피검자 수</td><td>%</td><td>해당
피검자 수</td><td>%</td><td>해당
피검자 수</td><td>%</td><td>해당
피검자 수</td><td>%</td><td>해당
피검자 수</td><td>%</td></tr>
<tr><td></td><td></td><td></td><td></td><td></td><td></td><td></td><td></td><td></td><td></td></tr>
<tr><td rowspan="2">전체
피검자 수</td><td>해당
분악 수</td><td>평균</td><td>해당
분악 수</td><td>평균</td><td>해당
분악 수</td><td>평균</td><td>해당
분악 수</td><td>평균</td><td>해당
분악 수</td><td>평균</td></tr>
<tr><td></td><td></td><td></td><td></td><td></td><td></td><td></td><td></td><td></td><td></td></tr>
</table>

실습보고서

년 월 일	학번		성명	
실습제목	치주조직 검사			

● 성명 :

17 16	11	26 27
47 46	31	36 37

● 성명 :

17 16	11	26 27
47 46	31	36 37

● 성명 :

17 16	11	26 27
47 46	31	36 37

● 성명 :

17 16	11	26 27
47 46	31	36 37

치주 상태

0 = 건전치주조직
1 = 출혈치주조직
2 = 치석형성치주조직
3 = 천치주낭형성치주조직(4~5 mm)
4 = 심치주낭형성치주조직(6 mm 이상)
X = 제외(※ 입력코드 = 8)
9 = 기록 불가

실습소견	
담당교수 확 인	

구강건강검진

학습목표

1. 국가 구강검진 체계를 설명할 수 있다.
2. 영유아 국가 구강검진의 주요 항목에 대해 설명할 수 있다.
3. 학생 국가 구강검진의 주요 항목에 대해 설명할 수 있다.
4. 성인 국가 구강검진의 주요 항목에 대해 설명할 수 있다.

1. 정의

국가와 지방자치단체는 관련 법령에 의해 지역주민의 구강건강 상태를 확인하여 구강병을 예방하고 조기발견하기 위해 국가 구강검진제도를 시행하고 있다. 치위생사는 국가 구강검진 체계를 잘 이해함으로써 구강검진 기관에서 국가 구강검진이 원활히 수행되는 데 기여할 수 있다. 1950년에 최초로 학생과 근로자를 대상으로 집단 구강검진이 시행되었으며, 이 후 점차 확대되어 2007년에 40세와 66세를 대상으로 하는 생애전환기 건강진단과 영유아 건강검진이 도입됨으로써 국민의 전 생애에 걸친 국가 건강검진 체계가 확립되었다.
영유아 구강검진의 경우 보건복지부가 소관 부처로서 2세(18~29개월), 4세(42~53개월), 5세(54~65개월)의 영유아를 대상으로 하고 있다. 성인 구강검진의 경우 일반 건강검진과 생애전환기 건강진단으로 구분하여, 생애전환기 건강진단의 경우 만 40세, 66세를 대상으로 보건복지부가 지정한 구강검진 기관에서 국가 구강검진이 시행되고 있다. 초, 중, 고등학교 학생 구강검진의 경우 교육부가 소관 부처로서 특정학년을 대상으로 학교의 장이 선정한 검진 기관에서 국가 구강검진이 시행되고 있다.

국가 구강검진의 대략적인 시행 절차는 검진기관에 대상자가 내원 시 국민건강보험공단 프로그램을 통해 해당 여부를 확인한 후 문진 및 구강검사를 실시하며, 필요시 상담 및 교육을 실시한 후 마지막으로 구강검사 결과 통보서를 제공한다.

구체적으로 영유아 국가 구강검진의 경우 문진표를 통해 치과병력, 구강건강 인식도 및 설탕 섭취, 구강위생관리, 불소 이용 등에 관련된 구강건강습관을 조사한다. 이 때 보호자에게 문진하여 빠지는 부분이 없도록 하며, 구강검진 시 가능한 아이가 불안감을 느끼지 않는 환경을 조성하고자 노력해야 한다. 또한 18개월의 아이는 부모와 분리되는 것에 굉장히 민감하게 반응할 수 있으므로, 부모와 검진자가 마주 앉은 자세로 검진하는 것이 좋다. 구강검진 항목은 연령에 따라 다소 차이가 있으며, 검진 후 수검자의 문진 평가 결과와 검진 결과를 종합하여 '정상', '주의', '치료필요' 등으로 구분하여 최종 판정한다.

학생 국가 구강검진의 경우 학생들은 구강검진 문진표를 미리 작성하여 학교에서 지정한 기간에 지정된 검진 기관에 방문하여 검진을 받을 수 있다. 구강 증상 및 구강건강 행태에 관한 문진표 작성 시 학생이나 보호자에 의해 빠진 항목이 없도록 하며, 연령에 따라 초등학생의 경우 공통항목만 검사하게 되고, 중, 고등학생의 경우 치주 질환 및 악관절 이상 등에 대해 추가적인 검사를 진행하게 된다. 검진 후 문진표 내용과 검진 결과를 종합하여 소견서를 작성하고 가정에서의 조치사항 등을 작성한다.

성인 국가 구강검진의 경우 문진표 작성 후 치아 및 치주조직 검사를 기본적으로 수행하며, 만 40세의 경우 치면세균막 검사를 추가적으로 실시한다. 문진표를 통해 (치과)병력과 구강건강 인식도, 설탕 섭취, 구강위생관리, 불소 이용, 흡연 등에 관련된 구강건강습관을 조사한다. 검진 후 수검자의 문진 평가 결과와 검진 결과를 종합하여 '정상', '주의', '치료필요' 등으로 구분하여 최종 판정한다.

2. 치아 검사

1) 영유아 국가 구강검진(구강검사) 항목(42~53개월용)

<table>
<tr><th colspan="4">구강 검사 결과</th><th>치료필요도</th></tr>
<tr><th>구분</th><th>관련 질환</th><th>검사 항목</th><th>검사 결과</th><th>결과 참고사항</th></tr>
<tr><td rowspan="5">치아 검사</td><td rowspan="5">치아우식증 (충치)</td><td colspan="3">치아 상태
<table>
<tr><td>16</td><td>55</td><td>54</td><td>53</td><td>52</td><td>51</td><td>61</td><td>62</td><td>63</td><td>64</td><td>65</td><td>26</td></tr>
<tr><td>46</td><td>85</td><td>84</td><td>83</td><td>82</td><td>81</td><td>71</td><td>72</td><td>73</td><td>74</td><td>75</td><td>36</td></tr>
</table>
표시 방법 | 우식치아 ● 우식 의심 치아 ◑ 소복치아 F 홈메우기 Se</td></tr>
<tr><td>우식치아</td><td>□ 없음 □ 있음</td><td rowspan="4">• 우식치아: 충치가 있는 치아
• 인접면 우식 의심 치아: 치아 사이에 충치가 의심되는 치아
• 수복치아: 충치치료로 금, 레진, 아말감과 같은 재료로 씌우거나 때운 치아
• 우식 발생 위험 치아: 충치가 발생할 위험이 있어 치아 홈메우기 등을 권장하는 치아</td></tr>
<tr><td>인접면 우식 의심 치아</td><td>□ 없음 □ 있음</td></tr>
<tr><td>수복치아</td><td>□ 없음 □ 있음</td></tr>
<tr><td>우식 발생 위험 치아</td><td>□ 없음 □ 있음</td></tr>
</table>

18~29개월 영유아의 경우 우식치아, 인접면 우식 의심치아, 수복치아 등을 검사한다. 인접면 우식 의심 치아의 경우 치아 사이에 충치가 의심되는 치아이며, 수복치아는 충치치료를 목적으로 Stainless Steel Crown (SS Crown), 레진, 아말감 등의 치과재료로 씌우거나 때운 치아를 의미한다. 이 외 부가적으로 음식물 잔사 및 치면세균막 상태를 검사한다. 42~53개월 및 54~65개월 영유아의 경우 우식치아, 인접면 우식 의심치아, 수복치아, 우식 발생 위험 치아를 검사한다. 인접면 우식 의심치아, 수복치아의 정의는 위와 동일하며, 우식 발생 위험 치아는 충치가 발생할 위험이 있어 치아 홈메우기 등을 권장하는 치아를 의미한다.

2) 학생 국가 구강검진(구강검사) 항목

<table>
<tr><th colspan="13">구강 검사 결과 및 판정</th></tr>
<tr><th colspan="7">초·중·고등학교 공통 항목</th><th colspan="6">중·고등학교 추가 항목</th></tr>
<tr><td>우식치아</td><td>①</td><td>없음</td><td>②</td><td>있음</td><td colspan="2">상 ( )개
하 ( )개</td><td rowspan="2">치주질환</td><td rowspan="2">①</td><td rowspan="2">없음</td><td rowspan="2">②</td><td rowspan="2">있음</td><td rowspan="2">치은출혈/
비대 ( )
치석 형성 ( )
치주낭 형성 ( )
그 밖의 증상</td></tr>
<tr><td>우식 발생 위험 치아</td><td>①</td><td>없음</td><td>②</td><td>있음</td><td colspan="2">상 ( )개
하 ( )개</td></tr>
<tr><td>구내염 및 연조직 질환</td><td>①</td><td>없음</td><td>②</td><td>있음</td><td colspan="2">( )</td><td colspan="6">고등학교 추가 항목</td></tr>
<tr><td>부정교합</td><td>①</td><td>없음</td><td>②</td><td>요 교정</td><td>③</td><td>교정 중</td><td rowspan="2">치아마모증</td><td rowspan="2">①</td><td rowspan="2">없음</td><td rowspan="2">②</td><td rowspan="2" colspan="2">있음</td></tr>
<tr><td>구강위생 상태</td><td>①</td><td>우수</td><td>②</td><td>보통</td><td>③</td><td>개선요망</td></tr>
<tr><td>그 밖의 치아 상태</td><td>①</td><td>과잉치</td><td>②</td><td>유치 잔존</td><td>③</td><td>그 밖의 치아 상태</td><td>제3대구치 (사랑니)</td><td>①</td><td>정상</td><td>②</td><td colspan="2">이상( )</td></tr>
</table>

학생의 경우 초, 중, 고등학교 공통항목으로 우식치아, 우식 발생 위험 치아, 구내염 및 연조직 질환, 부정교합, 구강위생상태, 그 밖의 치아 상태를 검사한다. 중, 고등학교 추가항목으로 치주질환을 검사하며, 고등학교 추가 항목으로 치아마모증, 제3대구치에 대해 검사한다. 우식치아 및 우식 발생 위험 치아에 대한 정의는 아래와 같다.

(1) 우식치아

성인의 국가 구강검진 시 치아우식 판정기준과 동일

(2) 우식 발생 위험 치아

① 현재 맹출되어 있는 치아 중 치아우식 발생 위험도가 높아 '치아홈메우기' 등이 필요한 치아가 있는 경우
② 전색치아 중 재전색이 필요한 경우
③ 명확한 치질의 파괴가 관찰되지 않으나 열구 주위에 확연한 백묵양의 초기 우식 병소가 관찰되는 경우
④ 갓 맹출한 치아
⑤ 법랑질에 국한된 초기 우식이 있는 경우

3) 성인 국가 구강검진(구강검사) 항목

<table>
<tr><th colspan="5">구강 검사 결과</th></tr>
<tr><th>구분</th><th>관련 질환</th><th>검사 항목</th><th>검사 결과</th><th>결과 참고사항</th></tr>
<tr><td rowspan="4">치아 검사</td><td rowspan="4">치아우식증 (충치)</td><td>우식치아</td><td>☐ 없음 ☐ 있음</td><td rowspan="6">• 우식치아: 충치가 있는 치아
• 인접면 우식 의심 치아: 치아 사이에 충치가 의심되는 치아
• 수복치아: 충치치료로 금, 레진, 아말감 같은 재료로 씌우거나 때운 치아
• 상실치아: 충치로 인해 빠져 수복해야 하는 치아
• 치은 염증: 잇몸에 염증이 있는 정도
• 치석: 치석제거가 필요한 정도</td></tr>
<tr><td>인접면 우식 의심 치아</td><td>☐ 없음 ☐ 있음</td></tr>
<tr><td>수복치아</td><td>☐ 없음 ☐ 있음</td></tr>
<tr><td>상실치아</td><td>☐ 없음 ☐ 있음</td></tr>
<tr><td rowspan="2">치주 조직 검사</td><td rowspan="2">치주 질환 (잇몸병)</td><td>치은 염증</td><td>☐ 없음 ☐ 경증 ☐ 중증</td></tr>
<tr><td>치석</td><td>☐ 없음 ☐ 경증 ☐ 중증</td></tr>
<tr><td colspan="2">기타 부위 검사 소견</td><td colspan="2"></td><td></td></tr>
<tr><td colspan="5">※ 아래의 두 가지 검사의 경우 생애전환기 건강진단 만 40세만 해당됩니다.</td></tr>
<tr><th>구분</th><th>관련 질환</th><th colspan="2">검사 항목</th><th>판정</th></tr>
<tr><td rowspan="7">치면 세균막 검사</td><td rowspan="7">치아우식증 (충치), 치주 질환 (잇몸병)</td><td>상악 우측 제1대구치(16번) 세균막</td><td>( )점</td><td rowspan="7">양호(1점 미만)
보통(1~3점 미만)
불량(3점 이상)

※ 평균 점수=각 치면의 점수 합/평가 치아수</td></tr>
<tr><td>상악 우측 중절치(11번) 세균막</td><td>( )점</td></tr>
<tr><td>상악 좌측 제1대구치(26번) 세균막</td><td>( )점</td></tr>
<tr><td>하악 좌측 제1대구치(36번) 세균막</td><td>( )점</td></tr>
<tr><td>하악 좌측 중절치(31번) 세균막</td><td>( )점</td></tr>
<tr><td>하악 우측 제1대구치(46번) 세균막</td><td>( )점</td></tr>
<tr><td>평균</td><td>( )점</td></tr>
</table>

성인의 경우 우식 치아, 인접면 우식 의심 치아, 수복치아, 상실치아 등을 검사한다. 각 항목에 대한 구체적인 판정 기준은 아래와 같다.

(1) 치아 우식

① 치질 파괴를 동반하는 광범위한 검은 변색, 소와 하부로부터 법랑질을 통해 뚜렷하게 비치는 검은 상아질 부위 등 의심할 여지가 없는 우식와동이 있는 경우
② 한 치아에 충전물과 우식증이 동시에 존재하는 경우는 충전물이 있더라도 우식으로 판정
③ 영구 충전물이 부분 혹은 완전 탈락한 경우
④ 임시 충전된 경우
* 그러나 법랑질에 국한되어 있고, 재광화되어 우식증이 진행하고 있는 증거가 보이지 않는 치아는 건전치아로 판정

(2) 인접면 우식 의심 치아

외견상으로 치질 파괴 양상은 보이지 않으나 우식으로 의심되는 부위로, 정밀검사를 위해 추가로 방사선 사진 촬영 등이 요구되는 경우

(3) 수복치아

영구 충전물로 충전되어 있으며, 이차 우식의 양상을 보이지 않는 치아

(4) 상실치아

① 문진 결과, 치아 우식(충치)으로 인해 치아를 상실한 경우, 치아 수복을 통해 기능 회복이 필요한 경우
② 현재 상실되어 있어서 추가적인 치료가 필요하다는 표시를 하게 되므로 보철물 중 임플란트, 가공치아 부위는 상실치아로 판정하지 않는다.

3. 치주조직 검사

학생의 경우 중, 고등학교 추가항목으로 치주질환을 판정하기 위해 치은 출혈, 치은 비대, 치석 형성, 치주낭 형성, 그 밖의 증상 등을 검사하며 자세한 검사 기준은 아래와 같다.

1) 검사 대상 치아

20세 미만을 검사할 때는 제2대구치를 제외하고 20세 이상의 경우는 포함

2) 치은 출혈/치은 비대

① 치주탐침을 이용하여 검사를 실시하는데, 20 g 내외의 약한 압력으로 치은연하로 탐침을 삽입하여 출혈이 있는 경우에만 치은출혈로 인정하고 'pin-point bleeding'의 경우에는 건전한 치은으로 판정
② 단순히 치은의 비대만을 보이는 경우에는 건전한 것으로 표시하며, 치주탐침을 이용하여 검사 시 출혈을 동반하는 경우에 표시

3) 치석 형성

① 치석 형성은 명백한 치석이 관찰되는 경우만을 판정
② 치주낭 탐침 시 치석 부착이 의심스러운 경우에는 air-syringe를 사용하여 육안으로 확인된 경우만을 판정

4) 치주낭 형성

① 치주낭 형성 여부는 만 15세~19세까지만 측정하며, 만 12~14세까지는 치주낭 깊이를 측정하지 않음
② 20 g 내외의 압력으로 치주낭을 측정하여 4 mm 이상의 치주낭이 확인된 경우에만 치주낭 형성으로 표시

성인의 경우 치주 질환을 평가하기 위해 치은 염증과 치석 여부에 대해 '없음', '경증', '중증'으로 구분하여 판정한다. 치은 염증은 잇몸에 염증이 있는 정도, 치석은 치석 제거가 필요한 정도를 의미하며 구체적인 판정 기준은 아래와 같다.

5) 치은염증

① 전체 치아를 대상으로 하며, 제3대구치로 인해서 pseudo pocket이 생겼을 가능성이 있는 경우는 제2대구치 원심면을 검사 대상에서 제외
② 치은 출혈이나 치은 비대를 육안으로 검사하여 평가

* 없음: 외견상으로 염증 소견이 보이지 않고, 출혈 양상도 없는 경우
* 경증: 약간의 붉은 기를 보이는 잇몸을 지니고 있으며, 치주탐침을 삽입 시에 출혈 소견을 보이는 경우
* 중증: 전반적으로 잇몸에 심한 염증 소견을 보이며, 색의 변화, stippling의 소실을 관찰할 수 있고, 자연 출혈이 되는 경우

6) 치석

치은연상 치석은 육안으로 확인하며, 치은연하 치석은 air-syringe로 치은열구를 불어서 육안으로 확인하여 판정

* 없음: 치은연상이나 치은연하에 치석이 부착되지 않은 경우
* 경증: 치은연하 치석은 발견되지 않으며, 치은연상에만 점상으로 치석이 부착된 경우
* 중증: 치은연상에 환상으로 치석이 부착되어 있으며, 치은연하에서도 치석 부착이 확인된 경우

4. 치면세균막 검사

학생의 경우 초, 중, 고등학교 공통항목으로 구강위생 상태를 검사하며 검사 절차 및 기준은 아래와 같다.

① 치면 착색을 하지 않는 상태에서 검사
② 우수: 육안 및 탐침으로 음식물 잔사가 확인되지 않는 경우
③ 보통: 육안으로는 음식물 잔사가 확인되지 않으나, 치주탐침으로 확인 시 음식물 잔사나 치면세균막이 확인된 경우
④ 개선 요망: 음식물 잔사가 육안으로 분명히 확인될 경우나 치면세균막이 치면의 1/3 이상을 덮고 있는 경우

성인의 국가 구강검진(일반 및 생애전환기)시 만 40세 생애전환기에 해당하는 경우, 치아 및 치주조직 검사에 더하여 치면세균막 검사를 추가적으로 시행하여야 한다. 모두 6개 치아[상악 우측 제1대구치(16

번), 상악 우측 중절치(11번), 상악 좌측 제1대구치(26번), 하악 좌측 제1대구치(36번), 하악 좌측 중절치(31번), 하악 우측 제1대구치(46번)]를 대상으로 치면세균막을 검사하여 최종적으로 6개 치아의 평균 치면세균막 점수를 산정하고 양호(1점 미만), 보통(1~3점미만), 불량(3점 이상)으로 판정한다.

구체적인 치면세균막 검사 절차 및 기준은 아래와 같다.

① 치면세균막을 착색하고 평점은 PHP 지수 산정 기준을 따름
② 조사 대상 치아는 6개 치아 (#16, #11, #26, #36, #31, #46)
③ 구치부는 협면, 전치부는 순면만 검사
④ 각 치아의 치면은 5개의 가상 치면으로 구분하여 검사
⑤ 각 치면에 착색이 있으면 1점, 없으면 0점 판정
⑥ 최종 점수는 6개 치아의 평균치를 산정
* 조사 대상 치아가 가공치나 크라운으로 수복되어 있는 경우는 포함하나, 상실되어 있는 경우는 검사에서 제외함

1) 치면세균막 검사 판정

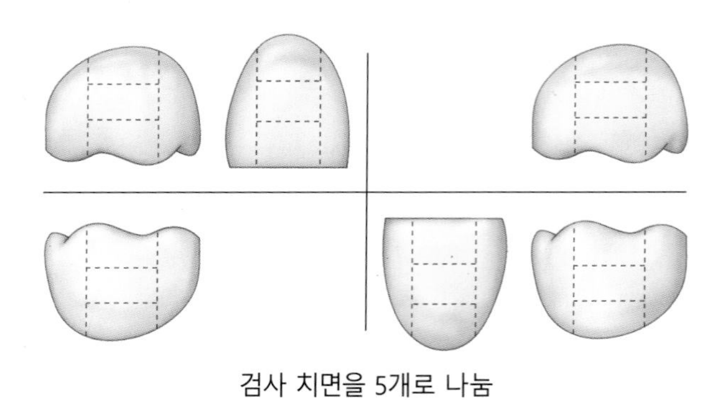

검사 치면을 5개로 나눔

지정 치면

- 상악 우측부(16번) – (　　　)점
- 상악 중앙부(11번) – (　　　)점
- 상악 좌측부(26번) – (　　　)점
- 하악 좌측부(36번) – (　　　)점
- 하악 중앙부(31번) – (　　　)점
- 하악 우측부(46번) – (　　　)점

실습보고서

① 검사 대상자의 연령을 확인한다.

② 연령에 따라 적절한 구강 검사지를 선택한다.

③ 구강검사 지침을 숙지한다.

④ 구강검사를 실시한다.

1) 성인 구강 검사지

검사년월일		이름		나이	

구강 검사 결과				
구분	관련 질환	검사 항목	검사 결과	결과 참고사항
치아 검사	치아우식증 (충치)	우식치아	□ 없음 □ 있음	• 우식치아: 충치가 있는 치아 • 인접면 우식 의심 치아: 치아 사이에 충치가 의심되는 치아 • 수복치아: 충치치료로 금, 레진, 아말감 같은 재료로 씌우거나 때운 치아 • 상실치아: 충치로 인해 빠져 수복해야 하는 치아 • 치은 염증: 잇몸에 염증이 있는 정도 • 치석: 치석제거가 필요한 정도
		인접면 우식 의심 치아	□ 없음 □ 있음	
		수복치아	□ 없음 □ 있음	
		상실치아	□ 없음 □ 있음	
치주 조직 검사	치주 질환 (잇몸병)	치은 염증	□ 없음 □ 경증 □ 중증	
		치석	□ 없음 □ 경증 □ 중증	
기타 부위 검사 소견				

※ 아래의 두 가지 검사의 경우 생애전환기 건강진단 만 40세만 해당됩니다.

구분	관련 질환	검사 항목		판정
치면 세균막 검사	치아우식증 (충치), 치주 질환 (잇몸병)	상악 우측 제1대구치(16번) 세균막	( )점	양호(1점 미만) 보통(1~3점 미만) 불량(3점 이상) ※ 평균 점수=각 치면의 점수 합/평가 치아수
		상악 우측 중절치(11번) 세균막	( )점	
		상악 좌측 제1대구치(26번) 세균막	( )점	
		하악 좌측 제1대구치(36번) 세균막	( )점	
		하악 좌측 중절치(31번) 세균막	( )점	
		하악 우측 제1대구치(46번) 세균막	( )점	
		평균	( )점	

자가 점검표			
	1. 대상자의 연령을 확인하였는가?	□ 예	□ 아니요
	2. 대상자가 영유아인 경우 월령을 확인하였는가?	□ 예	□ 아니요
	3. 대상자가 학생인 경우 학교를 확인하였는가?	□ 예	□ 아니요
	4. 대상자가 성인인 경우 40세에 해당하는지 확인하였는가?	□ 예	□ 아니요
	5. 구강검사 전 미리 지침을 잘 숙지하였는가?	□ 예	□ 아니요
	6. 구강 검사지는 명료한 글씨체로 작성되었는가?	□ 예	□ 아니요
	7. 구강 검사지에서 실수로 누락된 항목이 있는가?	□ 예	□ 아니요

PART 03

예방치위생술식

Chapter 06

칫솔질 교육

학 습 목 표

1. 칫솔질의 목적을 설명할 수 있다.
2. 대상자에 따른 칫솔질 방법을 설명할 수 있다.
3. 칫솔질 방법에 따른 장, 단점을 설명할 수 있다.
4. 대상자에게 적합한 칫솔질 방법을 교육시킬 수 있다.

1. 칫솔질의 목적

① 치면세균막을 제거하고 재형성을 방지한다.
② 음식물 잔사와 착색으로부터 치아를 깨끗이 한다.
③ 치은조직을 적절하게 자극하여 각화시킨다.
④ 치아우식과 치주 질환을 예방한다.
⑤ 구취를 제거하고 심미적 효과를 높인다.
⑥ 지각과민 치아에 치과과민 둔화 약제를 함유한 세치제를 도포한다.

2. 칫솔질 방법

1) 회전법(Rolling method)

회전법은 일반 대중에게 추천하는 방법으로 음식물 잔사나 치면세균막의 제거가 쉽고, 치은마사지 효과가 좋으며, 비교적 실천성이 높은 칫솔질 방법이다.

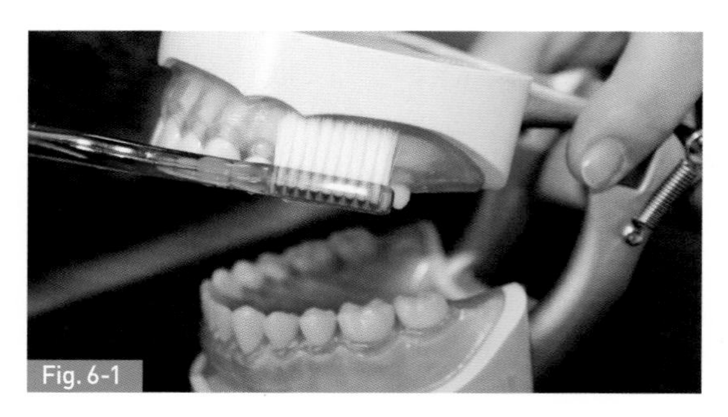
Fig. 6-1

① 칫솔 강모의 측면을 치아장축과 평행하게 치근단 깊숙이 위치시킨다(Fig. 6-1).

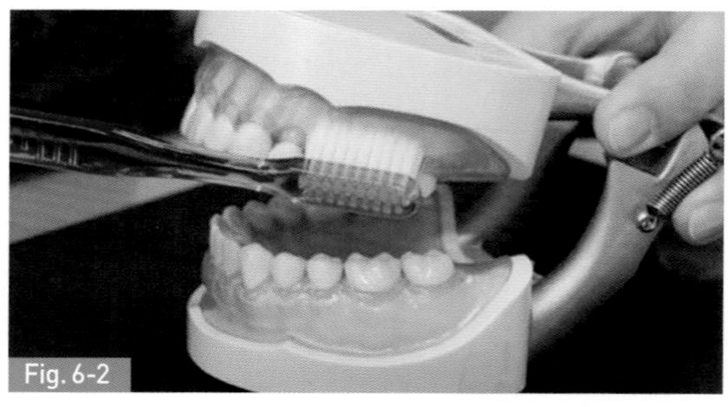
Fig. 6-2

② 칫솔을 사용하여 잇몸을 교합면 방향으로 훑어 내린다(Fig. 6-2).

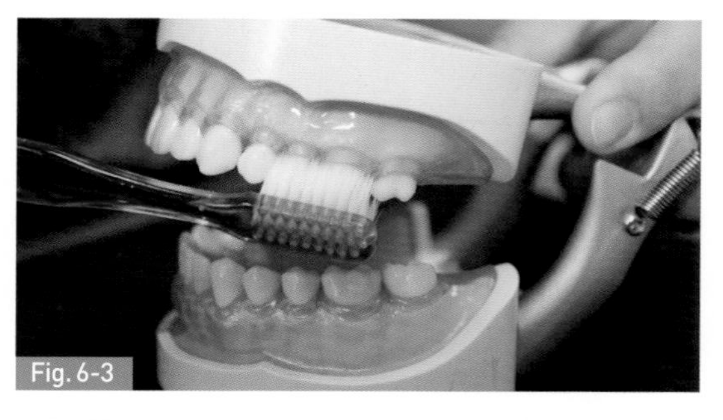
Fig. 6-3

③ 치경부에서 손목에 힘을 주어 돌리면서 칫솔의 강모가 치아 사이에 들어가도록 칫솔을 회전시킨다(Fig. 6-3).

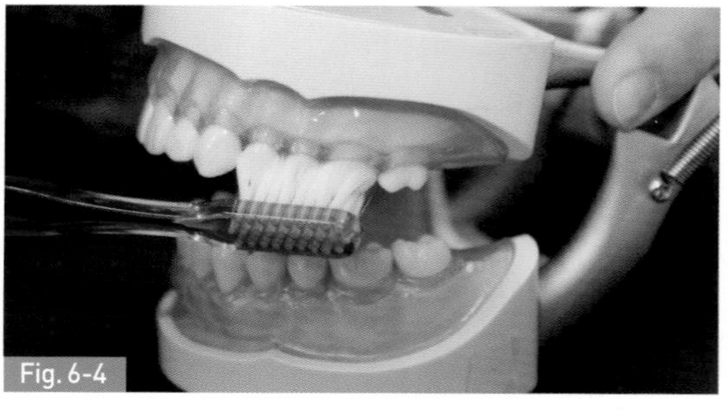
Fig. 6-4

④ 칫솔을 사용하여 상악은 위에서 아래로, 하악은 아래서 위로 훑어 준다(Fig. 6-4).

2) 바스법(Bass method)

바스법은 2줄모의 부드러운 칫솔을 이용하여 치아장축에 45° 각도로 위치시키고, 칫솔 강모의 한 줄 또는 두 줄이 치은 열구내로 들어가도록 한 후, 짧은 진동을 주며 닦는 방법으로 치주 질환자의 치료와 더불어 치아와 잇몸 경계 부위의 치은염 예방에 효과적인 방법이다.

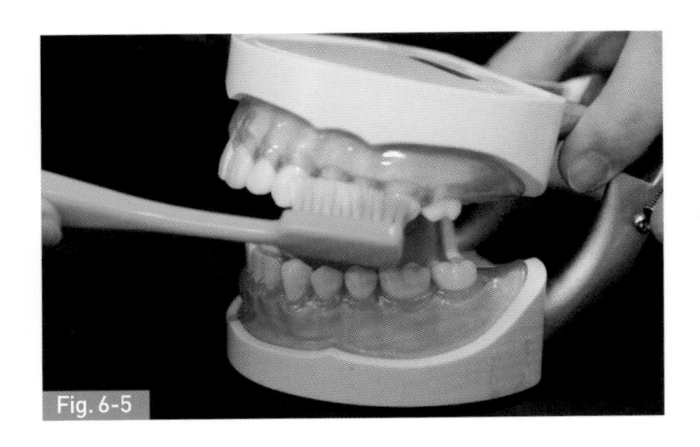
Fig. 6-5

① 칫솔을 치아 장축에 45° 각도로 위치시키고, 강모의 한 줄 또는 두 줄이 치은열구에 삽입되도록 한다(Fig. 6-5).

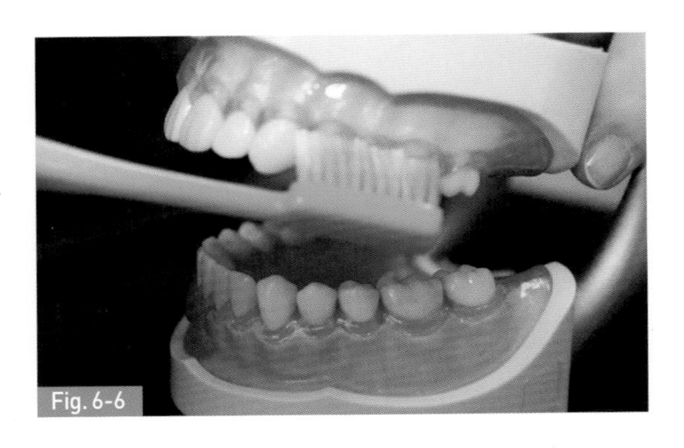
Fig. 6-6

② 삽입된 칫솔의 강모가 움직이지 않게 하여 전·후로 짧은 미세 진동을 준다. 초당 4회 정도의 속도로 치은에 자극을 주어 치은열구의 치면세균막을 제거한다(Fig. 6-6).

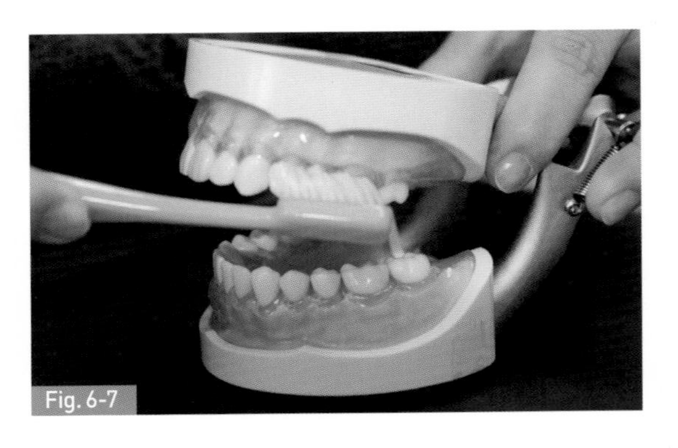
Fig. 6-7

③ 변형 바스법은 바스법 시행 후 회전법을 추가하여 치면을 닦아주는 방법이다(Fig. 6-7).

3) 차터스법(Charters method)

차터스법은 가공의치나 가공치아 기저부, 브라켓 상·하부의 치면세균막 제거에 유용한 방법이다.

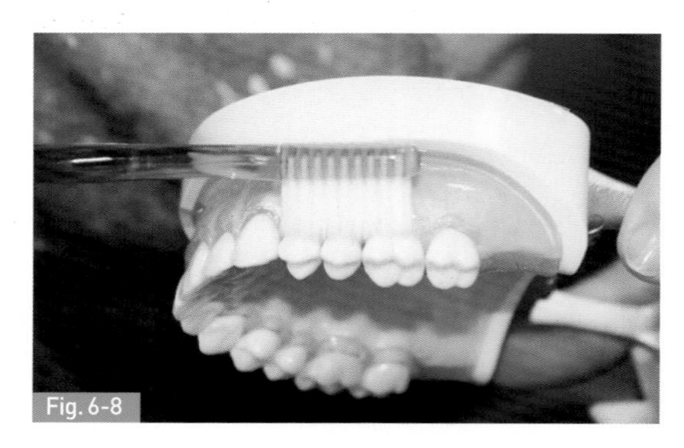
Fig. 6-8

① 칫솔의 강모를 교합면이나 절단면을 향하게 하여 치아 장축에 45° 각도로 위치시킨다(Fig. 6-8).

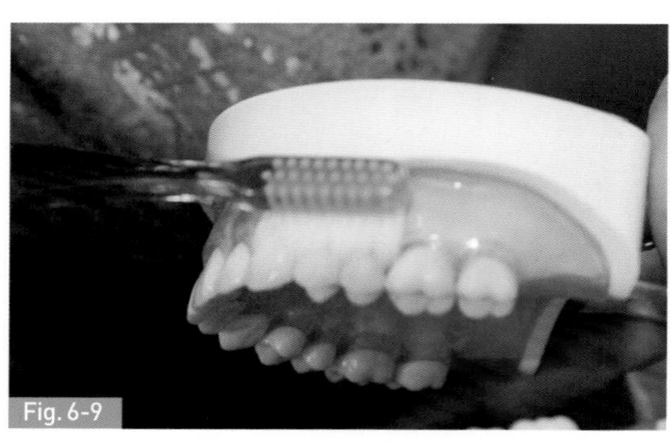
Fig. 6-9

② 칫솔을 원호운동으로 짧게 진동을 주어 치아 사이나 인접면 가공치아 기저부의 치면세균막을 제거한다(Fig. 6-9).

③ 변형 차터스법은 차터스법 시행 후 회전법을 추가하여 치면을 닦아주는 방법이다.

4) 스틸만법(Stillmans method)

스틸만법은 광범위한 치은염 환자에게 권장되는 방법이며 치은에 마사지 효과를 주어 염증을 완화시키는 방법이다.

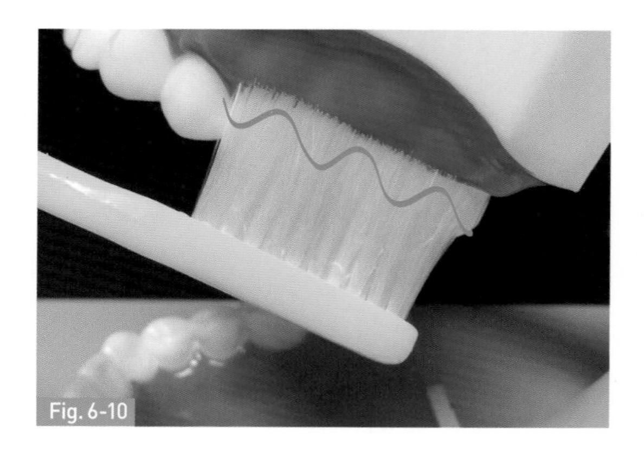
Fig. 6-10

① 칫솔의 강모 단면을 치근단을 향하게 하여 치경부에 45° 각도로 위치시킨다(Fig. 6-10).

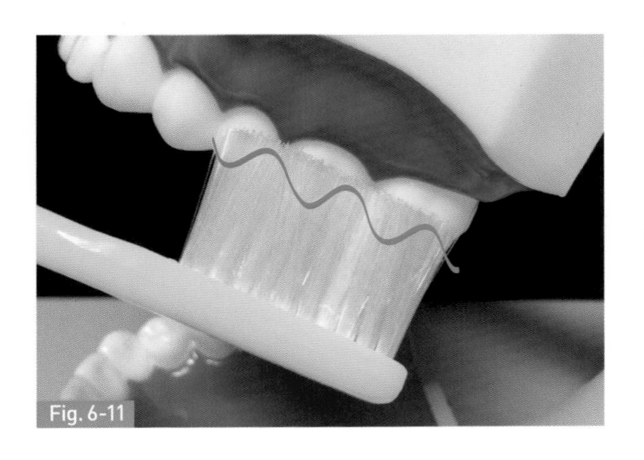
Fig. 6-11

② 치은에 자극을 주기 위해 약간의 압력을 가하는 동시에 전후로 빠른 진동을 주면서 치아 표면까지 이동시킨다(Fig. 6-11).

③ 변형 스틸만법은 스틸만법을 시행 후 회전법을 추가하여 치면을 닦아주는 방법이다.

5) 폰즈법(Fone's method)

폰즈법은 회전법을 시행하기 어려운 유아에게 적절한 칫솔질 방법이다.

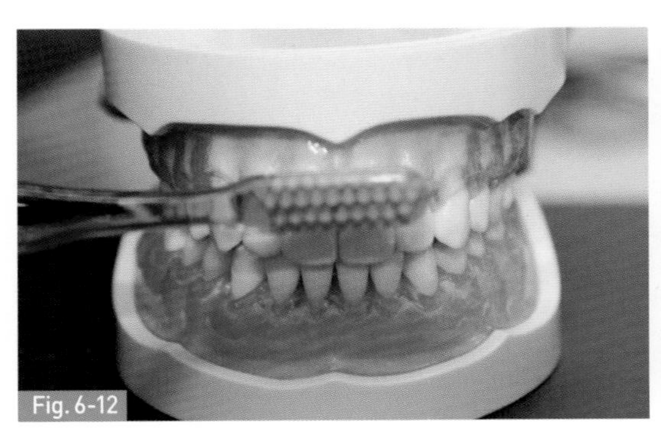
Fig. 6-12

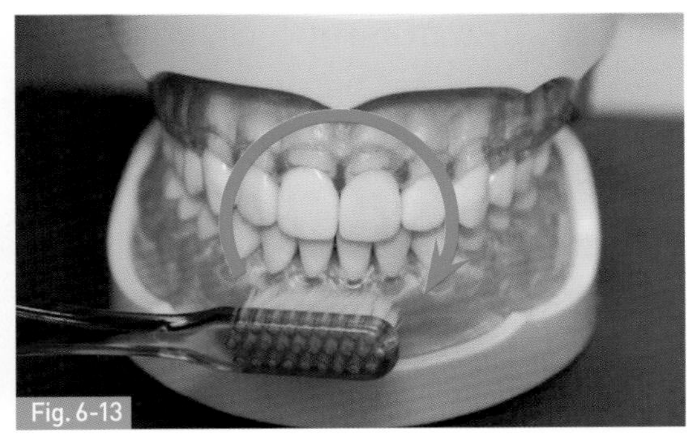
Fig. 6-13

① 교합상태에서 칫솔모를 치아 장축에 직각으로 위치시킨다(Fig. 6-12).
② 전치부 순면에서 좌측 구치부를 향하여 큰 원을 그리듯 문지르면서 치아 및 치은을 닦은 후 우측도 같은 방법으로 닦아주는 방법이다(Fig. 6-13).

3. 칫솔질 교육

(1) 대상자의 전신상태 및 구강상태를 검사한다.

① 물리적 치태 제거에 행동 제약이 있는가를 문진 및 관찰한다.

② 치은퇴축 및 치아 마모도, 특히 소구치 협측 부위를 잘 살핀다.

③ 치경부 마모 유무를 관찰한다.

④ 하악 전치부 설면의 위생 상태를 관찰한다.

(2) 치면착색제(disclosing agent)나 큐스캔을 이용하여 치면세균막 지수를 측정하여 기록한다.

(3) 대상자에게 맞는 칫솔, 치약 및 그 외 필요한 구강관리용품를 선택한다.

(4) 큰 거울이 있는 세면대에서 대상자에 맞는 칫솔질 및 구강관리용품 사용 방법을 교습한다.

(5) 교육이 끝난 후 대상자를 다시 치과 의자에 앉히고 치면세균막 지수를 측정해 본다. 이때는 치면 착색제를 도포할 필요는 없다. 검사 시 아직 치태가 제거되지 않은 부위가 있으면 왜 그러한지, 어떻게 제거하는 것이 효과적인지 다시 한 번 교육하고 세면대에서 칫솔질 및 구강관리용품을 사용하게 하여 치면세균막 지수가 0이 되도록 교습한다.

(6) 계속 관리하여 칫솔질 방법을 완전히 익힐 수 있도록 한다.

실습보고서

년 월 일	학번		성명	

※ 다음 각 칫솔질 시행 후 칫솔질 방법에 대하여 간략하게 설명하시오.

칫솔질 방법	칫솔선택	최초 칫솔 위치 및 칫솔모의 각도	동작	대상자	장·단점
회전법 (Rolling method)					
바스법 (Bass method)					
차터스법 (Charters method)					
스틸만법 (Stillmans method)					
폰즈법 (Fones method					

실습보고서

년 월 일	학번		성명	

※ 다음 각 대상자별 칫솔질법에 대하여 간략하게 설명하시오.

대상자	칫솔질 방법	권장 칫솔	권장 구강관리용품	권장 세치제
건강한 일반인				
치주 질환자				
광범위한 부위의 치은염환자				
가공의치 장착자				
고정성 치열교정 장착자				
소아환자				
치경부 마모증 환자				

실습평가서

평가 내용	회전법(Rolling method)	
실습 과정 평가문항	예	아니오
1. 구치부 치아 2~3개를 덮을 정도의 칫솔을 준비한다.	☐	☐
2. 개구 상태에서 칫솔의 강모 단면을 치근단을 향하게 한다.	☐	☐
3. 강모의 측면이 치아장축과 평행하게 치아 깊숙이 위치시킨다.	☐	☐
4. 칫솔의 측면으로 잇몸을 쓸어내리며 마사지한다.	☐	☐
5. 치경부에 이르면 손목에 약간 힘을 주어 반원을 그리듯이 칫솔을 훑어 내린다.	☐	☐
6. 한 부위당 6~10회씩 닦는다.	☐	☐
7. 28~32개의 치아 부위가 빠지지 않게 중복하여 닦는다.	☐	☐
8. 치면세균막이 모두 제거되었는지 확인한다.	☐	☐
9. 부족한 부분을 교정하고 다시 닦는다.	☐	☐
실습 후 평가 문항	예	아니오
1. 칫솔 파지법이 올바르게 되었는가?	☐	☐
2. 칫솔 접근 방향과 위치가 맞는가?	☐	☐
3. 각 치면에 rolling 동작이 제대로 이루어졌는가?	☐	☐
기타 소견		

실습평가서

평가 내용	바스법(Bass method)	
실습 과정 평가문항	예	아니오
1. 한 줄모 또는 두 줄모의 부드러운 칫솔을 준비한다.	☐	☐
2. 개구 상태에서 칫솔의 강모 단면을 치경부의 치아 표면에 45°가 되도록 갖다 댄다.	☐	☐
3. 손목에 좀 더 힘을 주어 강모의 한두 줄이 치은열구에 삽입되도록 한다.	☐	☐
4. 잇몸이 하얗게 되거나 염증이 있을 때 통증을 느끼는 등의 삽입 상태를 확인한다.	☐	☐
5. 전후로 빠른 진동 동작을 준다(이 때 칫솔은 움직이지 않고 진동만 준다).	☐	☐
6. 한 부위당 6~10회씩 닦는다.	☐	☐
7. 28~32개의 치아 부위가 빠지지 않게 중복하여 닦는다.	☐	☐
8. 치면세균막이 모두 제거되었는지 확인한다.	☐	☐
9. 부족한 부분을 교정하고 다시 닦는다.	☐	☐
실습 후 평가 문항	예	아니오
1. 칫솔 파지법이 올바르게 되었는가?	☐	☐
2. 칫솔의 강모단 한두 줄이 치은열구 내에 삽입되었는가?	☐	☐
3. 각 치면에 45° 각도로 짧은 왕복운동 동작이 시행되었는가?	☐	☐
기타 소견		

실습평가서

평가 내용	차터스법(Charters method)	
실습 과정 평가문항	예	아니오
1. 구치부 치아 2~3개를 덮을 정도의 칫솔을 준비한다.	☐	☐
2. 개구 상태에서 칫솔의 강모 단면을 교합면이나 절단면을 향하게 한다.	☐	☐
3. 치경부 부위에 45°가 되게 위치시킨다.	☐	☐
4. 묘원진동을 주면서 보철물 속의 치면세균막과 음식물 찌꺼기를 제거한다.	☐	☐
5. 한 부위당 6~10회씩 닦는다.	☐	☐
6. 28~32개의 치아 부위가 빠지지 않게 중복하여 닦는다.	☐	☐
7. 치면세균막이 모두 제거되었는지 확인한다.	☐	☐
8. 부족한 부분을 교정하고 다시 닦는다.	☐	☐
실습 후 평가 문항	예	아니오
1. 칫솔 파지법이 올바르게 되었는가?	☐	☐
2. 칫솔 강모가 절단면이나 교합면을 향해 45°로 위치하였는가?	☐	☐
3. 짧은 왕복운동을 주는 진동 동작이 시행되었는가?	☐	☐
기타 소견		

실습평가서

평가 내용	스틸만법(Stillmans method)	
실습 과정 평가문항	예	아니오
1. 구치부 치아 2~3개를 덮을 정도의 칫솔을 준비한다.	☐	☐
2. 개구 상태에서 칫솔의 강모 단면을 치아 표면에 45°가 되도록 치경부에 위치시킨다.	☐	☐
3. 전·후로 빠른 진동을 준다(이때 칫솔이 움직이지 않게 한다).	☐	☐
4. 한 부위당 6~10회씩 닦는다.	☐	☐
5. 28~32개의 치아 부위가 빠지지 않게 중복하여 닦는다.	☐	☐
6. 치면세균막이 모두 제거되었는지 확인한다.	☐	☐
7. 부족한 부분을 교정하고 다시 닦는다.	☐	☐
실습 후 평가 문항	예	아니오
1. 칫솔 파지법이 올바르게 되었는가?	☐	☐
2. 치면에 45° 각도로 위치하여 진동 동작을 주었는가?	☐	☐
3. 잇몸 마사지 효과가 있었는가?	☐	☐
기타 소견		

실습평가서

평가 내용	폰즈법(Fone's method)	
실습 과정 평가문항	예	아니오
1. 소아에게 적당한 원형의 칫솔을 준비한다.	☐	☐
2. 교합 상태에서 칫솔의 강모 단면을 치아 표면에 직각으로 댄다.	☐	☐
3. 가능한 직경이 큰 원을 그리면서 닦는다.	☐	☐
4. 한 부위당 6~10회씩 닦는다.	☐	☐
5. 모든 치아 부위가 빠지지 않게 중복하여 닦는다.	☐	☐
6. 치면세균막이 모두 제거되었는지 확인한다.	☐	☐
7. 부족한 부분을 교정하고 다시 닦는다.	☐	☐
실습 후 평가 문항	예	아니오
1. 칫솔 파지법이 올바르게 되었는가?	☐	☐
2. 정확하게 원을 그리는 동작으로 시행하였는가?	☐	☐
기타 소견		

Chapter 07

구강관리용품

학습목표

1. 구강관리용품의 사용 목적을 알고 이해한다.
2. 구강관리용품의 사용법을 습득하여 용도에 따라 적절히 사용할 수 있다.

개인이 구강 내 치면세균막(dental plaque)을 관리하는 방법 중 칫솔질이 가장 효율적이나, 칫솔질만으로는 완벽하게 관리할 수 없으며, 특히 치간에 있는 치면세균막을 제거하기는 더욱 어렵다. 치간 청결을 목적으로 만들어진 구강관리용품은 그 종류가 다양하며, 용도에 따라 적절히 사용하여 치면세균막 관리와 치간 청결 및 치은 마사지 등의 효과를 높일 수 있다. 구강관리용품으로는 치실과 치실 고리, 치실 손잡이, 치간칫솔, 고무 치간 자극기, 물 사출기, 혀 세척기, 첨단 칫솔, 잇몸 마사져 등 매우 다양하다.

1. 치실(Dental Floss)

1) 사용 목적

치실의 사용 목적은 치아 사이의 이물질을 제거하고, 접촉 부위와 치은열구 부위를 포함하는 치아의 인접면을 깨끗이 하는 데 있다. 종류로는 waxed dental floss, unwaxed dental floss, super floss, dental-tape, yarn-type floss가 있다.

2) 기구 및 재료

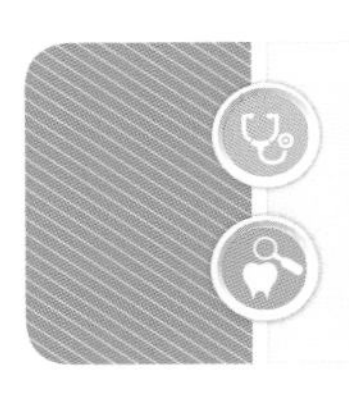

- 치실(Waxed dental floss, unwaxed dental floss)
- 악치 모형(Dentiform)

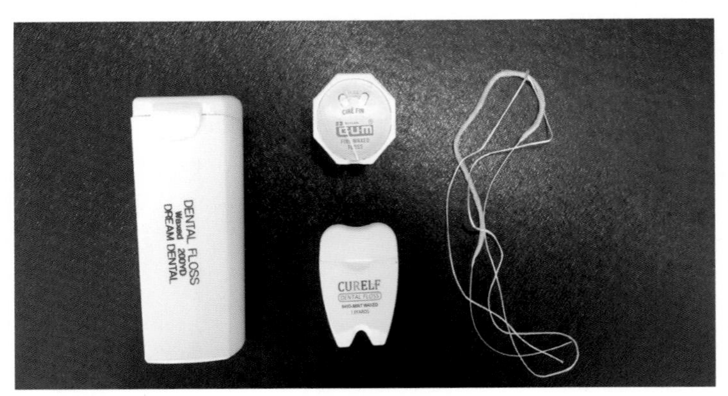

Fig. 7-1 치실

3) 실습 과정

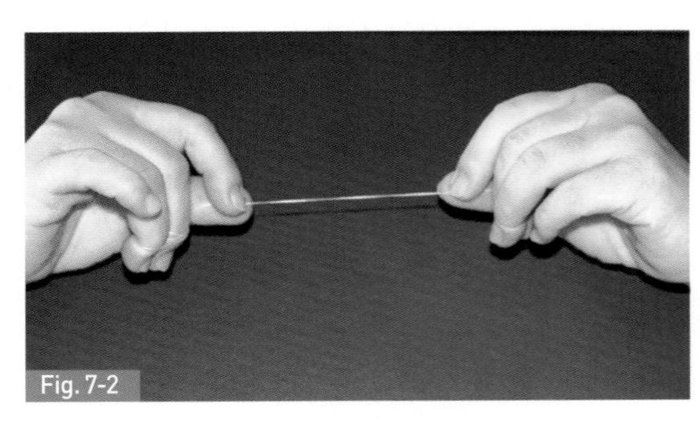
Fig. 7-2

① 치실을 적당한 길이(40~50 cm)로 잘라 중지에 감는다(Fig. 7-2).

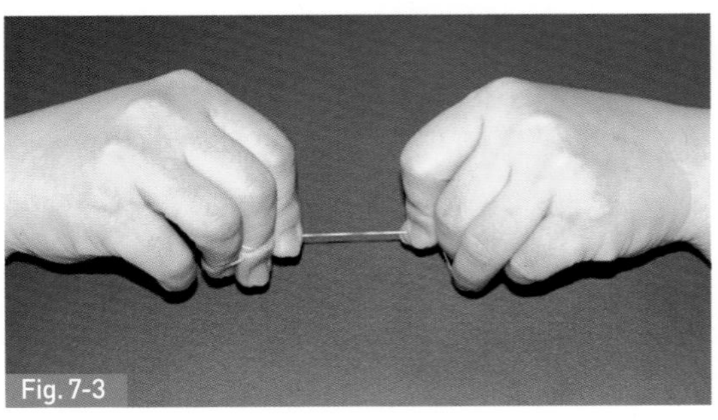
Fig. 7-3

② 엄지와 검지를 이용하여 치실을 잡은 다음 실제 치아에 적용되는 실의 길이가 2~2.5 cm가 되도록 조절한다(Fig. 7-3).

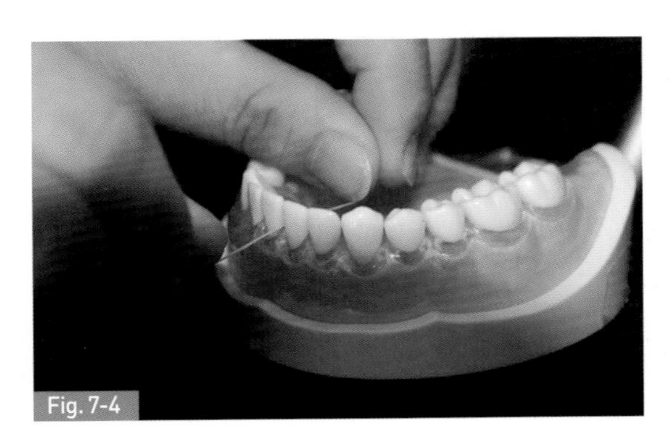
Fig. 7-4

③ 치아 사이의 협·설면 방향으로 치실을 걸고, 교합면에서부터 치경부 방향으로 톱질하듯이 치실을 밀어 넣는다(Fig. 7-4).

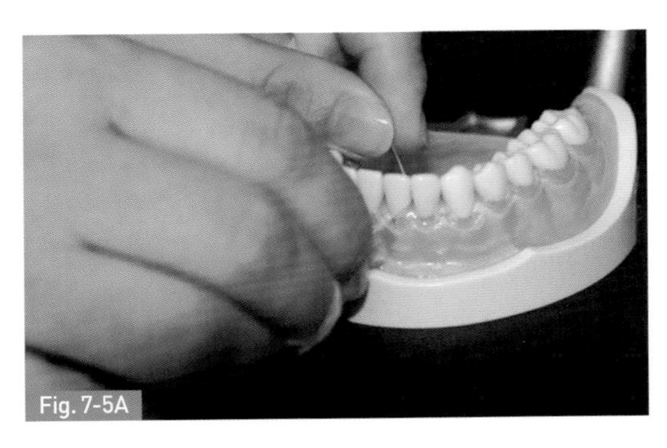
Fig. 7-5A

④ 치실이 접촉면을 통과하면 먼저 앞쪽 치아의 원심면을 따라 치은 연하까지 치실을 밀어 넣은 다음 C자 형태가 되도록 치실을 위치시킨다(Fig. 7-5A).

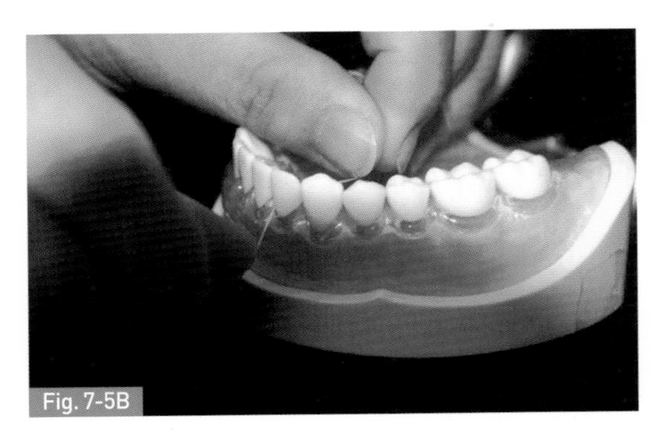
Fig. 7-5B

⑤ 치경부의 접촉점 사이에서 왕복운동을 수직방향으로 수차례 시행한 후, 인접치아의 근심면도 같은 방법으로 시행하고 교합면쪽으로 치실을 끌어올린다(Fig. 7-5B, Fig. 7-6).

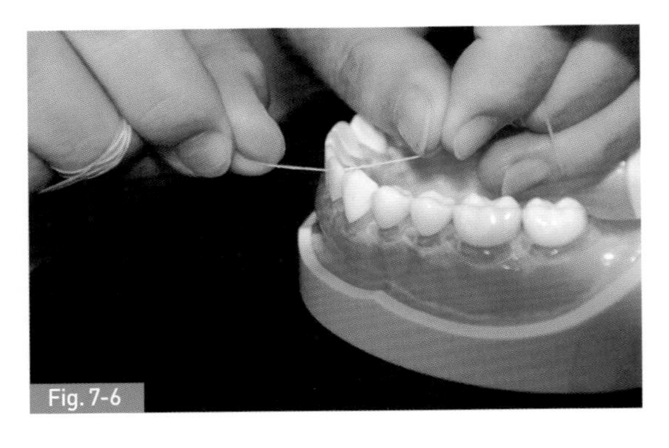
Fig. 7-6

2. 치실 고리(Floss Threader)

1) 사용 목적

치실 고리는 바늘 모양으로 고안된 보조용품으로, 계속 가공의치를 장착한 환자에 있어서 지대치아와 인공치아 사이, 치간과 인공치아 기저부를 치실을 이용하여 잘 닦도록 하기 위하여 치실을 사용하려는 부위의 적당한 위치로 삽입하여 치면세균막을 제거할 수 있도록 한다.

2) 기구 및 재료

- 치실 고리
- 치실
- 악치 모형 또는 모형상에 제작된 계속가공의치

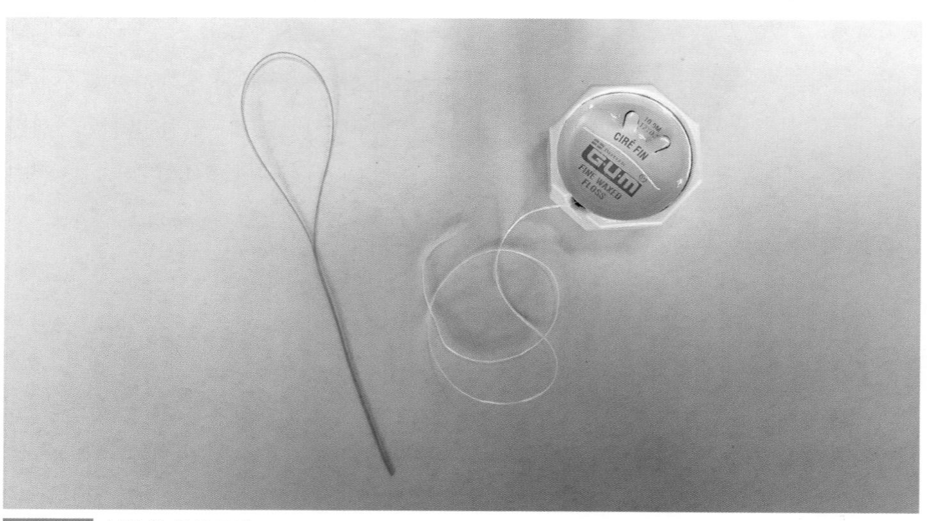

Fig. 7-7 치실 및 치실 고리

3) 실습 과정

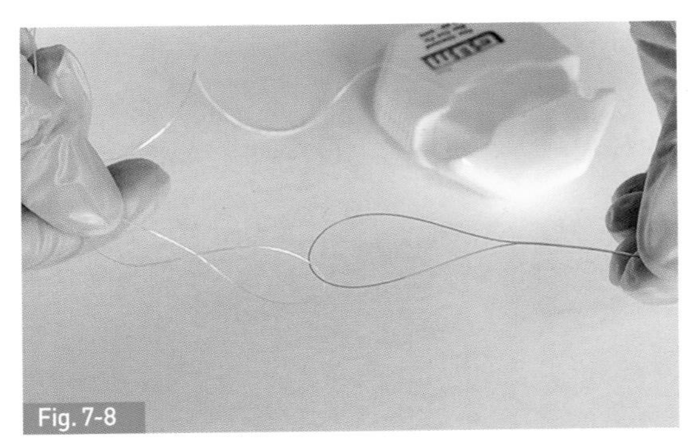
Fig. 7-8

① 치실을 적당한 길이로 잘라서 치실 고리에 넣고 한쪽은 짧게, 다른 한쪽은 길게 두 가닥의 치실을 잘 조절하여 쉽게 빠지지 않도록 한다(Fig. 7-8).

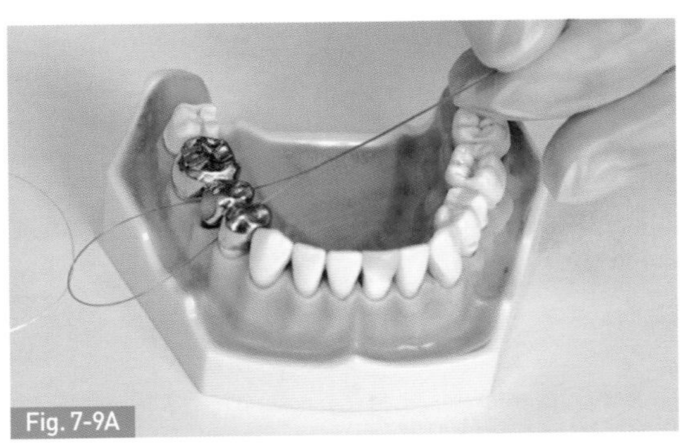
Fig. 7-9A

② 치실을 끼운 치실 고리를 계속가공의치의 지대치아와 인공치아의 치간 밑으로, 순(협)면에서 설면쪽으로 삽입하여 구강 내 설면에서 치실 고리를 뽑아내고 치실을 치실 고리에서 분리한다(Fig. 7-9A, B).

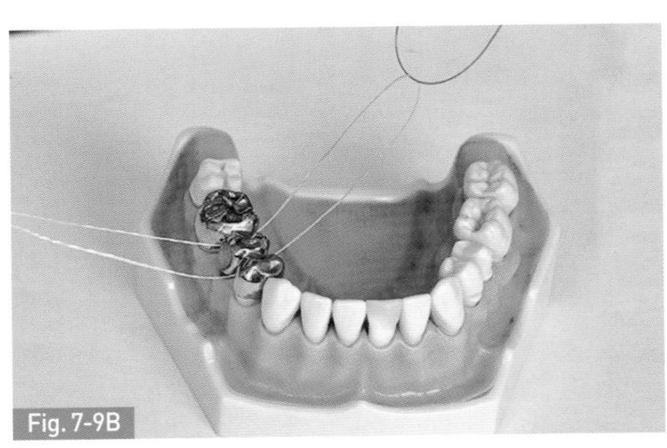
Fig. 7-9B

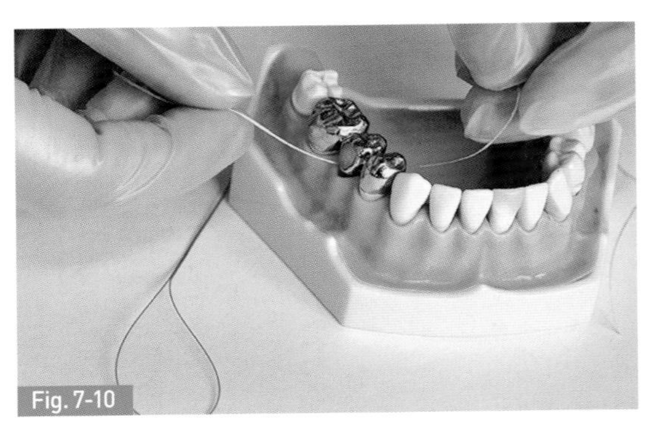
Fig. 7-10

③ 치실 사용법과 마찬가지로 협면과 설면의 치실을 양손가락에 감아 근원심 방향으로 움직여 치아 사이나 인공치아 기저부를 닦는다(Fig. 7-10).

3. 치실 손잡이(Floss Holder)

1) 사용 목적

치실 손잡이는 치실을 사용하고자 할 때 구강 내에 넣어야 하는 불편함을 대신하는 도구로서, 새총모양(yoke-like)의 형태이다. 갈라진 가지 사이의 간격이 2~2.5 cm로, 치실을 제대로 사용할 수 없는 사람, 오심과 구토 반사가 심한 사람, 개구에 장애가 있는 사람, 지체부자유자나 장기 입원 환자 등에게 유용하게 사용되며 치실 사용을 습관화하는 데 도움을 줄 수 있다.

2) 기구 및 재료

- 치실 손잡이
- 치실
- 악치 모형

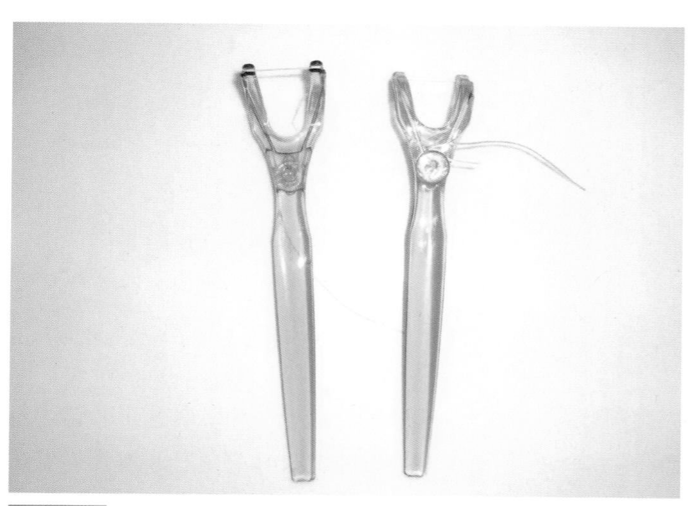

Fig. 7-11 치실 손잡이

3) 실습 과정

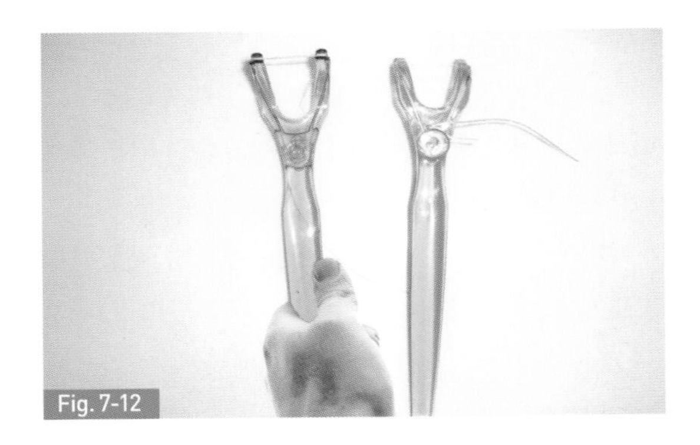
Fig. 7-12

① 적당한 길이로 치실을 자른 후 버클에 먼저 치실을 감고 치실 손잡이 가지 사이의 치실을 팽팽하게 유지되도록 감는다(Fig. 7-12).

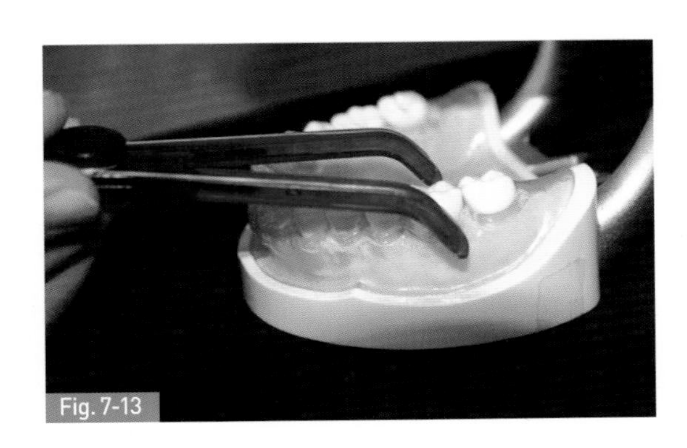
Fig. 7-13

② 치아 사이의 협·설면 방향으로 치실을 걸고, 톱질하듯이 접촉면을 통과시켜 치간유두의 손상을 주의하며 치간에 삽입한다(Fig. 7-13).

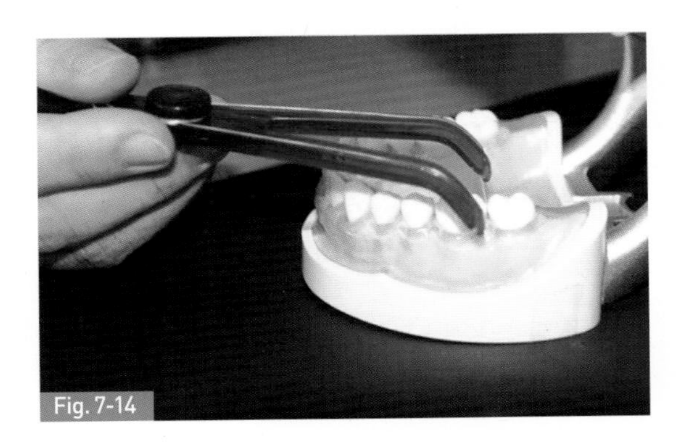
Fig. 7-14

③ 치간유두를 경계로 하여 먼저 앞쪽 치아의 원심면을 따라서 치은 연하까지 치실을 밀어 넣은 다음 C자 형태가 되도록 한다.
④ 치경부의 접촉점 사이에서 왕복운동을 수직 방향으로 수차례 시행한 후 인접치아의 근심면도 같은 방법으로 시행하고 교합면쪽으로 치실을 끌어올린다(Fig. 7-14).

4. 치간칫솔(Interdental Brush)

1) 사용 목적

치간칫솔은 크기가 작고 시험관 닦는 솔과 유사한 형태로 만들어졌다. 치아 사이에 적용시켜 협면에서 설면으로 안팎의 왕복운동을 하며 치아 사이와 치아 인접면을 닦는 구강관리용품이다.
치간 부위는 물리적으로 치면세균막을 제거하기 가장 어려운 부위이며, 회전법 또는 바스법 칫솔질을 완벽하게 함으로써 제거할 수 있는 치면세균막은 협면 또는 설면의 치면세균막에 국한된다. 따라서 치간칫솔은 치면과 치은에 부착된 치면세균막을 제거함으로써 치아우식병과 치은염을 예방하고, 치은의 혈액순환을 촉진시키며 치은 표면 및 치은열구 내 상피세포의 각화를 촉진시킴에 그 목적이 있다.

2) 기구 및 재료

- 조립식, 비조립식 치간칫솔
- 악치 모형
- 손거울

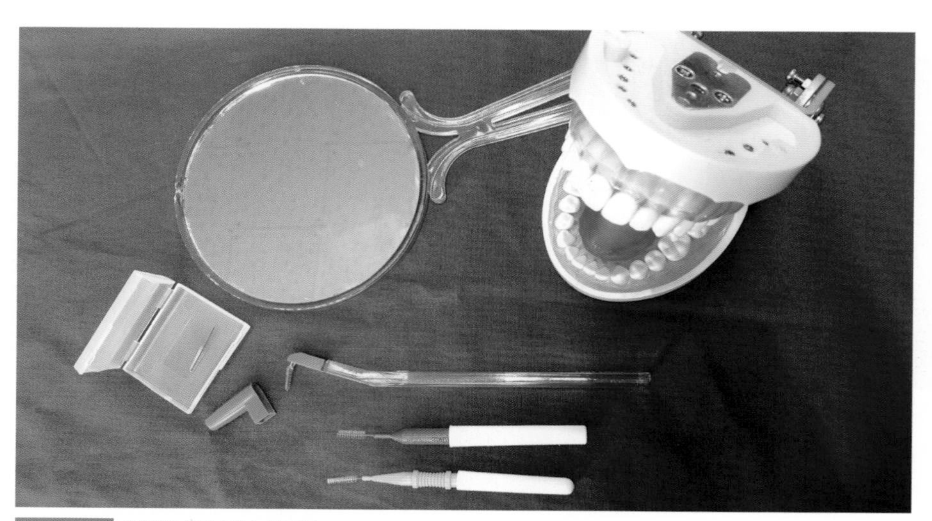

Fig. 7-15 치간칫솔법 기본 준비물

3) 실습 과정

(1) 치간칫솔 적응증 검토

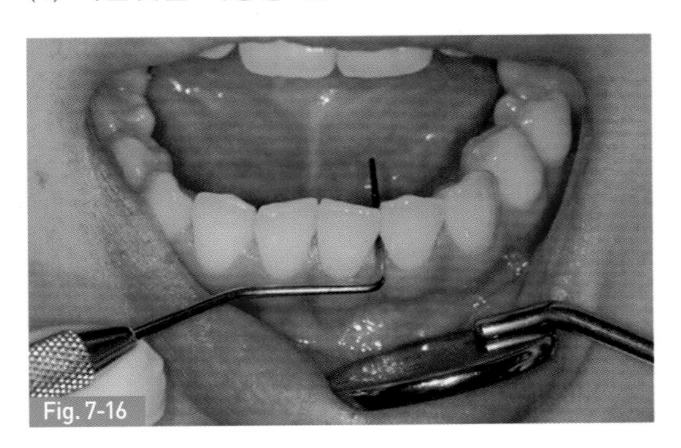
Fig. 7-16

① 치아 사이에 치주탐침을 관통시켜 치간칫솔을 사용할 수 있는지 검토한다. 치주탐침이 관통할 수 있다면 치간칫솔 사용 적응증이다(Fig. 7-16).

(2) 치간칫솔 규격 선택

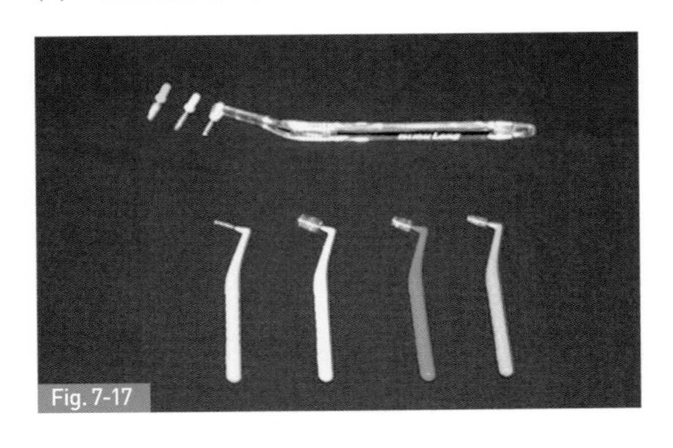
Fig. 7-17

② 가능한 한 많은 치아 공간에 동시에 사용 가능한 규격을 선택한다(Fig. 7-17).

(3) 치간칫솔의 삽입

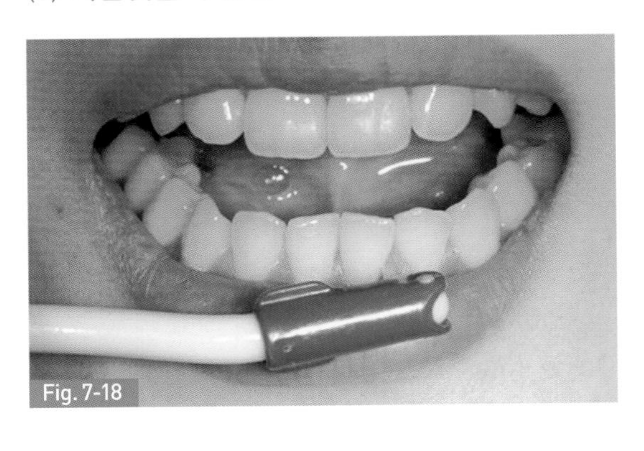
Fig. 7-18

③ 치간칫솔의 철심이 꺾이지 않도록 치간에 삽입한다(Fig. 7-18).

(4) 치간칫솔의 동작

④ 해당 치간부 공간을 좌우로 나눠 각 치아의 면을 각각 닦아주어야 한다(Fig. 7-19A, B).

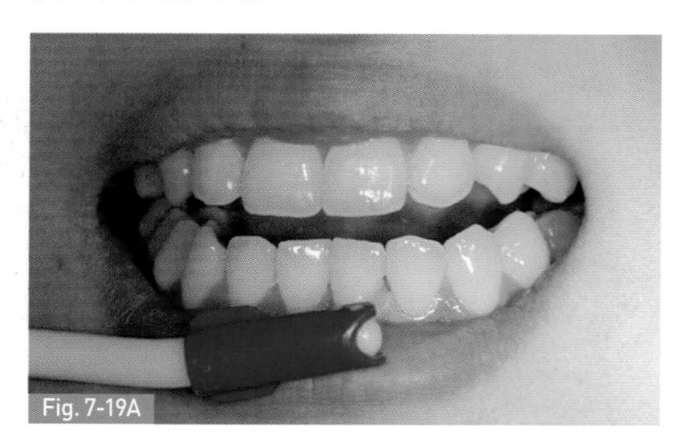
Fig. 7-19A

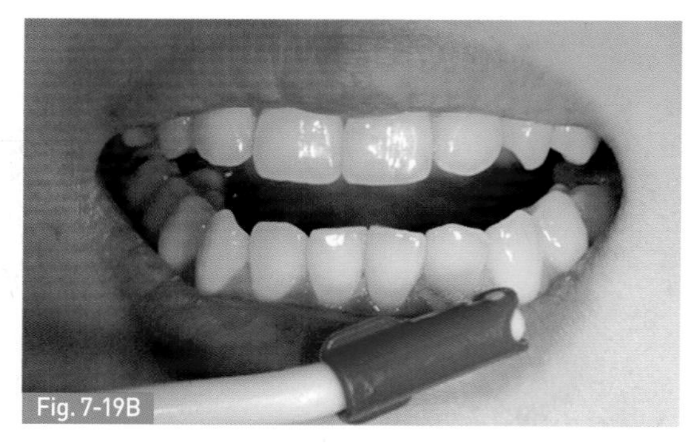
Fig. 7-19B

⑤ <u>전치부 부위의 동작</u>

치은의 협설면 모양에 맞게 때로는 위에서 아래 방향으로, 때로는 아래에서 위의 방향으로 치간칫솔을 사용하여야 하며, 치면세균막 제거가 중요한 부위에는 삽입 및 근원심 각도를 조정하여야 한다(Fig. 7-20).

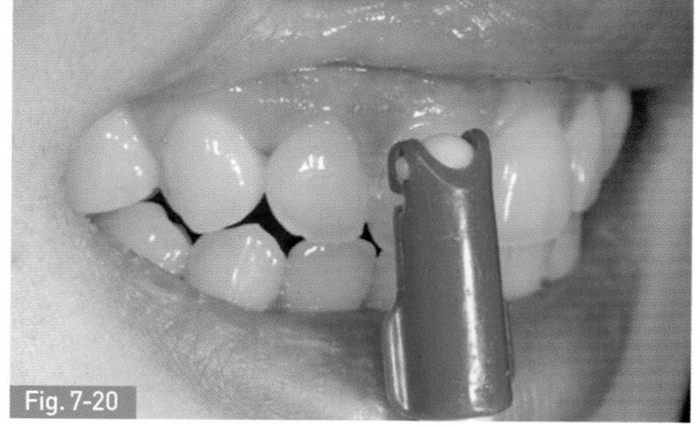
Fig. 7-20

⑥ <u>대구치 부위의 동작</u>

치간칫솔 머리 부위를 입안에 넣고 뺨을 치간칫솔의 머리로 당겨 내면서 입을 '아' 모양에서 '이' 모양으로 바꿔 협점막이 쉽게 당겨지도록 한 후 대구치 사이에 수직으로 들어가도록 하여야 한다(Fig. 7-21).

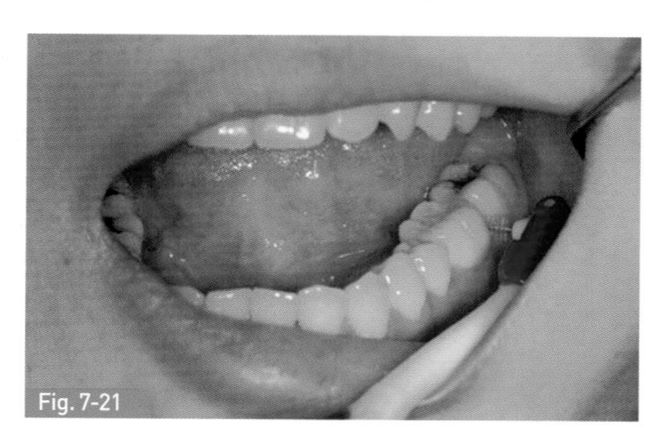
Fig. 7-21

(5) 치간칫솔법 교육

대개의 피교육자들은 치간칫솔 사용 경험이 없기 때문에 우선 쉬운 전치부의 치간칫솔질을 교육한 후, 구치부의 치간칫솔질은 전치부의 사용 경험이 있는 상태에서 시행하는 것이 바람직하다.

5. 고무 치간 자극기(Rubber Stimulator)

1) 사용 목적

고무 치간 자극기는 음식물 저작 시, 타액에 의한 자정작용(self-cleaning action)이 되지 않거나 칫솔이 잘 닿지 않는 부위를 가진 환자와 치주 수술 후 치은이 예민한 환자의 치간치은의 건강을 도모하기 위해 치간유두에 자극을 주어 염증을 완화시키는 작용을 하도록 고안된 기구이며 dental tip이라고 한다.

2) 기구 및 재료

- 고무 치간 자극기
- 악치 모형
- 손거울

3) 사용 방법

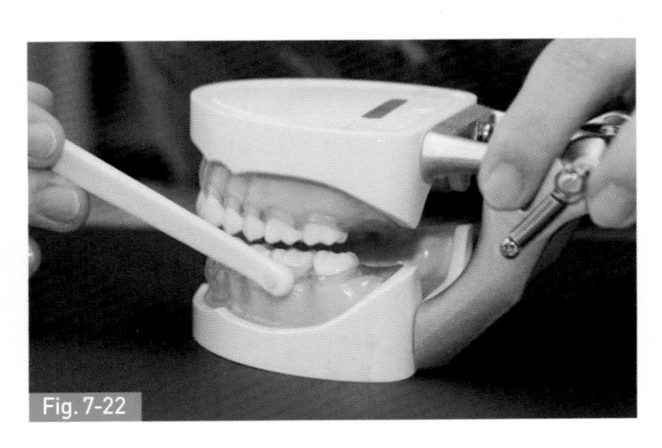
Fig. 7-22

① Tip이 절단연 또는 교합면으로 향한 상태에서 치아 장축에 45° 또는 90° 방향으로 치간공극에 삽입시켜 협면에서 설면으로 약간의 압력을 가하며 왕복 운동으로 사용한다. 치아 사이가 넓을 경우에는 작은 원을 그리듯이 tip을 움직여 줌으로써 치간치은을 마사지한다(Fig. 7-22).

6. 이쑤시개(Tooth Pick)

1) 사용 목적

이쑤시개는 나뭇가지나 녹말로 만들어진 직선형의 가는 막대기 형태로, 치아 사이의 음식물 잔사나 이물질을 제거할 때 사용되는 도구이며 가장 오래되고 흔히 사용되는 것이다.

2) 기구 및 재료

- 이쑤시개(Tooth pick)
- 악치 모형
- 손거울

3) 실습 과정

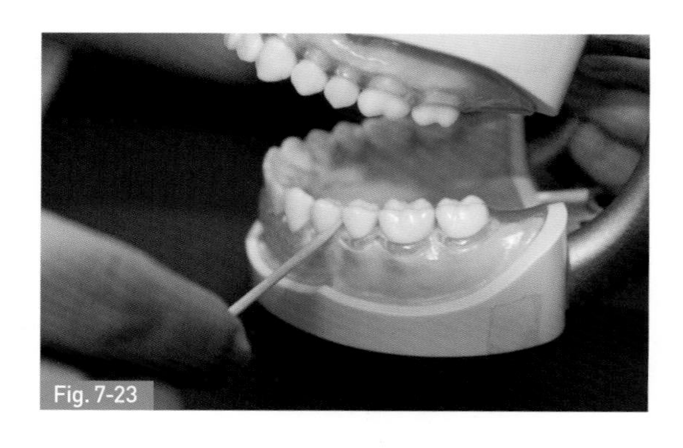
Fig. 7-23

① 이쑤시개는 타액 혹은 물로 적셔주며 치아 장축에 수직으로 치아 사이에 삽입한다(Fig. 7-23).

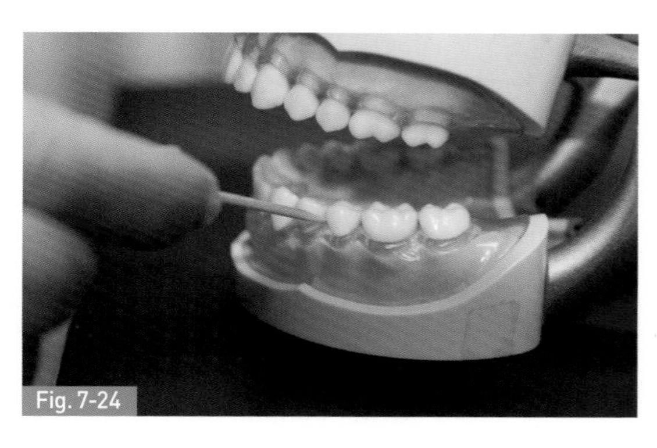
Fig. 7-24

② 이쑤시개의 tip을 이용하여 인접면과 치경부의 잔사를 제거한다(Fig. 7-24).

7. 물 사출기(Water Pick)

1) 사용 목적

물 사출기는 정기적으로 칫솔질 후나 교정장치를 장착하고 있는 환자에 있어서, 고압의 계속적인 물 사출이나 간헐적인 물 사출로 치아의 치간부에 침착된 음식물 잔사나 치면세균막을 씻어내도록 고안된 기구이다.

2) 기구 및 재료

- 물 사출기(Water pick)
- 악치 모형
- 손거울

3) 사용 방법

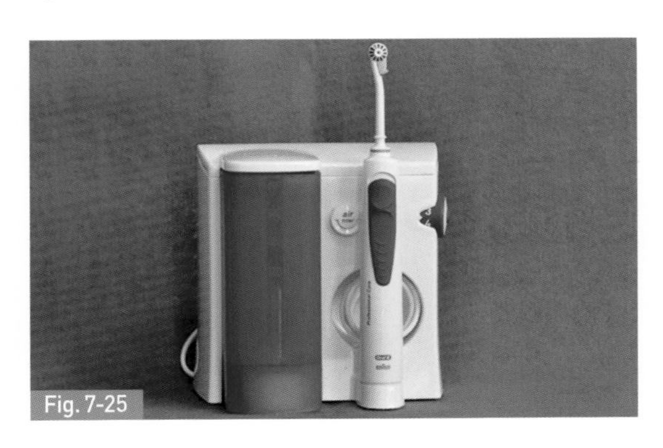
Fig. 7-25

① 물통에 물을 넣은 다음 전원을 켠다(Fig. 7-25).
② Tip을 치아 장축에 직각으로 치아 사이에 위치시킨다(Fig. 7-26).
③ 협면에서 설면으로 수압을 조절하여 물을 분사해 가며 치아 사이의 음식물 잔사를 제거한다(Fig. 7-27).

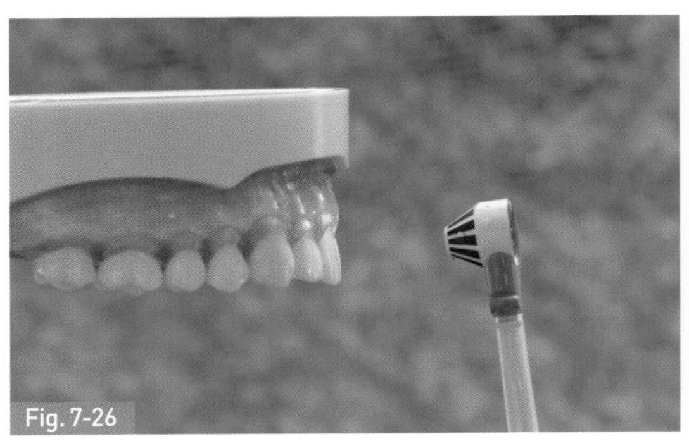
Fig. 7-26

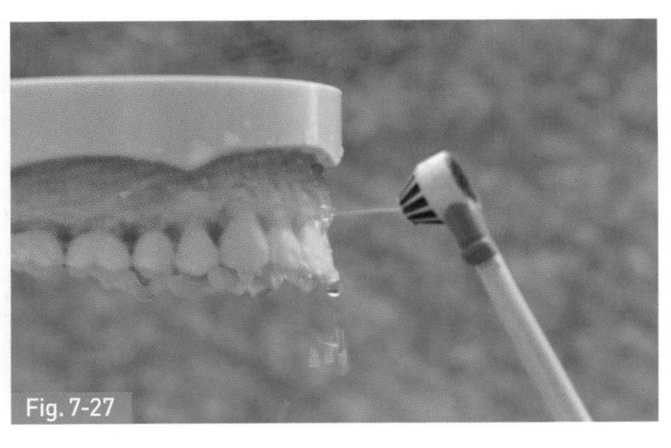
Fig. 7-27

8. 혀 세척기(Tongue Cleaner)

1) 사용 목적

혀 윗면의 유두 사이는 미세한 음식물 잔사가 잘 부착되어 세균의 번식을 조장하며, 이 세균이 구취의 원인이 되기도 한다. 그러므로 혀를 청결하게 관리함으로써 세균수를 감소시키고, 구강 전체의 청결과 혀를 효과적으로 닦아내기 위하여 사용하는 기구이다.

2) 기구 및 재료

- 혀 세척기
- 거울

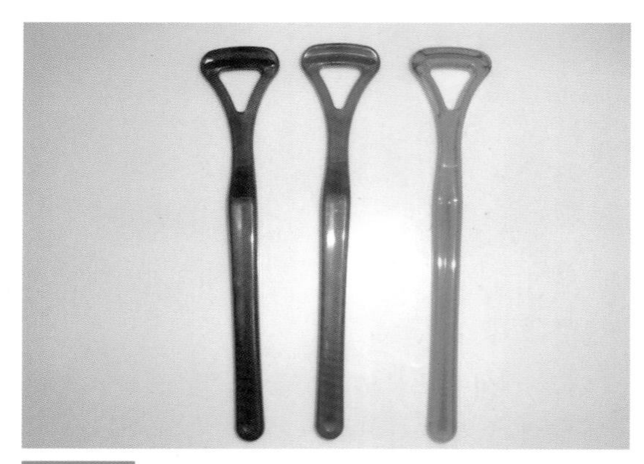

Fig. 7-28 혀 세척기

3) 사용 방법

Fig. 7-29

혀 세척기를 혀의 안쪽에서 바깥쪽 방향으로 가벼운 압력으로 훑어 내린다. 중앙·좌·우로 구분하여 한 부위당 2~3회씩 닦은 후 구강 양치액으로 입안을 헹구어 낸다(Fig. 7-29)

9. 첨단 칫솔(End-tuft Brush)

1) 사용 목적

첨단 칫솔은 교정용 브라켓이나 와이어 주위, 치은퇴축 부위나 치주수술 후 노출된 치근이개부, 임플란트 부위, 상실치아의 인접면, 최후방 구치의 원심면, 치간유두 소실로 인한 치간공극이 커진 부위의 치면세균막을 제거하기 위해 가늘고 작은 손잡이 끝부분이 몇 개의 강모단으로 이루어지거나 1개의 강모단으로 이루어진 형태의 칫솔이다.

2) 기구 및 재료

- 첨단 칫솔
- 악치 모형
- 거울

3) 사용 방법

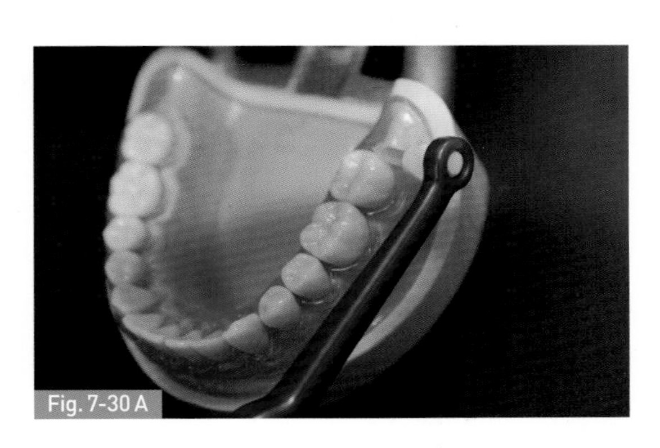
Fig. 7-30 A

① 칫솔을 최후방 구치에 위치시켜 음식물 잔사와 치면세균막을 제거한다(Fig. 7-30A).

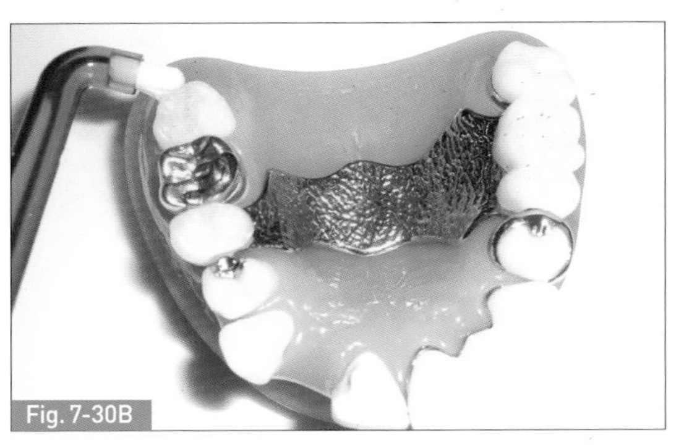
Fig. 7-30B

② 최후방 구치 뿐만 아니라 치아가 상실된 경우나 국소의치의 지대치로 사용되는 치아도 적용이 가능하다(Fig. 7-30B).

10. 잇몸 마사져(Gingival Stimulator)

1) 사용 목적

치은에 넓게 산재된 치주염이 있을 경우나 치주수술 후 환자의 치은을 마사지 해줌으로써 빠른 회복을 위하여 사용할 수 있도록 고안된 것으로, 잇몸 마사져는 칫솔 모양의 기구로서 두부의 강모 대신 고무로 만든 넓고 부드러운 tip이 달려 있거나 sponge가 부착된 형태로 비교적 넓은 부위의 치은에 마사지를 하는 기구이다.

2) 기구 및 재료

- 잇몸 마사져
- 잇몸 마사지용 크림
- 악치 모형

3) 사용 방법

① 마사져로 치은에 압력을 가하는 동시에 작을 원호운동을 하면서 치은 전체에 마사지를 한다(Fig. 7-31A, B).

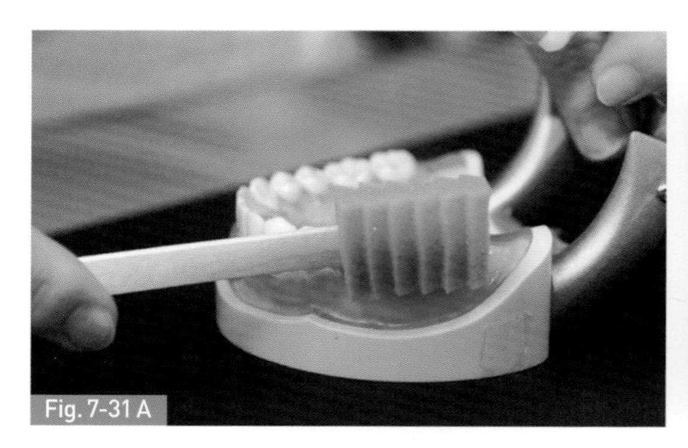
Fig. 7-31 A

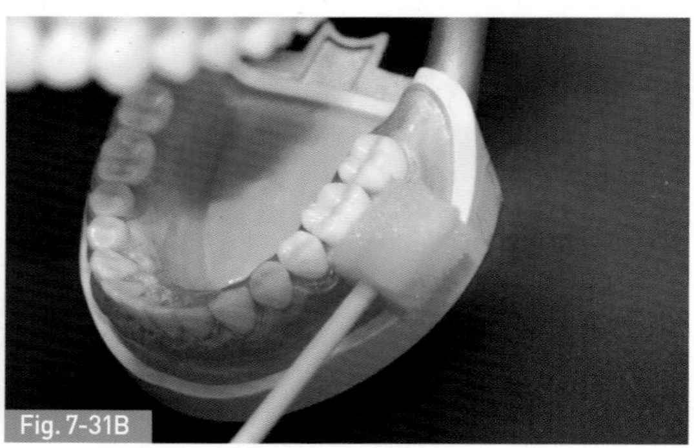
Fig. 7-31B

11. 칫솔(Toothbrush)

1) 칫솔의 형태

① 두부(head)

② 목(neck)

③ 손잡이(handle)

2) 칫솔의 구비 조건

① 구강 내에서 용이하게 사용될 수 있어야 한다.

② 두부가 모든 치면에 도달할 수 있어야 한다.

③ 일정한 탄력의 강모를 가져야 한다.

④ 가는 형태이어야 한다.

⑤ 내구성이 있어야 한다.

⑥ 청결을 유지해야 한다.

⑦ 외관이 양호해야 한다.

⑧ 저렴한 가격이어야 한다.

3) 칫솔의 분류

(1) 용도에 따른 분류

① 일반 칫솔: 일반 대중들이 자연 치아를 세정하는 용도의 칫솔

② 특수 칫솔: 지체부자유자나 특정 부위에 사용 가능한 전동 칫솔이나 의치를 세정하는 의치 솔, 치간칫솔

(2) 칫솔질 동력에 따른 분류

① 수동 칫솔: 손의 동작에 의해 창출

② 전동칫솔: 주로 장기입원환자, 지체부자유자, 고정성 교정장치 장착자, 치주 질환자에게 권장

(3) 강모 강도에 따른 분류

① 약강도 강모 칫솔(soft): 지름이 0.18~0.24 mm 정도, 강도가 약한 칫솔
② 중강도 강모 칫솔(medium): 지름이 0.25~0.31 mm 정도, 강도가 중등도인 칫솔
③ 강강도 강모 칫솔(hard): 지름이 0.32 mm 이상, 강도가 강한 칫솔

(4) 강모 다발 열수에 따른 분류

① 1열 강모 다발 칫솔: 강모 다발 1열로 식립, 심한 치주염, 치은 출혈, 치은 비대 시 사용
② 2열 강모 다발 칫솔: 강모 다발 2열로 식립, 치주염 환자의 Bass법 시행 시 사용
③ 3열 강모 다발 칫솔: 강모 다발 3열로 식립, 정상 환자, 치경부 마모환자의 회전법 시행 시 사용
④ 4열 강모 다발 칫솔: 강모 다발 4열로 식립, 정상 환자, 치면세균막 지수가 높은 환자의 회전법 시행 시 사용

(5) 강모 단면 모양에 따른 분류

① 오목형(요형): 오목한 형태의 단면 모양, 순면과 협면의 청결에 유용
② 볼록형(철형): 볼록한 형태의 단면 모양, 설면의 청결에 유용
③ 편평형: 편평한 형태의 단면 모양, 일반 대중에게 유용
④ 요철형: 물결 모양이나 조개껍질 모양의 단면, 치간부 청결에 유용

4) 칫솔 선택 기준

① 끝부분이 둥글거나 예리한 각이 나 있지 않은 나일론 강모
② 직선형 손잡이 또는 목(neck) 부위에서 15° 미만으로 경사진 것
③ 일반적으로 두부의 크기는 구치부 치아 2~3개 정도 덮을 수 있는 크기
④ 칫솔의 강모는 각 대상자별로 적절하게 선택
  a) 약강도 강모 칫솔(soft): 구강환경상태 양호, 평균 일일 칫솔질 횟수가 높거나 치경부 마모증, 과민성 치질 증상, 심한 치주염 환자
  b) 중강도 강모 칫솔(medium), 강강도 강모 칫솔(hard): 평균 치면세균막 지수가 높거나 구강환경상태 불량, 심한 흡연습관이 있을 경우
⑤ 요철형이나 파상형의 강모 단면 형태(교정환자-오목형)
⑥ 유아의 폰즈(fones)법 시행 시 둥근 두부 형태, 일반적으로 건강한 대중의 회전법 시행 시 수평인 강모 단면

5) 대상자별 칫솔 선정 시 고려할 사항

(1) 인적 요인

① 대상자의 연령
② 대상자의 성별
③ 일일 칫솔질 빈도
④ 흡연습관

(2) 구강 내 상태

① 치면세균막지수
② 치주 상태
③ 치경부 마모증 및 과민성 치질
④ 고정성 장치물 장착 여부

6) 칫솔의 보관법

① 통풍이 잘 되어 건조가 잘되는 청결한 장소이어야 한다.
② 칫솔의 두부가 위로, 서로 접촉되지 않게 보관한다.
③ 평균적으로 하루 3회 정도 사용 시 2~3개월 후 칫솔 교환이 요구된다.

✚ 본인 칫솔에 대해 설명하시오.

1. 칫솔의 종류	회사명	
	상품명	
2. 두부	길이	cm
	너비	mm
3. 강모	종렬수	
	횡렬수	
	강모의 길이	mm
4. 단면의 모양 (그림과 설명)	측면	
	전면	
	평면도	
5. 손잡이	길이	
	너비	
	형태	
6. 경부	길이	cm
	모양	
	엄지고정점	
7. 칫솔의 외관	총길이	
	재질	

✚ 현재 시판 중인 칫솔의 종류와 특성에 관하여 작성하시오.

실습보고서

년 월 일	학번		성명	
실습제목	칫솔의 종류와 특성			

* 현재 시판 중인 칫솔의 종류와 특성에 관하여 작성하시오.

상품명	경부 모양	손잡이 모양	두부 크기	강모 강도	권장대상

실습소견	
담당교수 확 인	

12. 세치제(Dentifrices)

칫솔질을 하는 과정에서 치아 표면을 효율적으로 세정하기 위하여 사용되는 보조적 세제이다.

1) 세치제의 분류

(1) 물리적 성상에 따른 분류

① 고체 세치제: 물리적 성상이 고체인 세치제, 마모도가 과도하여 현재는 시판되지 않는다.
② 분말 세치제: 액체 성분이 포함되어 있지 않고, 물리적 성상이 분말인 세치제, 마모도가 과도하며 사용에 불편하여 현재 제조, 판매하지 않는다.
③ 크림 세치제: 물리적인 성상이 교질(colloid)인 세치제, 불소와 세마제가 배합되어 있다.
④ 액상 세치제: 물리적 성상이 액체인 세치제, 세마제가 배합되어 있지 않아 노출된 과민성 치질을 가진 사람에게 권장된다.

(2) 용도에 따른 분류

① 일반 크림 세치제: 일반적인 용도로 사용하는 세치제
② 특수 세치제: 세치제의 기본 성분 이외에 구강병 예방제나 구강병 치료제를 배합한 세치제

(3) 마모도에 따른 분류

비교 치아마모도 100 이상	최다마모 세치제
비교 치아마모도 80~99	다다마모 세치제
비교 치아마모도 60~79	중다마모 세치제
비교 치아마모도 40~59	중등마모 세치제
비교 치아마모도 20~39	중소마모 세치제
비교 치아마모도 20 미만	소소(미소)마모 세치제

2) 세치제의 성분 및 기능

(1) 세마제(Abrasive agent)

① 치아 표면에 부착된 획득피막을 깨끗히 세정한다.

② 치아 표면을 연마하고 활택하는 작용을 한다.

③ 세치제의 주성분, 20~60% 배합한다.

(2) 세정제

세마제의 세정작용을 보강하여 치아 표면을 깨끗이 세정하는 작용을 한다.

(3) 결합제

세치제를 계속 현탁액으로 유지, 세치제의 구성성분이 시간이 경과하는 과정에 분리되는 현상을 막도록 배합하는 물질이다.

(4) 습윤제

크림 세치제가 건조되는 현상을 방지, 세치제의 조성을 안정되게 유지하기 위하여 배합하는 물질이다.

(5) 불소

① 세치제에 배합하는 성분 중 치아우식병의 예방 효과가 가장 확실하고 뚜렷한 물질이다.

② 칫솔질의 빈도와 방법에 따라 약 15~30% 치아우식예방 효과가 있다.

(6) 상아질 지각과민 치료제

① 상아질 지각과민증을 치료할 목적으로 약물을 세치제에 배합

② 상아질 지각과민증 치료제

a) Aluminum chlorohydroxy allantoinate(0.5~5%)

b) 불화나트륨(NaF)

c) 불화규산나트륨(sodium silico fluoride)

d) 포름알데하이드(formaldehyde)

e) 질산은($AgNO_3$)

f) 염화아연($ZnCl_2$)

g) 글리세린(glycerin)

(7) 기타 성분

① 향미제: 맛과 향을 부여하기 위해 세치제에 배합하는 성분
② 탈이온화되거나 증류된 물
③ Glyserin과 sorbitol과 같은 감미제
④ 방부제와 예방제, 치료제
⑤ 착색제, 부식억제제, 표백제

3) 세치제의 요구 조건

① 독성이 없어야 한다.
② 세치제의 다른 성분과 화합하지 않아야 한다.
③ 치아를 변색시키지 않아야 한다.
④ 구강에서 부작용을 나타내지 않아야 한다.

4) 대상자별 세치제 선정법

① 약한 마모력의 세치제: 백악질이나 상아질이 노출된 치아, 치은절제술을 받은 지 얼마 안 되는 사람
② 강한 마모력의 세치제: 평균 치면세균막 지수가 높거나, 일일 평균 칫솔질 횟수가 적고 구강환경상태가 불량한 사람
③ 아동은 불소가 함유된 세치제 사용 권장

✚ 현재 시판 중인 세치제의 종류와 특성에 대하여 작성하시오.

실습보고서

년 월 일	학번		성명	
실습제목	**칫솔의 종류와 특성**			

* 현재 시판 중인 세치제의 종류와 특성에 관하여 작성하시오.

상품명	제조회사	특성	권장 대상	마모도(약, 중, 강)

실습소견	
담당교수 확 인	

실습보고서

	년 월 일	학번		성명	
실습제목	**치실(Dental floss)**				
준 비 물					
실습과정					
실습소견					
담당교수 확 인					

실습보고서

년 월 일	학번		성명	
실습제목	치실 고리(Floss threader)			
준 비 물				
실습과정				
실습소견				
담당교수 확 인				

실습보고서

년 월 일	학번		성명	
실습제목	치실 손잡이(Floss holder)			
준 비 물				
실습과정				
실습소견				
담당교수 확 인				

실습보고서

년 월 일	학번		성명	
실습제목	치간 칫솔(Interdental brush)			
준 비 물				
실습과정				
실습소견				
담당교수 확 인				

실습보고서

	년 월 일	학번		성명	
실습제목	**고무 치간 자극기(Rubber stimulator)**				
준 비 물					
실습과정					
실습소견					
담당교수 확 인					

실습보고서

년 월 일	학번		성명	
실습제목	이쑤시개(Tooth pick)			
준 비 물				
실습과정				
실습소견				
담당교수 확 인				

실습보고서

년 월 일	학번		성명	
실습제목	물 사출기(Water pick)			
준 비 물				
실습과정				
실습소견				
담당교수 확 인				

실습보고서

년 월 일	학번		성명	
실습제목	혀 세척기(Tongue cleaner)			
준 비 물				
실습과정				
실습소견				
담당교수 확 인				

실습보고서

년 월 일		학번		성명	
실습제목	첨단 칫솔(End-tuft brush)				
준 비 물					
실습과정					
실습소견					
담당교수 확 인					

실습보고서

	년 월 일	학번		성명	
실습제목	잇몸 마사져(Gingival stimulator)				
준 비 물					
실습과정					
실습소견					
담당교수 확 인					

실습보고서

년 월 일	학번		성명	
실습제목	칫솔(Toothbrush)			
준 비 물				
실습과정				
실습소견				
담당교수 확 인				

실습보고서

년 월 일	학번		성명	
실습제목	세치제(Dentifrices)			
준 비 물				
실습과정				
실습소견				
담당교수 확 인				

실습보고서

년 월 일	학번		성명	
실습제목				
준 비 물				
실습과정				
실습소견				
담당교수 확 인				

실습보고서

년 월 일	학번		성명	

실습제목	구강관리용품

* 현재 시판 중인 구강관리용품의 종류와 사용법에 관하여 작성하시오.

종류	사용 대상 및 부위	사용법	효과
치실 (Dental floss)			
치실 고리 (Floss threader)			
치실 손잡이 (Floss holder)			
치간칫솔 (Interdental brush)			
고무 치간 자극기 (Rubber stimulator)			
이쑤시개 (Tooth pick)			
물 사출기 (Water pick)			
혀 세척기 (Tongue cleaner)			
첨단 칫솔 (End-tuft brush)			
잇몸 마사져 (Gingival stimulator)			
칫솔 (Toothbrush)			
세치제 (Dentifrices)			

실습소견	
담당교수 확 인	

Chapter 08

전문가 불소 도포

학습목표

1. 불소 도포 방법의 종류를 설명할 수 있다.
2. 대상자에 따른 적절한 불소 국소 도포 방법을 익히고 특징을 설명할 수 있다.

✚ 불소의 특성

① 무색, 무취의 할로겐족에 속하는 비금속 원소로 매우 치밀하고 조밀한 원자 구조를 가지고 있다. 인체에서도 필요한 미량 원소이며 특히 치아우식을 예방하는 특성을 가지고 있다.

② 자연 속에서 단독으로 존재하지 못하고 다른 원소와 화합물(fluorine compound) 상태로 자연계에 존재한다.

1. 불소 도포의 개념

불소 국소 도포는 비교적 고농도의 불소 용액을 치면에 직접 도포하는 것으로 법랑질의 수산화인회석(OH-apatite)의 수산기와 불소 이온이 치환되어 불화인회석(F-apatite)이 형성됨으로써 법랑질의 격자 구조를 더욱 치밀하게 만들어주고 치질의 강도와 내산성이 높아져서 치아우식이 예방된다. 뿐만 아니라 탈회된 치질의 재광화를 촉진하는 것으로 알려져 있어 초기 우식 및 다발성 우식 대상자에게 유용하게 적용되는 예방법이다.

2. 불소 화합물의 종류

1) 불화나트륨(Sodium fluoride, NaF)(Fig. 8-1)

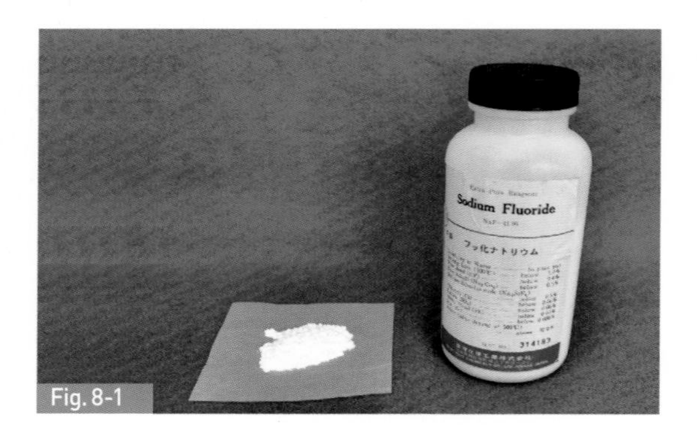

Fig. 8-1

① 분말, 겔, 용액의 형태로 공급한다.

② 일반적으로 2% 수용액을 권장한다.

③ 용액이 비교적 안정적이어서 플라스틱 용기에 보관 가능하다.

④ 무색, 무취, 무자극이며 색소 첨가가 가능하고 1주 간격 4회 반복 도포한다.

⑤ 전기 자극에 이온 분리가 잘 되므로 이온도입법의 재료로 쓰기에 적합하다.

2) 불화석(Stannous fluoride, SnF_2)(Fig. 8-2)

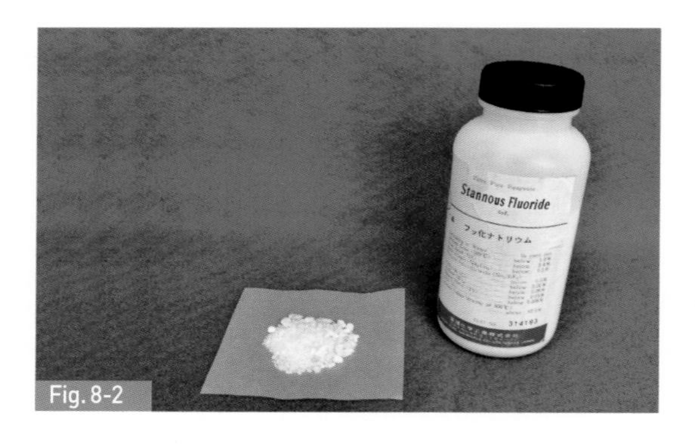

Fig. 8-2

① 비교적 굵은 분말형태로 되어 있거나 소량으로 나누어 capsule 형태로 시판된다.

② 불화석 용액은 강한 산성(pH 2.4~2.8)을 띈다.

③ 아동은 8%, 성인은 10%의 수용액을 사용한다.

④ 용액이 매우 불안정하여 산화주석의 흰 침전물을 생성하므로 매 환자마다 다시 조제해야 한다.

⑤ 치은 자극, 치은 착색 반응이 나타나기도 하며 금속성의 떫은맛이 있어 아동에게 사용할 때에는 감미제를 추가한다.

⑥ 반복 도포 시 치은이나 수복물에 자극 또는 치아 변색을 유발할 수 있다.

⑦ 도포 시 철저한 치아 분리를 시도하여 타액을 통한 구강점막과 치은에 불소 용액이 묻지 않도록 조심한다.

3) 산성불화인산염(Acidulated phosphate fluoride, APF)(Fig. 8-3)

Fig. 8-3

① 1.23%의 수용액 또는 겔 형태로 사용한다.
② pH는 3.5 정도이다.
③ 비교적 안정하여 플라스틱 용기에 보관 시 안전하게 사용 가능하다.
④ 겔은 일반적으로 결합제, 향미제, 색소가 첨가되어 있다.
⑤ 치은 자극이나 치은 변색이 나타나지 않으며 맛도 양호하다.
⑥ 농도는 1.23% [2% NaF + 0.34% 수산화불소산(hydrofluoric Acid) + 0.98% 인산염(orthophosphoric-Acid)]이다.
⑦ Thixotropic gel 형태로 제조되어 도포 시 압력을 가하면 용액처럼 작용하기 때문에 치아 사이의 세밀한 부위까지 잘 도달하는데 유용하다.

3. 불소 국소 도포법의 종류

1) 전문가 불소 도포법의 종류(Fig. 8-4)

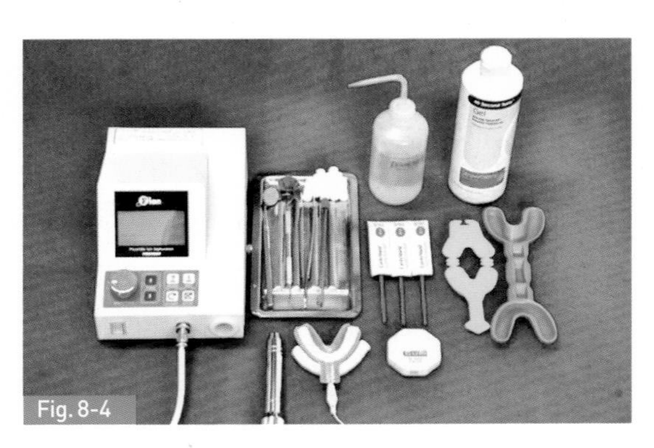
Fig. 8-4

① 불소 용액 도포법
② 불소 겔 도포법
③ 불소 이온 도포법
④ 불소 바니쉬 도포법

4. 불화나트륨 용액 도포법

1) 기구 및 재료

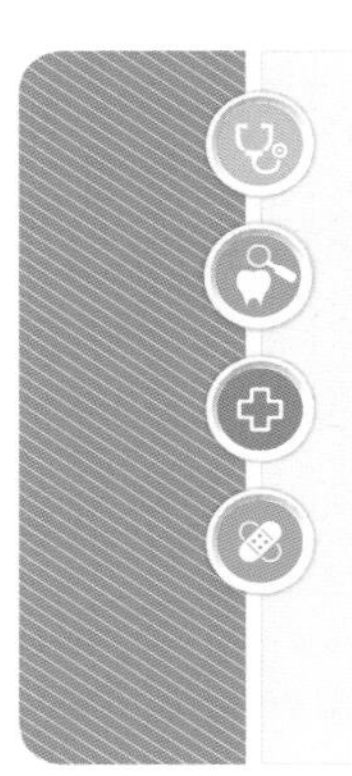

- 기본 기구 세트
  (Mouth mirror, explorer, pincette)
- 타액 흡입기(Saliva ejector)
- 에이프런(Apron)
- 치면세마용 앵글
- 러버컵
- 연마제(Pumice)
- 방습 면봉(Cotton Roll)
- 막대 면봉
- 불소 용액
- 무왁스 치실

2) 실습 과정

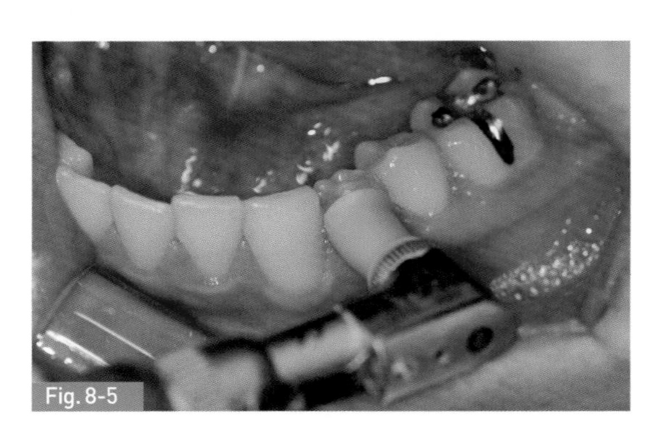
Fig. 8-5

① 경성 부착물은 스케일러로 제거하고, 연성 부착물은 글리세린이 포함되어 있지 않은 연마제와 러버컵을 이용하여 치면세마를 실시한다(Fig. 8-5).

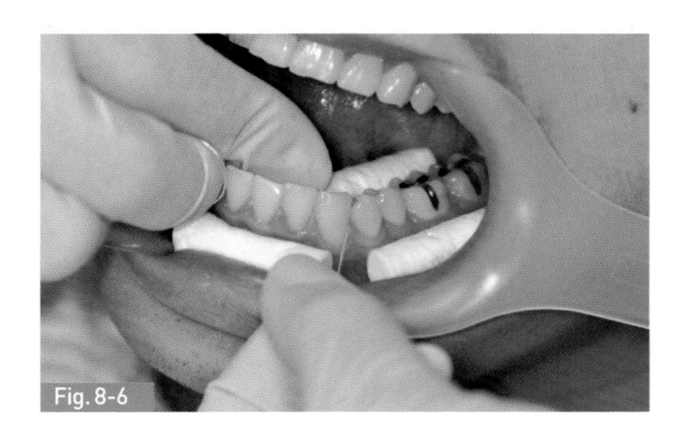
Fig. 8-6

② 방습 면봉을 이용하여 치아를 격리시킨 후 공기분사기(air syringe)를 사용하여 적절히 건조시킨다. 준비한 불화나트륨 용액을 필요한 만큼 플라스틱 용기에 담고, 무왁스 치실에 묻혀 인접면에 도포한다(Fig. 8-6).

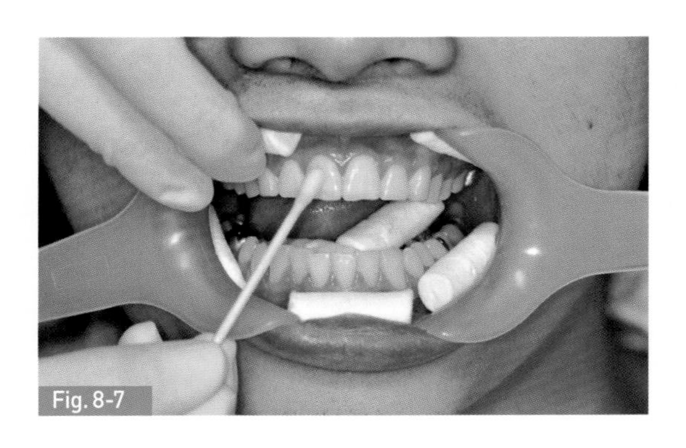
Fig. 8-7

③ 막대 면봉에 불화나트륨 용액을 묻혀서 치면에 도포한다. 상악 우측 전치부터 분악당 15~30초 간격으로 약 4분 동안 반복 도포하여 치면이 건조해지지 않도록 도포한다(Fig. 8-7).

④ 타액이 입안에 고이면 그냥 뱉도록 하고, 30분 동안 음식을 섭취하거나 음료수를 마시거나 양치하지 않도록 주의사항을 설명한다.

5. 불소 겔 도포법

1) 기구 및 재료

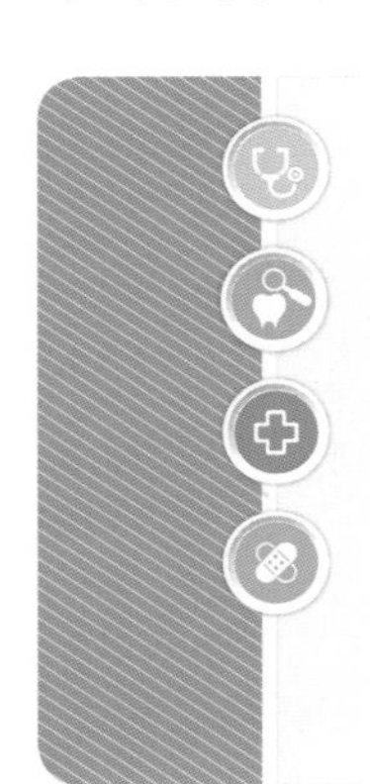

- 기본 기구 세트 (Mouth mirror, explorer, pincette)
- 타액 흡입기(Saliva ejector)
- 에이프런(Apron)
- 치면세마용 앵글
- 러버컵
- 연마제(Purmice)
- 방습 면봉(Cotton Roll)
- 막대 면봉
- 불소겔
- 무왁스 치실
- 도포용 트레이(Tray)

2) 실습 과정

Fig. 8-8

① 불소 겔 도포에 필요한 재료 및 기구를 준비한다(Fig. 8-8).

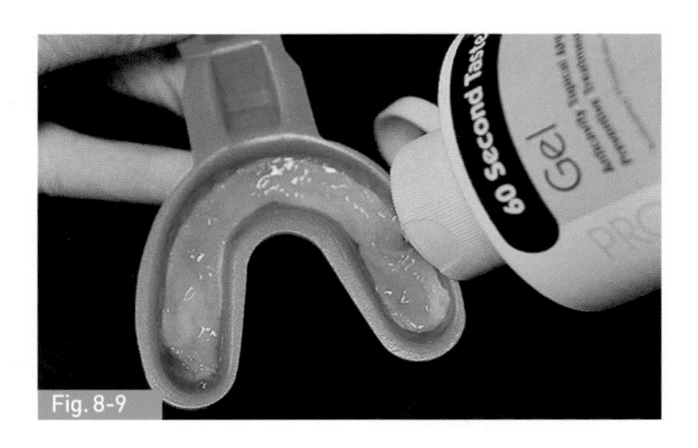

Fig. 8-9

② 불소 겔을 트레이에 1/2~1/3 정도의 깊이로 담아 준비한다(과량의 불소 겔이 구강 안으로 새나가지 않도록 적정량을 담는다) (Fig. 8-9).

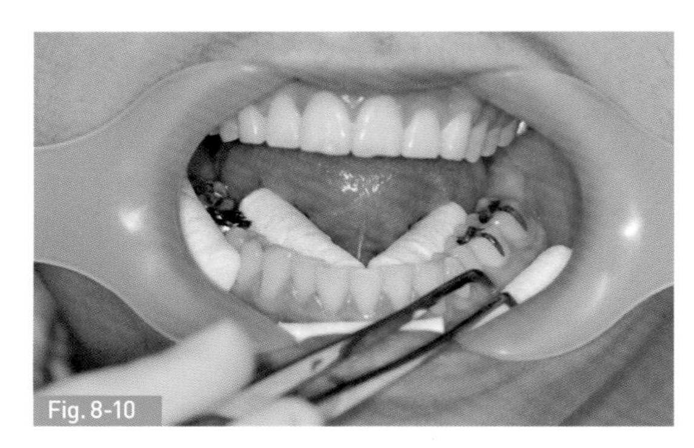
Fig. 8-10

③ 방습 면봉으로 치아를 분리한다(Fig. 8-10).

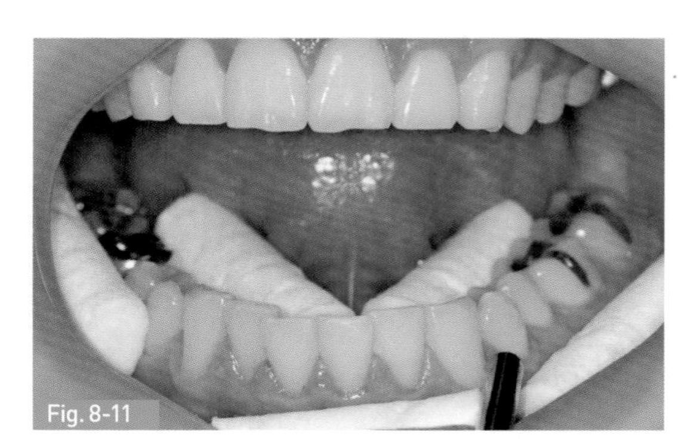
Fig. 8-11

④ 압축공기로 치면을 완전히 건조시킨다(Fig. 8-11).

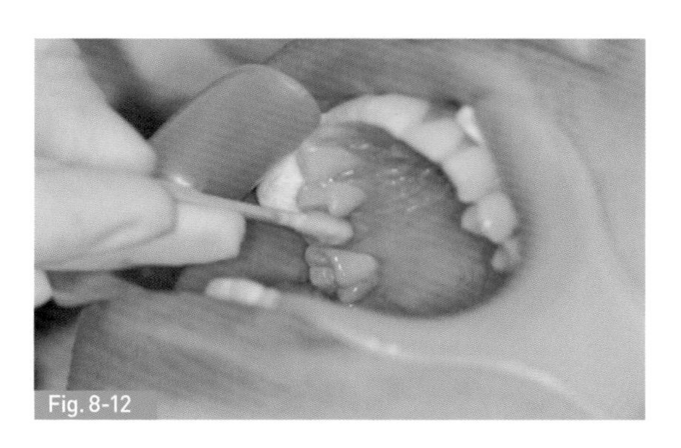
Fig. 8-12

⑤ 여분의 불소 겔을 막대 면봉에 묻혀 치간 사이, 교합면의 열구 및 교정용 bracket 주위 치면에 미리 도포하고, 인접면은 무왁스 치실을 이용하여 도포해 준다(Fig. 8-12).

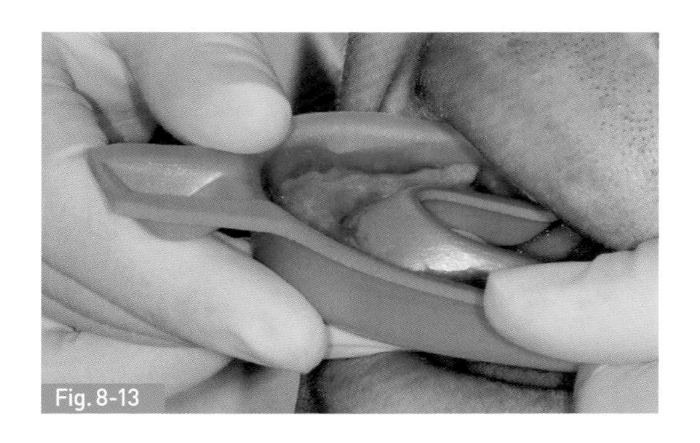
Fig. 8-13

⑥ 트레이를 상악부터 위치시킨 뒤 하악을 위치시킨다(Fig. 8-13).

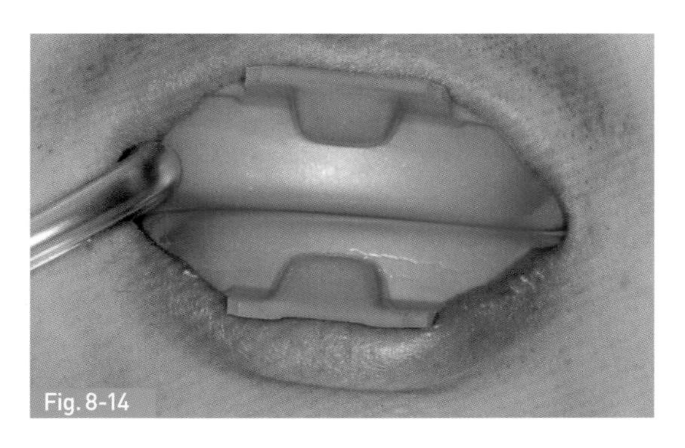
Fig. 8-14

⑦ 트레이를 살짝 다물도록 하고 흐르는 침은 타액 흡입기를 이용하여 제거해 주며 4분간 유지시킨다(Fig. 8-14).

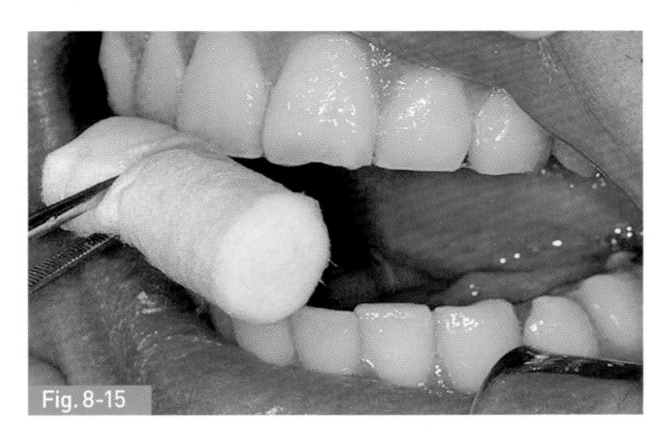
Fig. 8-15

⑧ 트레이를 구강내에서 제거하고 구강내에 남아 있는 불소 겔을 거즈나 방습 면봉을 이용하여 닦아준다(Fig. 8-15).

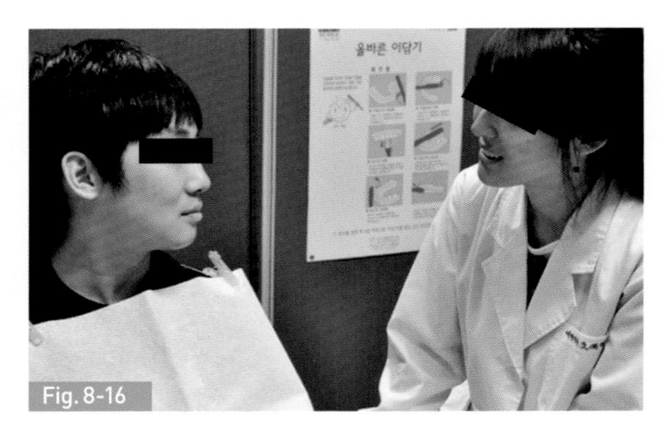

Fig. 8-16

⑨ 침을 삼키지 않고 뱉게 하며, 30분 동안 음식을 섭취하거나 음료수를 마시거나 양치하지 않도록 주의사항을 설명한다(Fig. 8-16).

6. 불소 이온 도입법

1) 기구 및 재료

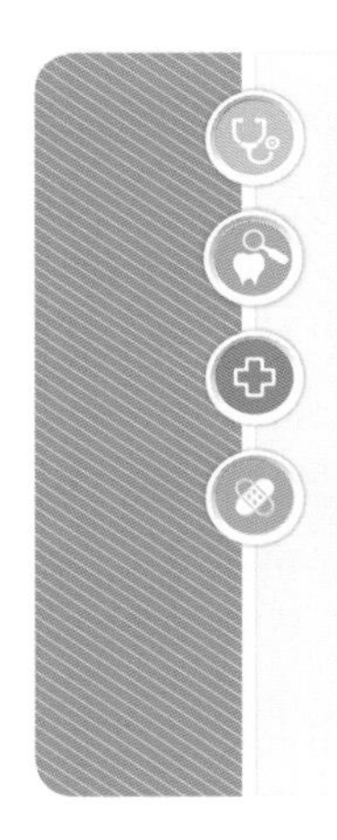

- 기본 기구 세트 (Mouth mirror, explorer, pincette)
- 타액 흡입기(Saliva ejector)
- 에이프런(Apron)
- 방습 면봉(Cotton Roll)
- 프라스틱 용기
- 2% 불화나트륨 용액
- 불소 이온 트레이
- 치면세마용 앵글
- 연마제(Purmice)
- 막대 면봉
- 무왁스 치실
- 불소 이온 도입기

2) 실습 과정

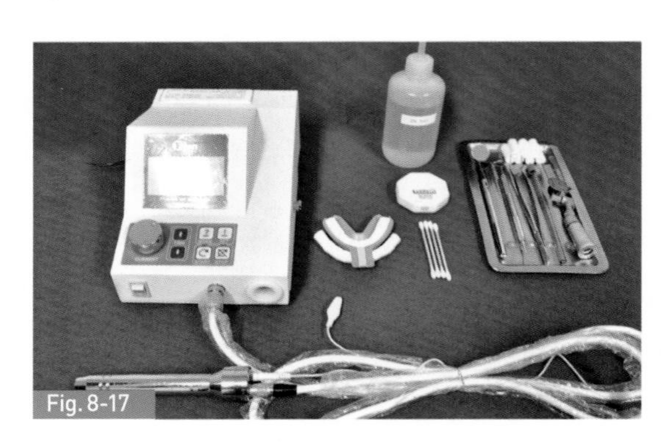
Fig. 8-17

① 불소이온 도입에 필요한 재료 및 기구를 준비한다(Fig. 8-17).

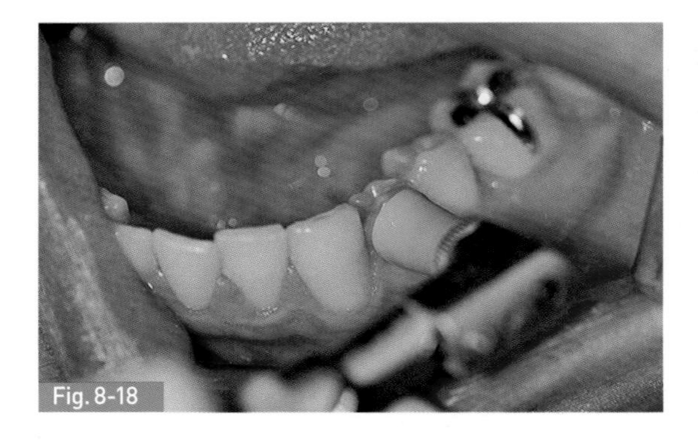
Fig. 8-18

② 경성 부착물은 스케일러로 제거하고, 연성 부착물은 글리세린이 포함되어 있지 않은 연마제와 러버컵을 이용하여 치면세마를 실시한다(구강상태 양호할 경우 생략)(Fig. 8-18).

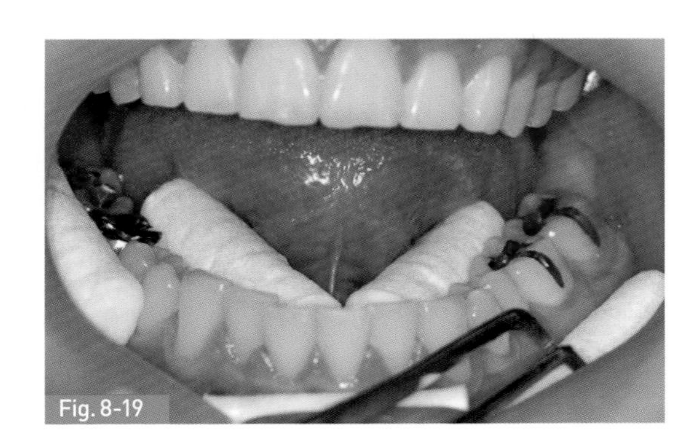
Fig. 8-19

③ 방습 면봉으로 치아를 분리한다(Fig. 8-19).

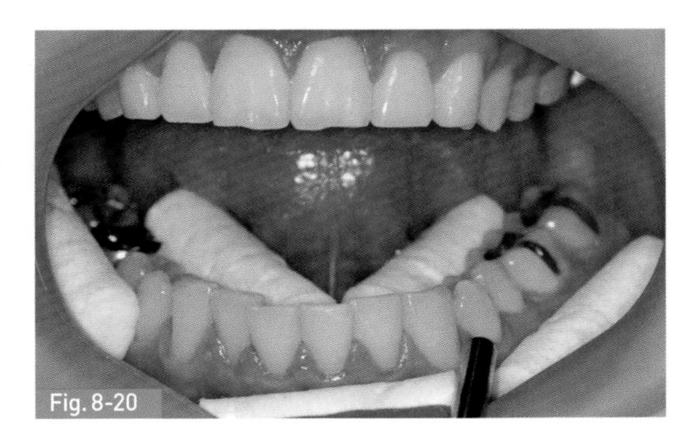
Fig. 8-20

④ 압축공기로 치면을 완전히 건조시킨다(Fig. 8-20).

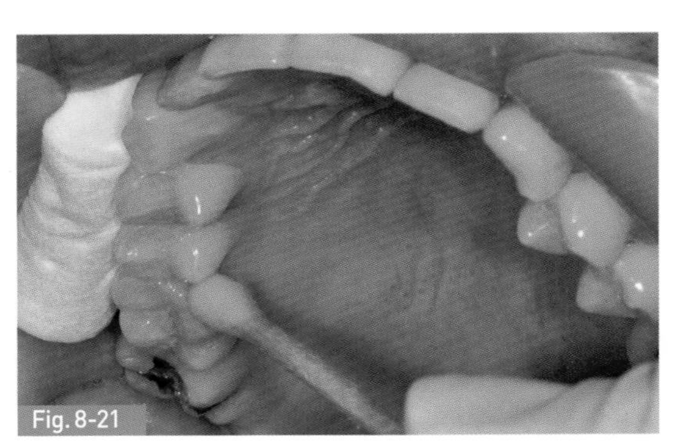
Fig. 8-21

⑤ 불화나트륨 용액을 막대 면봉에 묻혀 치간 사이, 교합면의 열구 및 교정용 bracket 주위 치면에 미리 도포하고 인접면은 무왁스 치실을 이용하여 도포해 준다(Fig. 8-21).

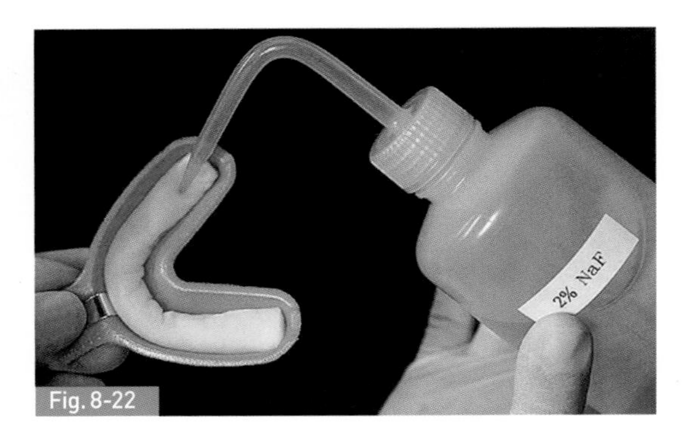

Fig. 8-22

⑥ 불소이온 트레이의 스폰지에 2% 불화나트륨 용액을 적신다(Fig. 8-22).

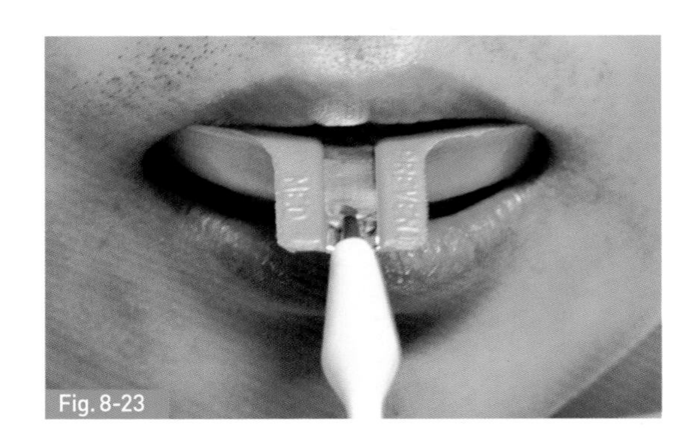
Fig. 8-23

⑦ 불소이온 트레이를 상악에 삽입시키고 치면에 골고루 접촉이 되도록 한 다음 환자의 입을 지긋이 다물게 하여 불소이온 트레이가 움직이지 않도록 고정시킨다(Fig. 8-23).

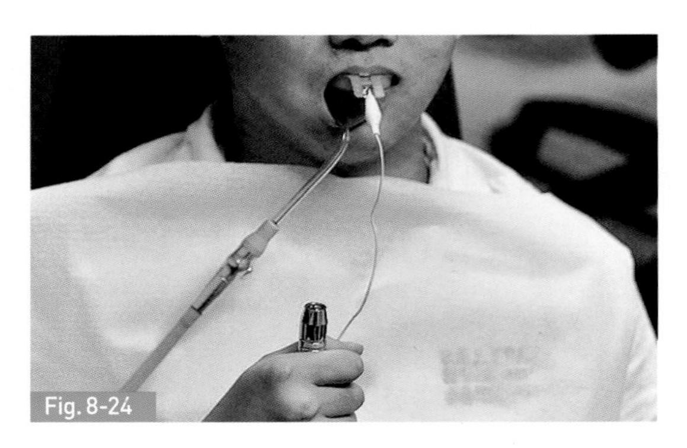
Fig. 8-24

⑧ 전류 연결선을 불소이온 트레이 손잡이에 있는 금속판에 접지시킨다(Fig. 8-24).
불소이온 트레이에 전류가 흐르도록 금속판에 접지시켰으면 전극봉을 환자의 손으로 꼭잡게 한다. 이때 전류가 잘 흐르도록 물을 약간 적신 거즈로 전극봉을 감싸도록 한다.

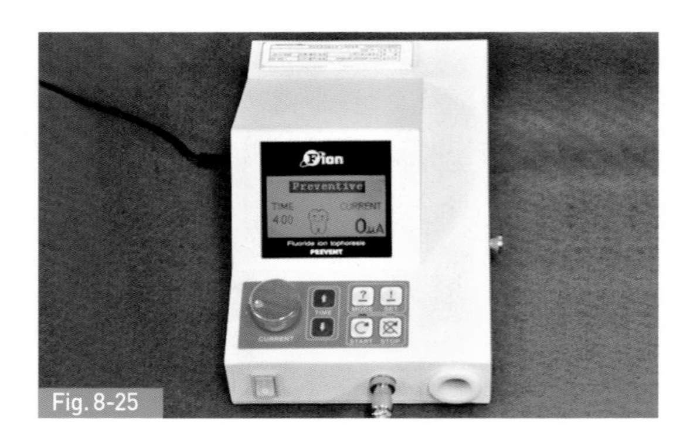

Fig. 8-25

⑨ 불소이온 도입기 작동 스위치를 눌러 전원이 들어오게 한 후 시간조절 장치는 4분으로 고정하고 전류 조절장치를 0으로 고정된 상태에서 작동한다(Fig. 8-25).

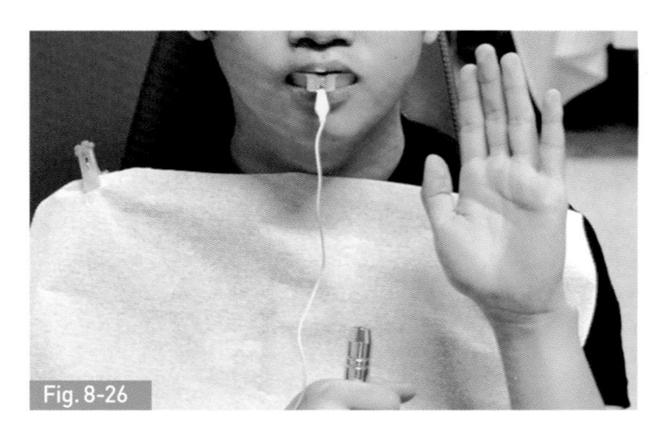
Fig. 8-26

⑩ 환자의 반응을 물어보고 환자가 자극을 느끼면 손을 들게 한다. 손을 들면 조절판을 낮춘다(Fig. 8-26).

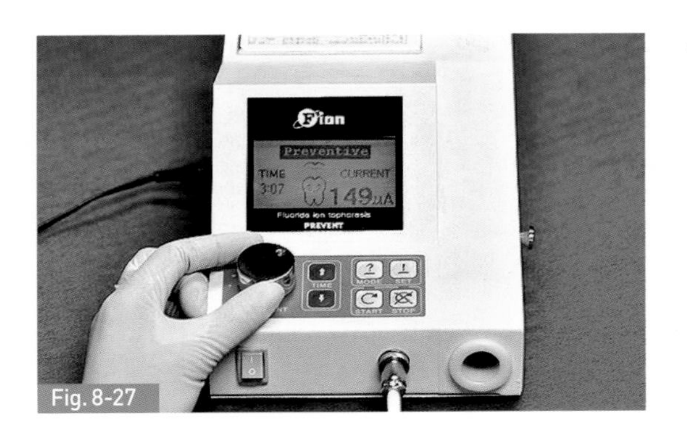

Fig. 8-27

⑪ 사용하는 전류는 100~200 μA 정도가 적절하며, 환자가 아무런 느낌을 받지 않은 상태에서 최고 전류로 고정시킨다(Fig. 8-27).

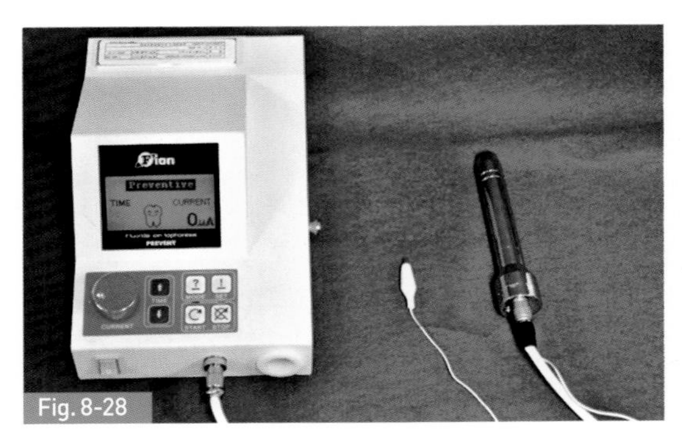

Fig. 8-28

⑫ 불소도포가 끝나면 불소이온 도입기에서 수 초간 경보음이 울리면서 전극봉의 불이 꺼지고 모든 조절 장치의 계기판이 0으로 돌아간다(Fig. 8-28).

환자의 구강 내 불소이온 트레이와 접지된 전류연결선을 분리시키고 전극봉을 놓게 한다.

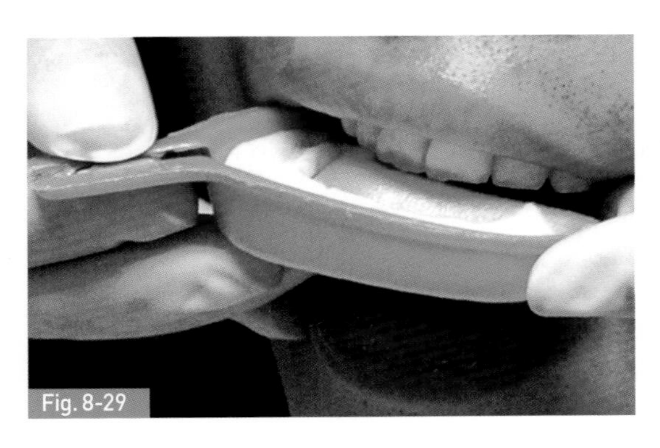
Fig. 8-29

⑬ 불소이온 트레이와 타액 흡입기, 방습 면봉(cotton roll)을 구강 내에서 제거한다(Fig. 8- 29).

⑭ 침을 삼키지 않고 뱉게 하며 30분 동안 음식을 섭취하거나 음료수를 마시거나 양치하지 않도록 주의사항을 설명한다.

7. 불소 바니쉬 도포법

1) 기구 및 재료

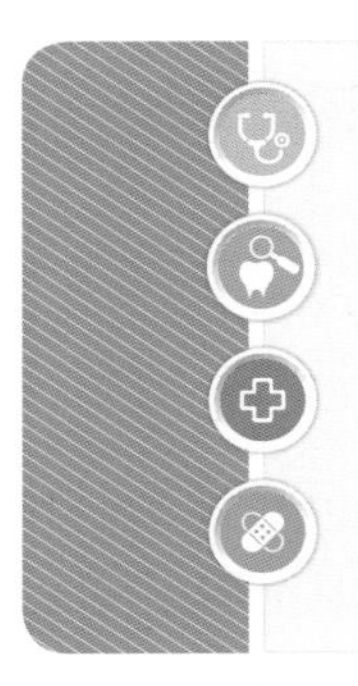

- 기본 기구 세트
  (Mouth mirror, explorer, pincette)
- 타액 흡입기(Saliva ejector)
- 에이프런(Apron)
- 치면세마용 앵글
- 러버컵
- 연마제(Purmice)
- 방습 면봉
- 도포용 브러쉬
- 불소 바니쉬

2) 실습 과정

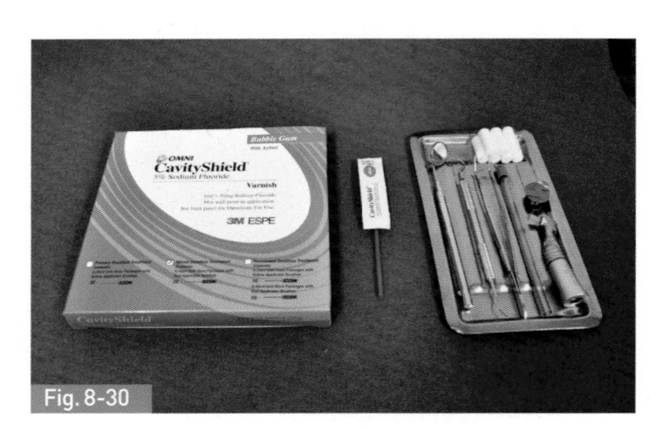

Fig. 8-30

① 불소 바니쉬 도포법에 필요한 재료 및 기구를 준비한다(Fig. 8-30).

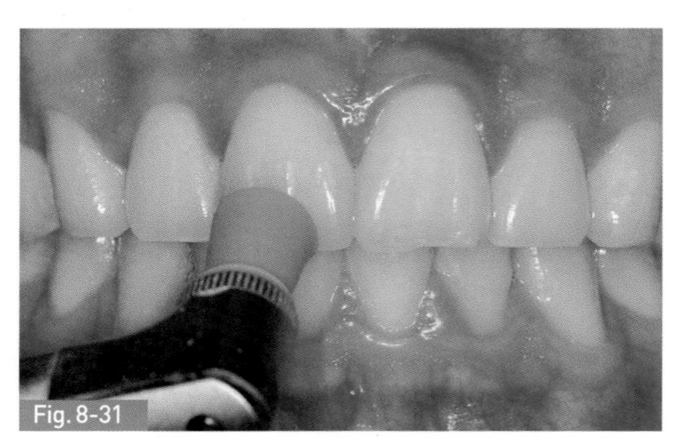
Fig. 8-31

② 경성 부착물은 스케일러로 제거하고, 연성 부착물은 글리세린이 포함되어 있지 않은 연마제와 러버컵을 이용하여 치면세마를 실시한다(구강상태 양호할 경우 생략)(Fig. 8-31).

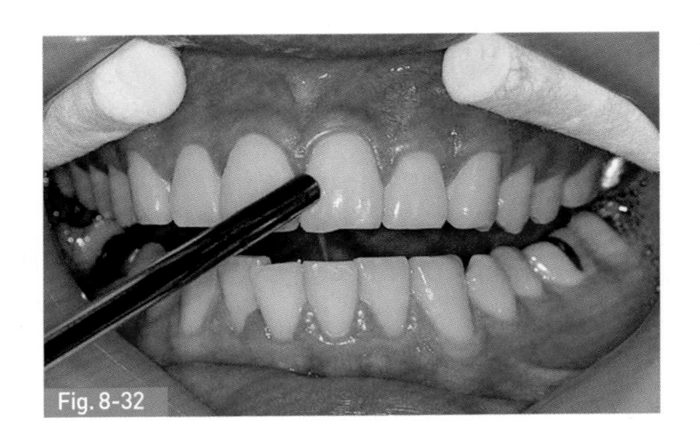
Fig. 8-32

③ 방습 면봉으로 치아를 격리한 후 압축공기로 치면을 건조시킨다(Fig. 8-32).
치아에 타액이나 수분이 있는 경우 바니쉬가 쉽게 경화되므로 가능한 도포 전에 치면을 잘 건조시키면 효율적인 도포가 된다.

Fig. 8-33

④ 캐비티실드(불소 바니쉬)의 포장을 뜯어낸 후 브러쉬로 불소 바니쉬를 잘 섞는다(Fig. 8-33).

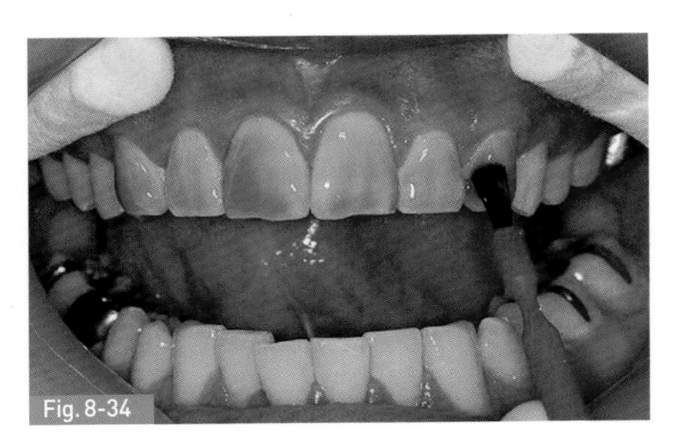
Fig. 8-34

⑤ 인접면은 무왁실 치실을 이용하여 도포한 후 브러쉬를 이용하여 치아의 전체면을 얇게 도포한다(Fig. 8-34).
⑥ 도포가 끝난 후 종이컵과 휴지를 챙겨주고 입안에 고이는 침을 종이컵에 뱉도록 하며, 최소 30분 이상 동안 음식이나 음료수 섭취를 삼가도록 주의사항을 설명한다.

3) 불소 바니쉬 도포 시 주의사항

① 불소 바니쉬를 도포하기 전 미리 식사를 하거나 음료수 등을 마시게 한다.
② 도포 후 1시간 동안은 아무것도 먹지 않게 하고, 1시간이 경과한 후 물이나 부드러운 음식의 섭취는 가능하며 정상적인 식사는 3시간이 지난 후에 하게 한다.
③ 너무 많은 양을 도포하면 끈적임이 심하고 흘러내리게 되므로 치아를 충분히 덮을 정도로 얇게 도포하고 입술이나 치아에 묻지 않게 주의한다.
④ 도포를 실시한 날은 칫솔질과 치실 사용을 하지 않도록 한다.
⑤ 도포 후 치아가 불소 바니쉬의 색깔로 인해 일시적으로 하루 정도 노랗게 된다는 것을 알려주고 다음 날 칫솔질에 의해 제거된다는 것을 설명해 준다.

8. 불소 국소 도포 시 주의사항

도포 후 1시간 동안은 아무 것도 먹지 않게 하고, 1시간이 경과한 후 물이나 부드러운 음식의 섭취는 가능하며 정상적인 식사는 3시간이 지난 후에 하게 한다.
① 불소 국소 도포 시 이론적으로 10~30 mg의 불소 화합물을 섭취하게 된다.
② 예민한 환자는 오심이나 구토 증상이 나타날 수 있다.
③ 타액을 통한 섭취를 방지하기 위해서 upright position에서 타액 흡입기를 구강 내에 걸고 트레이에 너무 많은 양의 불소를 담지 않도록 한다.
④ 불소 도포가 끝난 후에는 구강 내 잔여 물질을 깨끗이 제거해야 한다.
⑤ 과량 섭취 시 위해 작용이 있으므로 도포 시 주의를 요한다.

9. 급성중독 시 처치 방법

① 물을 복용시켜 불소 농도를 희석한다.
② 과량 복용 직후 구토를 유도시킨다.
③ 우유 등을 복용시켜 칼슘과 불소의 결합으로 체내 흡수를 방해하도록 시도한다.
④ 석회수($CaOH_2$-수산화칼슘 0.15%) 등의 복용으로 위점막을 보호시킨다.
⑤ 가급적 신속하게 응급실로 보낸다.

실습보고서

	년 월 일	학번		성명	
실습제목	불소 용액 도포법				
준 비 물					
실습과정					
실습소견					
담당교수 확 인					

실습보고서

년 월 일	학번		성명	
실습제목	불소겔 도포법			
준 비 물				
실습과정				
실습소견				
담당교수 확 인				

실습보고서

	년 월 일	학번		성명	
실습제목	**불소 이온 도입법**				
준 비 물					
실습과정					
실습소견					
담당교수 확 인					

실습보고서

년 월 일	학번		성명	
실습제목	불소 바니쉬 도포법			
준 비 물				
실습과정				
실습소견				
담당교수 확 인				

치면열구전색

학 습 목 표

1. 치면열구전색의 개념을 이해한다.
2. 치면열구의 전색 과정을 설명할 수 있다.
3. 치면열구전색을 올바르게 시행할 수 있다.

1. 치면열구전색의 개념

치면열구전색이란 치아우식이 빈번히 발생되는 소구치나 대구치, 유구치의 교합면에 형성된 좁고 깊은 소와나 열구를 전색재로 메워줌으로써 음식물 잔사나 세균의 유입을 차단하는 치아우식 예방법이다.

2. 치면열구전색의 대상 치아

1) 적응증

① 탐침으로 걸릴 정도의 좁고 깊은 소와를 가진 치아
② 전색재가 위치할 소와가 이미 수복물이 있는 다른 소와와 분리되어 있을 경우
③ 원심소와가 완전히 맹출되지 않았더라도 선택된 소와가 완전히 맹출된 경우
④ 치면에 우식 또는 수복물이 있는 치아의 동악 반대편 치아의 건전한 교합면
⑤ 소와 및 열구에 초기 우식병소가 있는 경우

⑥ 협면이나 설면에 좁고 깊은 소와를 가진 치아
⑦ 절치에 설측소와가 있는 경우
⑧ 치면의 일부에 점상 충전(spot filling)을 시행한 치아

2) 비적응증

① 시술 과정 중 적절한 건조 상태의 유지가 힘들다고 판단되는 치아
② 와동이 형성된 우식병소가 있는 경우
③ 같은 치아의 다른 면에 우식이 존재하여, 수복 시 전색재의 손상이 예상되는 경우
④ 큰 교합면 수복물이 존재하는 경우
⑤ 넓고 얕은 소와나 열구를 가졌거나 교모가 심한 치아

3. 전색재의 요구 조건

① 법랑질에 완전히 접착되어 장기간 유지되어야 한다.
② 사용이 간편해야 한다.
③ 구강조직에 자극 및 해가 없어야 한다.
④ 좁은 열구에 스며들 수 있도록 흐름성이 좋아야 한다.
⑤ 구강 내에서 빨리 중합되어야 한다.
⑥ 타액에 용해되지 않아야 한다.
⑦ 교합압에 견뎌야 하며 파절 및 마모가 잘 되지 않아야 한다.
⑧ 심미성이 좋아야 한다.

4. 기구 및 재료

- 기본 기구(Mirror, pincette, explorer)
- 타액 흡입기(Saliva ejector)
- 에이프런(Apron)
- 치면세마용 앵글(Prophylactic angle)
- 러버컵과 글리세린이 함유되지 않은 연마제(Rubber cup & pumice)
- 방습 면봉(Cotton roll)과 면구(Cotton pellet)
- 물 사출기(Air-water syringe)
- 열구전색재(Pit & fissure sealing materials)
- 광조사기(Light gun)와 교합지(Articulating paper)
- 삭제 및 연마 기구(Round bur & polishing bur)
- 치실(Dental floss)
- 타이머(Timer)
- 보안경

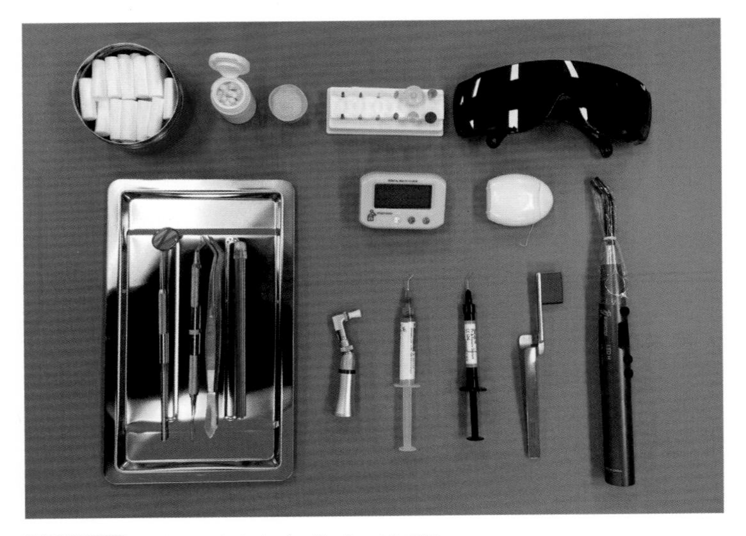

Fig. 9-1 치면열구전색 시 필요한 재료 및 기구

5. 치면열구전색재 도포 과정

(1) 치면 세척

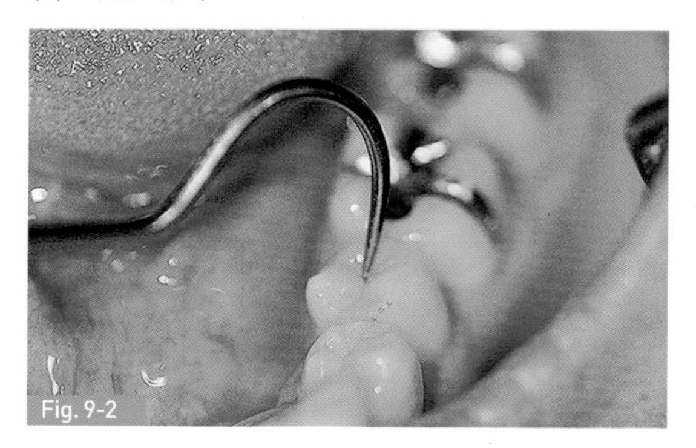
Fig. 9-2

탐침으로 전색 대상 치아의 교합면 부위 소와나 열구의 잔사를 긁어내되 지나치게 치질을 손상시키지 않도록 유의하고, rubber cup 또는 bristle brush와 글리세린이 포함되지 않은 pumice를 사용하여 연마하며, pumice가 남지 않도록 물로 깨끗이 세척한다(Fig. 9-2).

(2) 치아 격리 및 건조

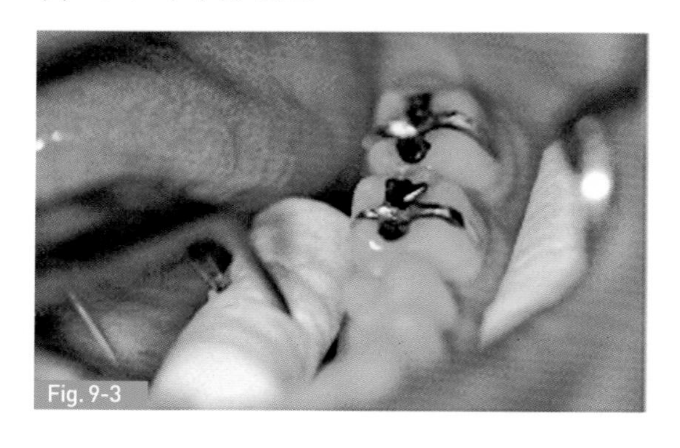
Fig. 9-3

전색 대상 치아를 방습 면봉을 이용하여 상악은 협측에, 하악은 협측과 설측을 타액으로부터 분리한다. 청결한 공기로 건조, 습기나 타액이 접촉되지 않도록 하여 치아를 격리 후 공기분사기를 사용하여 10초 정도 치면을 건조시킨다(Fig. 9-3).

(3) 법랑질 표면 부식

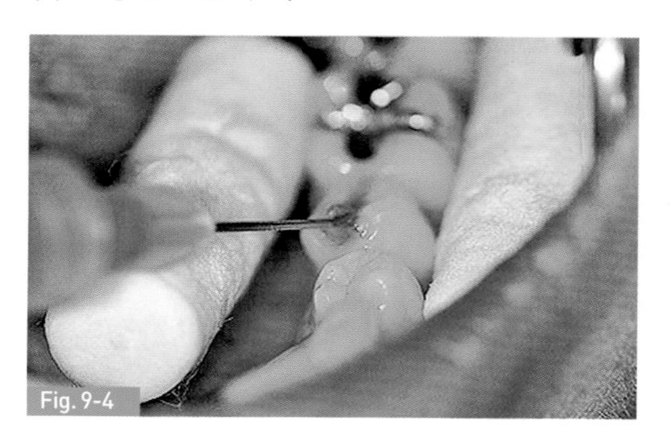
Fig. 9-4

30~50%의 인산이나 사이트릭산을 작은 붓 또는 면구(cotton pellet)에 묻히거나 니들(needle)을 이용하여 도포 후 소와 및 열구 부위에 부드럽게 두드리는 동작으로 바른다. 산부식(acid etching)시키는 시간은 제조회사의 지시를 따른다(Fig. 9-4).

(4) 치면 세척 및 건조

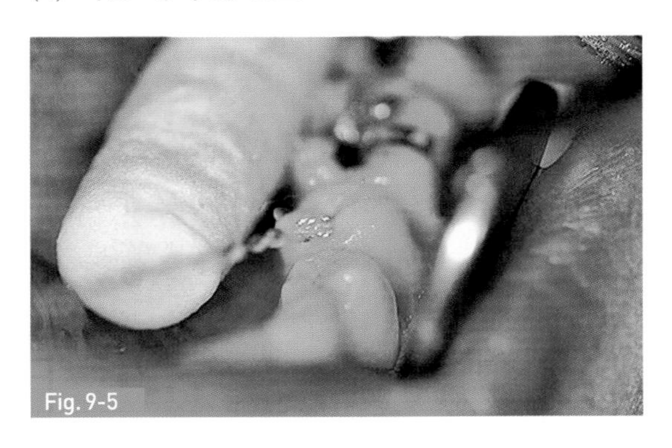
Fig. 9-5

물 분사기로 30초 이상 분사하여 치면에 산부식제가 남아 있지 않도록 깨끗이 세척한 후 공기분사기를 사용하여 완전히 건조시킨다. 표면이 백묵과 같은 색으로 일률적으로 변화되었는지 확인하고, 필요하면 다시 15초 정도 부가적으로 부식시킨다(Fig. 9-5).

(5) 전색재 도포

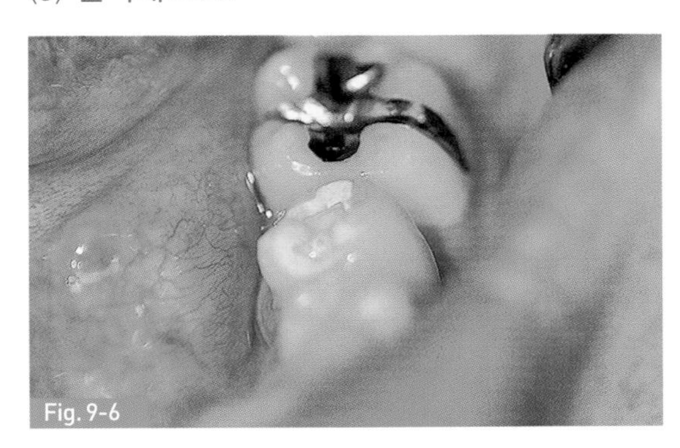
Fig. 9-6

브러시에 전색재을 묻혀 도포하거나 또는 니들형태로 도포할 경우에도, 교합면의 형태학적 구조를 고려하여 소와와 열구를 따라 도포하며 협면소와 등 부위가 작은 경우에는 탐침을 이용하여 기포가 생기지 않도록 천천히 도포하고 대상 치아 열구에 적정량 전색재를 바른다(Fig. 9-6).

(6) 전색재 중합

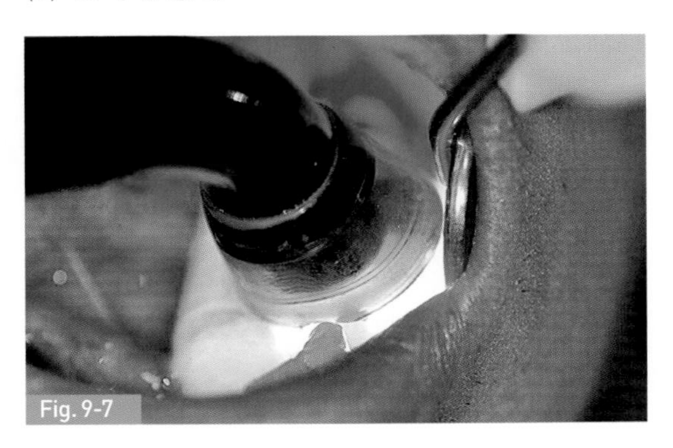
Fig. 9-7

광중합형의 경우 광조사기로 조사(광조사기의 tip을 치면 3 mm 이내에서 직각으로 대고 대략 10~20초간 조사)하고, 자가중합형의 경우는 도포 후 3~5분이 지나면 자연경화가 이루어진다(광조사기의 사용은 제조사의 지시를 따른다)(Fig. 9-7). 광조사 시에는 술자 및 협조자는 보안경을 착용한다.

(7) 교합 조정

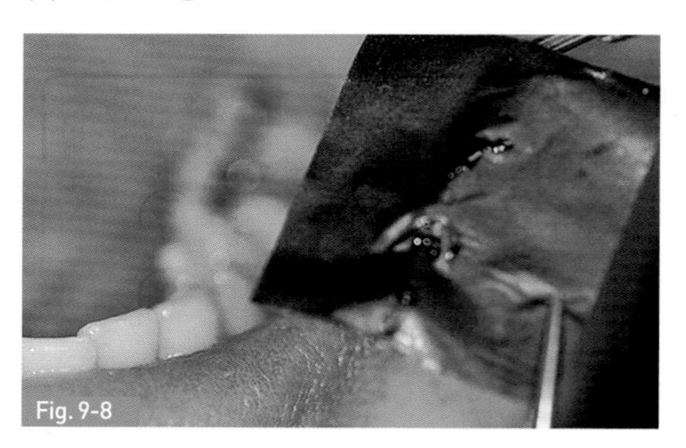
Fig. 9-8

교합지를 교합면에 위치시킨 후 3~4회 정도 정상 교합을 시키고, 중심교합과 기능교합 시 접촉되는 부위를 작은 round bur로 조금씩 삭제하며 조정한다(Fig. 9-8).

(8) 인접면 검사

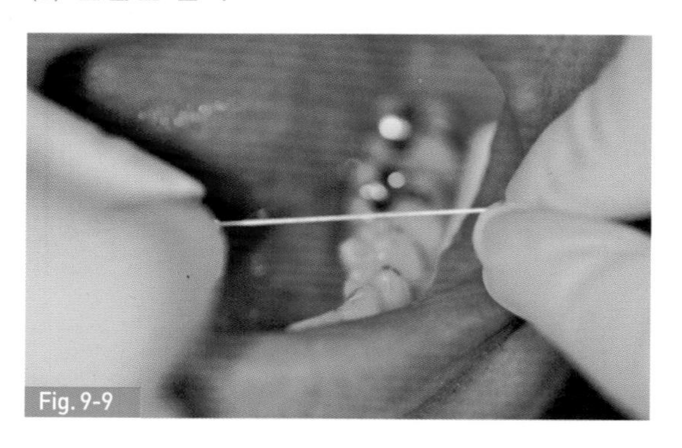
Fig. 9-9

치실을 인접면에 접촉시켜 과잉 전색재가 있는지 검사하고 인접면에 치실이 통과하지 못할 시에는 스켈러를 사용하여 인접면의 과잉 전색재를 제거한다(Fig. 9-9).

(9) 전색 상태 검사

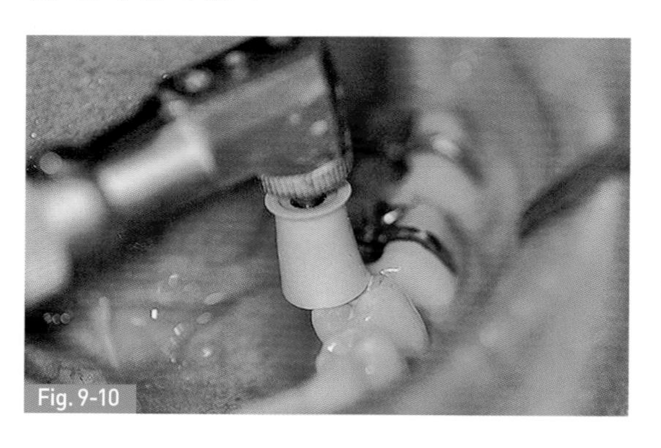
Fig. 9-10

탐침으로 전색 상태를 검사하여 기포 발생으로 인한 불완전 전색 부위가 있는지 검사하고, 방습 면봉을 제거한 후 연마기구로 전 치면을 연마하고 러버 컵에 입자가 고운 연마제로 활택하게 연마해준다(Fig. 9-10).

6. 주의사항

① 술식이 끝나고 약 1시간 후가 되면 90%의 중합반응이 완성되고, 24시간이 지나면 완전히 중합반응이 끝나므로 저작 시 주의한다.

② 다음 내원 시 러버컵에 연마재를 묻혀 표면을 치면연마한 후 치아 전체에 불소 화합물을 도포한다.

③ 3개월 후 탈락 여부를 검사하여 탈락 시 재전색을 시행한다.

실습보고서

년 월 일	학번		성명	
실습제목	치면열구전색			
준 비 물				
실습과정				
실습소견				
담당교수 확 인				

실습보고서

년 월 일	학번		성명	
실습제목				
준 비 물				
실습과정				
실습소견				
담당교수 확 인				

P R E V E N T I V E   D E N T I S T R Y

Chapter 10

영양과 식이

학 습 목 표

1. 구강질환과 영양 및 식이의 관련성을 이해한다.
2. 설탕 대용 감미료에 대해 이해한다.
3. 구강질환 및 대상자에 따른 식이지도 지침을 설명할 수 있다.

영양은 구강구조의 형성과 발육에 매우 중요할 뿐만 아니라 구강건강의 유지에도 필수적이다. 주요 구강질환 중 하나인 치아우식은 당분의 섭취 횟수와 섭취량을 줄이는 등 식이조절을 통해 예방이 가능하다. 그러나 우리나라의 경우 섭취하는 음식이 서양음식과 달리 한 가지 음식에도 여러 가지 성분이 복합적으로 들어가 있어 식이 분석을 하기 어려운 점이 있다. 그러나 식이 요인은 치아우식 및 기타 구강질환에 미치는 영향이 상당하므로 치과위생사 및 치과의사는 치과의료 및 구강보건분야 전문가로서 구강건강에 좋은 식습관을 형성할 수 있도록 조언하고 지도할 필요가 있다. 또한 치과위생사와 치과의사는 구강질환에 따라 그리고 대상자 특성에 따라 적절한 식이지도 지침을 숙지하여야 한다.

1. 구강건강과 영양

영양은 구강의 구조와 조직의 성장, 발육 및 유지에 있어서 필수 요소로, 세포가 급속하게 성장하는 기간 동안 영양이 결핍되면 발육 중인 구강조직에 회복이 불가능한 영향을 미칠 수 있다. 치아 맹출 전의 영양 상태는 치아의 형태와 크기, 법랑질 성숙, 화학적 조성에 영향을 미치고 초기 영양 장애는 유치에서 치아 우식 활성도를 증가시킨다. 따라서 적절한 영양은 경조직과 연조직의 발달 과정 동안 구강조직들이 적절하게 성장하고, 질병에 대해 저항성을 가질 수 있도록 도와준다.

1) 주요 영양소에 따른 기초식품군

표 10-1. 주요 영양소에 따른 기초식품군

	식품군		주요 영양소	식품명
구성식품	고기, 생선, 알 및 콩류		단백질	쇠고기, 돼지고기, 닭고기, 생선, 굴, 조개, 두부, 콩, 땅콩, 된장, 달걀, 두유, 햄, 베이컨, 소시지, 치즈, 조미 건조 어패류, 생선묵 등
	우유 및 유제품, 뼈째 먹는 생선		칼슘	멸치, 뱅어포, 잔새우, 잔생선, 사골, 요구르트, 우유, 분유, 아이스크림 등
조절식품	채소 및 과일류	녹황색 채소	무기질 및 비타민	시금치, 당근, 쑥갓, 상추, 풋고추, 부추, 깻잎, 토마토, 배추, 무, 양파, 오이, 당근 즙, 양배추, 콩나물, 파, 숙주, 사과, 감, 수박, 딸기, 포도, 배, 참외, 귤, 과일주스, 과일통조림, 미역, 다시마, 김, 파래, 톳 등
		담색 채소		
		과일		
열량식품	곡류(잡곡 포함) 감자류		당질	쌀, 보리, 콩, 팥, 옥수수, 밀, 감자, 고구마, 밤, 토란, 밀가루, 미싯가루, 국수류, 라면, 마카로니, 당면, 녹말가루, 콘칩, 비스킷, 케이크, 과자류, 떡류, 빵류, 과자류, 캔디, 초콜릿, 설탕, 꿀 등
	유지류		지방	참기름, 콩기름, 옥수수기름, 채종유, 쇠기름, 돼지기름, 면실유, 들기름, 쇼트닝, 버터, 깨, 마가린, 실백, 호도 등

표 10-2. 2020 한국인 영양소 섭취기준 – 에너지와 영양소

성별	연령	에너지(kcal/일)				탄수화물(g/일)				식이섬유(g/일)			
		필요추정량	권장섭취량	충분섭취량	상한섭취량	평균필요량	권장섭취량	충분섭취량	상한섭취량	평균필요량	권장섭취량	충분섭취량	상한섭취량
영아	0-5(개월)	500						60					
	6-11	600						90					
유아	1-2(세)	900				100	130					15	
	3-5	1,400				100	130					20	
남자	6-8(세)	1,700				100	130					25	
	9-11	2,000				100	130					25	
	12-14	2,500				100	130					30	
	15-18	2,700				100	130					30	
	19-29	2,600				100	130					30	
	30-49	2,500				100	130					30	
	50-64	2,200				100	130					30	
	65-74	2,000				100	130					25	
	75 이상	1,900				100	130					25	
여자	6-8(세)	1,500				100	130					20	
	9-11	1,800				100	130					25	
	12-14	2,000				100	130					25	
	15-18	2,000				100	130					25	
	19-29	2,000				100	130					20	
	30-49	1,900				100	130					20	
	50-64	1,700				100	130					20	
	65-74	1,600				100	130					20	
	75 이상	1,500				100	130					20	
임신부[1]		+0 +340 +450				+35	+45					+5	
수유부		+340				+60	+80					+5	

1. 1) 2, 3 분기별 부가량

성별	연령	지방(g/일)				단백질(g/일)				칼슘(mg/일)			
		평균필요량	권장섭취량	충분섭취량	상한섭취량	평균필요량	권장섭취량	충분섭취량	상한섭취량	평균필요량	권장섭취량	충분섭취량	상한섭취량
영아	0-5(개월)			25				10				250	1,000
	6-11			25		12	15					300	1,500
유아	1-2(세)					15	20			400	500		2,500
	3-5					20	25			500	600		2,500
남자	6-8(세)					30	35			600	700		2,500
	9-11					40	50			650	800		3,000
	12-14					50	60			800	1,000		3,000
	15-18					55	65			750	900		3,000
	19-29					50	65			650	800		2,500
	30-49					50	65			650	800		2,500
	50-64					50	60			600	750		2,000
	65-74					50	60			600	700		2,000
	75 이상					50	60			600	700		2,000
여자	6-8(세)					30	35			600	700		2,500
	9-11					40	45			650	800		3,000
	12-14					45	55			750	900		3,000
	15-18					45	55			700	800		3,000
	19-29					45	55			550	700		2,500
	30-49					40	50			550	700		2,500
	50-64					40	50			600	800		2,000
	65-74					40	50			600	800		2,000
	75 이상					40	50			600	800		2,000
임신부[1]						+12 +25	+15 +30			+0	+0		2,500
수유부						+20	+25			+0	+0		2,500

2. 1) 2,3 분기별 부가량

2) 구강건강 유지를 위한 영양소

(1) 단백질/열량

체내에서 가장 풍부한 유기화합물로 체내구조 합성에 필수적이므로 단백질의 불균형과 열량 섭취의 부족은 구강건강 및 전신건강에 위해를 줄 수 있다. 구강 내 치은의 상피조직은 매 3~6일마다 새롭게 교체되는데 정상적인 교체를 위해서는 지속적인 영양 공급이 필요하다. 만일 이러한 단백질 섭취가 심각하게 결핍되면 상피세포의 유지가 어렵게 된다. 이로 인해 치주질환 발생 위험과 치아우식에 대한 민감성이 증가하게 된다.

(2) 무기질 및 비타민

칼슘과 인 그리고 비타민 D는 치아와 치조골의 발달 및 유지를 위해 필수적이다. 성장 중인 아동기에서 결핍이 될 경우 치아의 저 석회화를 야기하여 법랑질 발육부전을 야기시키고 치아 맹출을 지연시킬 수 있다.
비타민 C는 구강건강을 유지하기 위해 반드시 필요한 비타민으로써 체내 콜라겐의 기본 구조인 하이드록시프롤린(hydroxyproline)을 합성할 때 필요하다. 결핍이 되면 구강 내 자발적인 출혈이 일어나고, 치간유두 내에 혈액이 고일 수 있으며, 치주조직의 약화로 인해 치아가 흔들리거나 빠지기 쉬워진다. 또한 구강 내 상피조직이 벗겨지고 상처 난 부분의 치유가 지연되기도 한다.
비타민 A는 구강 내 상피점막을 포함하여 체내 전체적인 장기 조직의 발달과 유지에 있어서 필수적인 영양소이나 과잉 섭취 시 치은의 침식, 궤양, 출혈, 부종, 각화 손상 및 색 변화가 일어날 수 있다.

2. 치아우식과 식이

1) 탄수화물/설탕

치아우식은 탄수화물이나 설탕 섭취에 의해 강하게 영향을 받고 구강 내 치아우식 유발 세균의 감염 위험성을 초래하므로 탄수화물에 대한 노출을 줄이고 섭취를 감소시키는 식이조절법은 치아우식을 예방하는 중요한 방법이다. 초기 우식의 경우 치면에 무기질 성분인 칼슘과 인을 접하게 하고, 불소를 제공하여 재광화를 유도할 수 있다. 치아우식의 진행을 저해하기 위해서, 탄수화물의 섭취 빈도, 점착력 등 물리적 형태, 음식의 섭취 순서, 식품에 포함된 무기질 성분 등을 파악해야 한다.

2) 우식 유발 가능성 식품의 분류

치아우식 발생 위험을 증가시키는 식품을 평가하기 위해 '우식 유발 지수'를 고려해 볼 수 있다. 우식 유발 지수는 당성분의 함량인 당도와 점착력을 고려하여 '당도 + 점착도'로 점수화한 지표이다. 당도가 높은 음식의 예로 사탕, 케이크, 초콜릿 등이 있고, 낮은 음식은 곡류나 치즈 등을 들 수 있다. 점착도가 높은 음식은 엿, 과자류 등이 있고, 낮은 음식은 수분이 많은 청량음료라고 볼 수 있다. 당도와 점착도가 모두 높은 음식은 초콜릿, 카라멜, 엿 등이 있고 두 요인이 모두 낮은 음식은 야채, 과일이 해당된다.

표 10-3. 식품별 점착도와 치아우식 유발 지수

식품명	점착도(g/mm₂)	우식 유발 지수(분)	식품명	점착도(g/mm₂)	우식 유발 지수(분)
감자(삶은)	3	14	사탕	4	23
강냉이	4	4	식빵	9	11
건빵	9	16	시루떡(팥고물)	8	11
고구마	3	11	엿	15	36
국수(삶은)	9	8	인절미(콩고물)	9	19
꿀	1	13	잼(딸기)	5	31
미숫가루	1	5	젤리	8	46
도너스	7	19	초콜릿	4	15
삶은 라면	9	10	카스테라	11	13
비스켓(크림)	9	27	카라멜	9	38
사이다	0	10			

3. 설탕 대용 감미료

1) 설탕(자당, sucrose)

과일과 야채에서 섭취할 수 있는 이당류로, 단당인 포도당(glucose)과 과당(fructose)이 결합한 당이다. 주로 사탕수수나 사탕무에서 추출하여 설탕으로 판매되고 있어 많은 식품에서 주된 감미료로 사용되고 있다.
설탕은 치면세균막 형성 과정에서 치아우식 유발 세균에 의해서 발효되고 세균의 세포내/외벽 다당류를 형성하는 주공급원이 된다. 설탕, 포도당, 과당을 섭취하면 치면세균막의 pH가 중성에서 급격하게 낮아져 치아 주변을 산성화시키는 현상을 초래한다.

2) 대용 감미료

감미료를 사용하지 않은 무설탕 음료(100 ml당 당류 0.5 g 미만 함유)나 무가당 음식 섭취가 치아건강을 위해서 권장된다.
자일리톨은 설탕과 유사한 단맛을 제공하면서도 치아우식 예방 효과가 있어 설탕 대용 감미료로 시중에서 가장 많이 사용된다. 딸기, 시금치 등 여러 가지 야채와 과일에 소량 존재하며 대부분 자작나무로부터 추출되어 정제된다. 우식 유발 세균인 연쇄상구균 등 구강 미생물이 자일리톨을 대사 과정에서 이용하지 못하므로 우식 예방 효과가 있다. 미국과 유럽 등 20개국 이상에서 감미료로 인정되었다.

4. 구강건강을 위한 식이 지도

1) 주요 대상

① 모든 청소년: 설탕 함류 음료 및 과자 등 간식 소비량이 많음
② 다발성 치아우식 또는 심한 치주염 환자
③ 보철물 장착 환자
④ 구강건조증 등 우식 발생 위험이 큰 경우
⑤ 방사선 치료나 화학요법 치료 환자

이 외에도 교정장치를 장착한 환자, 치경부 탈회가 있는 환자 등을 포함할 수 있다.

2) 식이조절 과정

구강보건분야 전문가로서 식이조사 - 식이분석 - 식이상담 - 식단처방 순으로 식생활을 파악하고 구강질환 예방을 위한 식이지도를 할 수 있다.

(1) 식이 조사

예를 들어, 5일 동안 식생활 일지를 기록하게 하여 환자의 식생활을 파악하고 상담을 통해 환자 또는 대상자 개인의 특성 및 사회 환경 요인 등을 고려한다.

(2) 식이 분석

식생활 일지에서 음식을 섭취하는 빈도와 시간에 대한 정보를 활용하여 우식 발생 가능 시간[= 5일간 우식성 식품 총 섭취 회수 × 20 = (　　) 분]을 분석할 수 있다. "20"은 음식 섭취 후 치면세균막 내에서 산이 생성되어 치아우식이 유발되는 대략의 시간을 의미한다.

(3) 식이 상담

환자의 식이조사 및 분석 결과를 가지고 환자와 상담하면서 개선이 필요한 식이습관에 대해 알아보고 올바른 식이방법을 설정해 본다.

(4) 식단 처방

우식 유발 지수가 높은 식품의 섭취 횟수와 빈도를 줄이고, 자주 먹는 것보다 한두 번에 나누어 먹도록 하며, 점착도가 높은 음식보다 쉽게 씻겨 내려가는 야채 등을 자주 섭취하도록 권장한다.

3) 개별 식이지도

(1) 치아우식 예방을 위한 식이 지도

① 음식 섭취 횟수(간식이나 탄산음료 포함)를 제한한다.
② 점착도가 높고 구강에 오랫동안 남아 있는 음식 섭취를 줄인다.
③ 신선한 야채를 간식으로 섭취한다.
④ 단백질은 육류, 생선, 가금류, 달걀, 콩, 두부, 견과류 등 어느 것을 섭취해도 무관하며, 견과류를 간식으로 섭취하도록 한다.
⑤ 우유 및 유제품은 충분히 섭취하도록 하며, 간식으로 섭취를 권장한다.
⑥ 이 이외에도 자일리톨 등 비우식성 감미료가 든 제품을 섭취한다.

(2) 치주 질환 환자를 위한 식이 지도

① 영양권장량에 따른 적절한 식사를 하도록 한다.

② 타액 분비 촉진을 위한 섬유질이 풍부한 음식을 섭취한다.

③ 비타민이나 무기질 보조제 섭취를 권할 수 있다.

(3) 영유아기 식이지도

① 아이가 잠들기 전 젖병을 물게 하지 않는다.

② 설탕 포함 음료 또는 사탕 등을 자주 먹지 않도록 한다.

③ 하루 간식 섭취 횟수를 최소로 제한한다.

④ 보호자 또는 양육자는 아이의 치아가 나오면 부드러운 거즈 등을 이용하여 매일 닦아준다.

실습보고서

년 월 일	학번		성명	
실습제목	**일일 식생활 일지**			

날 짜	년 월 일
간 식	
아침식사	
간 식	
점심식사	
간 식	
저녁식사	
간 식	

실습소견	
담당교수 확 인	

실습보고서

년 월 일	학번		성명	
실습제목	**일일 식생활 일지**			

날 짜	년 월 일
간 식	
아침식사	
간 식	
점심식사	
간 식	
저녁식사	
간 식	

실습소견	
담당교수 확 인	

실습보고서

년 월 일	학번		성명	
실습제목	**일일 식생활 일지**			

날 짜	년 월 일
간 식	
아침식사	
간 식	
점심식사	
간 식	
저녁식사	
간 식	

실습소견	
담당교수 확 인	

실습보고서

년 월 일	학번		성명	
실습제목	일일 식생활 일지			

날 짜	년 월 일
간 식	
아침식사	
간 식	
점심식사	
간 식	
저녁식사	
간 식	

실습소견	
담당교수 확 인	

실습보고서

년 월 일	학번		성명	
실습제목	일일 식생활 일지			

날 짜	년 월 일
간 식	
아침식사	
간 식	
점심식사	
간 식	
저녁식사	
간 식	

실습소견	
담당교수 확 인	

Chapter 11

구취

학습목표

1. 구취를 정의할 수 있다.
2. 구취의 원인물질과 요인에 대해 파악한다.
3. 구취를 측정할 수 있는 방법들을 이해하고, 설명할 수 있다.

1. 구취의 정의

구취(bad breath, halitosis)는 '생체 활동과 관련하여 생산된 기체 중 생리적·병적인 것을 불문하고 구강을 통해 배설되는 사회적 용인 한도를 넘은 불쾌한 냄새(악취)'이다. 따라서 구취는 구강 내에서 생산되는 휘발성 가스(구강악취, oral malodor, 협의의 구취)뿐 아니라, 비강과 인후부에서 직접 배출되는 또는 체내에서 대사되어 폐포를 통해 배설되는 휘발성 가스(호기취)를 포함한 생체 가스(breath odor)라고 할 수 있다.

2. 구취의 원인과 원인물질

1) 구강 내 요인

구강에 원인이 있는 구취의 주요 원인물질은 황화수소(H_2S), 메틸머캅탄(CH_3SH), 디메칠설파이드

[$(CH_3)_2S$], 즉 휘발성 유황화합물이다. 그 중에서도 황화수소와 메틸머캅탄이 약 90%를 차지한다. 이러한 휘발성 유황화합물은 구강 내 혐기성균이 타액, 혈액, 박리상피세포, 음식물 찌꺼기 내의 함유아미노산을 분해·부패시켜 생산된다. 생산 부위로는 변연성 치주염, 구내염, 괴사성 연조직 질환, 구강암 등의 질환 병소 또는 설태와 저류타액, 적합이 좋지 않은 보철장치에 기인하는 음식물 찌꺼기를 들 수 있다. 이들 중에서 설태와 치주질환이 원인의 대부분을 차지하며, 이들에는 설태로 부터의 유황화합물 생산량이 많다. 또한 설태에서는 일반적으로 황화수소의 생산이 많은데, 치주질환 환자의 경우는 높은 농도의 메틸머캅탄이 검출된다.

구강 내에서 검출되는 화합물에는 휘발성 유황화합물 외에 아세톤, 아세트알데히드, 에탄올, 메탄올, 암모니아, 페놀, 인도르, 스카토르, 저급 지방산 등이 있다. 하지만 휘발성 유황화합물 외에는 후각 역치보다 훨씬 낮은 농도이기 때문에 단독으로는 구취의 원인이 되지 않는다. 이들은 휘발성 유황화합물의 냄새를 구성하는 요소에 지나지 않는다.

2) 전신적 요인

구취의 원인이 될 수 있는 전신질환으로는 상부 소화기 질환이나 이비인후 관련 질환, 호흡기 질환 등이 있으며, 휘발취기물질은 질환 부위에서 직접 구강(비강)을 통해 배출된다. 또한 체내의 대사산물이 혈액 내에 들어가 폐포에서 호기로 배설되는 당뇨병, 요독증, 간경변 등도 있는데, 이들은 상태가 꽤 진행되었을 때 관찰된다.

3. 구취의 분류

실제로 냄새가 검출되는 구취와 구취증으로 크게 나눌 수 있고 세부적으로 생리적 요인, 병적 요인 및 정신적 요인으로 분류된다(표 11-1).

1) 생리적 구취(Physiologic halitosis)

기질적 변화나 원인 질환이 없는 것을 말하는데, 주로 설태에서 유래하는 구취가 여기에 분류된다. 치료와 처치를 요하지 않는 음식물(마늘 등)이나 기호품(담배, 술 등)에 기인하는 일과성인 것은 포함하지 않는다.

표 11-1. 구취의 진단 분류

1. 구취(취기)	1) 생리적 구취 ① 일반적인 생리적 구취: 가령성(加齡性) 기상 시, 공복 시, 긴장 시, 피로 시 구취 등 ② 호르몬 변화 등에 기인한 생리적 구취: 임신 시, 월경 시, 사춘기, 갱년기 구취 등 ③ 기호품, 음식물, 약물에 의한 생리적 구취: 마늘, 알코올, 약물 (활성형 비타민제 등) 등 2) 병적(기질적, 신체적) 구취 ① 구강영역의 질환: 치주염, 특수한 치육염, 구강점막의 염증, 설태, 악성종양 등 ② 이비인후영역의 질환: 부비강염, 인두, 후두의 염증, 악성종양 등 ③ 전신(내과) 질환: 당뇨병(아세톤취), 간질환(아민취), 신질환(암모니아취) 등
2. 구취증(질병)	1) 생리적 구취증 ① 일반적인 생리적 구취증: 가령성(加齡性) 구취증, 기상 시 구취증, 공복 시 구취증, 긴장 시 구취증, 피로 시 구취증 등 ② 호르몬 변화 등에 기인하는 생리적 구취증: 임신 시 구취증, 월경 시 구취증, 사춘기 구취증, 갱년기 구취증 등 2) 병적 구취증 ① 기질적(신체적) 구취증 • 치과구강 영역의 질환: 치주염, 특수한 치육염, 구강점막의 염증, 설태, 악성종양 등에 의한 구취증 • 이비인후 영역의질환: 부비강염, 인두, 후두의 염증, 악성종양 등에 의한 구취증 • 전신질환(내과): 당뇨병(아세톤취), 간질환(아민취), 신질환(암모니아취) 등에 의한 구취증 ② 정신적 구취증 • 신경성 장애: 불안장애, 신체표현장애 등에 의한 구취 호소 • 정신질환성 장애: 종합실조증, 망상성 장애 등에 의한 구취 호소

2) 구강내 요인의 병적 구취

구강내 요인의 병적 구취는 구강 내의 원인질환, 기질적 변화, 기능 저하 등에 의한 구취이며, 구체적으로는 치주 질환, 치주 질환에 기인하는 두터운 설태, 타액선 기능 저하, 궤양성 구강점막 질환 등이 이 분류에 속한다.

3) 전신적 요인의 병적 구취

생각할 수 있는 질환(발생 부위)으로는 휘발성 물질이 직접 구강을 통해 검출될 수 있는 이비인후·폐, 소화관 상부 등에서 생기는 질환과 당뇨병, 요독증, 간경변 등 혈액을 통해 폐포에서 휘발되는 대사성 산물을 생산하는 질환이다. 진성 구취증 중에서의 비율로는 매우 낮다.

4) 정신적 구취증

심신증, 신경증, 정신병 등 정신과 영역의 환자 중 신체증상의 하나로 구취를 호소한다. 임상심리학 전문가, 심신의학 전문가에 의한 심신 치료, 향신경약, 향정신약 투여가 필요한 환자가 여기에 해당한다.

4. 구취 검사법

구취 검사법에는 관능검사와 가스크로마토그래피를 사용하는 기기 분석이 있다. 어떤 검사를 하든 정확한 진단을 하기 위해서는 피검자에게 측정 조건이 설정된다.

1) 관능검사

구취 자체는 사회성에 문제가 되는 구강건강 상태이다. 따라서 관능검사는 주관적이고 재현성이 부족하나, 사람의 후각역치 이상의 강도와 냄새의 질로 결정되며, 실제적인 검사법이다. 최종 진단은 관능검사를 바탕으로 한다.
검사자는 정상 후각을 갖고 있어야 하기 때문에 검사 전에 커피, 차, 주스, 흡연, 향료가 들어 있는 화장품 사용을 피한다.

(1) 실습 준비물

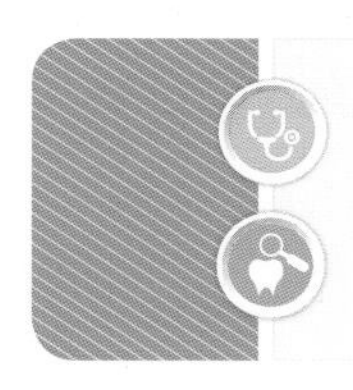

- 구멍이 뚫린 우드락
- 마우스피스

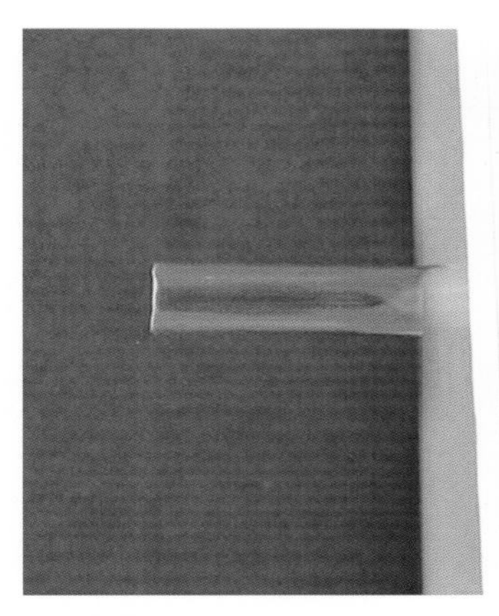

Fig. 11-1 관능 검사 시 필요한 재료 및 기구

(2) 측정 과정

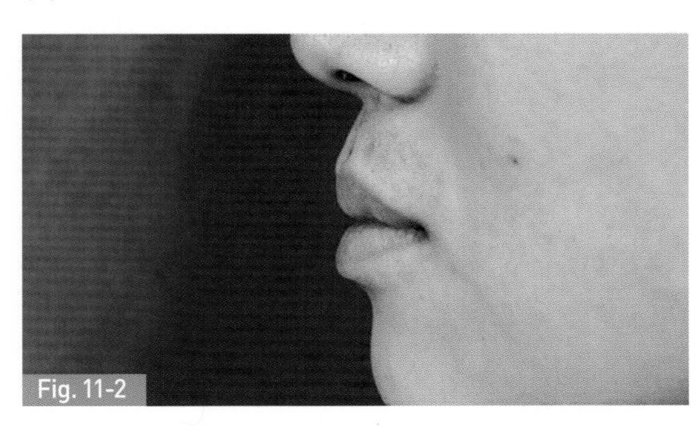
Fig. 11-2

① 측정 직전 환자가 1분 간 입을 다물고 있도록 한다(Fig. 11-2).

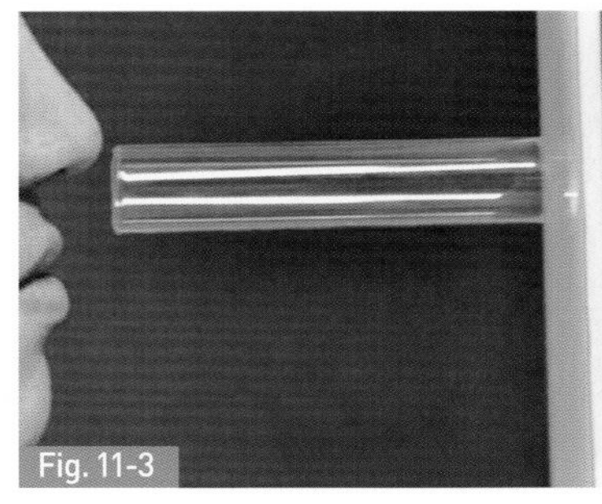
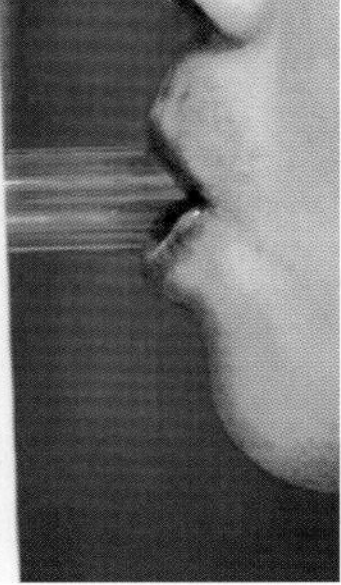
Fig. 11-3

② 1분 후 환자가 마우스피스를 물고 코로 숨을 쉴 때, 약 1~2초 간 검사자가 냄새를 측정한다(Fig. 11-3).

표 11-2. 관능검사 판정 기준

점수	판정기준(강도와질)
0 냄새 없음	후각역치 이하의 냄새
1 매우 경도	후각역치 이상의 냄새이지만 악취라고 느낄 수는 없다(검지역치).
2 경도	미약하게나마 악취라고 인식할 수 있다(인지역치).
3 중등도	악취라고 쉽게 판정할 수 있다.
4 강도	참을 수 있을 정도의 강한 악취
5 매우 강함	참을 수 없을 만큼 강렬한 악취

구취의 주관적 평가 기준이며, 스코어 2 이상을 진성구취증이라 판정한다.

2) Halimeter를 이용한 구취 측정

산업용 휘발성 황화합물을 측정할 수 있는 검사기의 변형으로, 휘발성 황화합물의 농도를 10억분의 1단위(ppb)로 측정할 수 있다.

(1) 실습 준비물

- Halimeter 기기
- 기록용 기기
- 일회용 tube (1인당 1개씩)

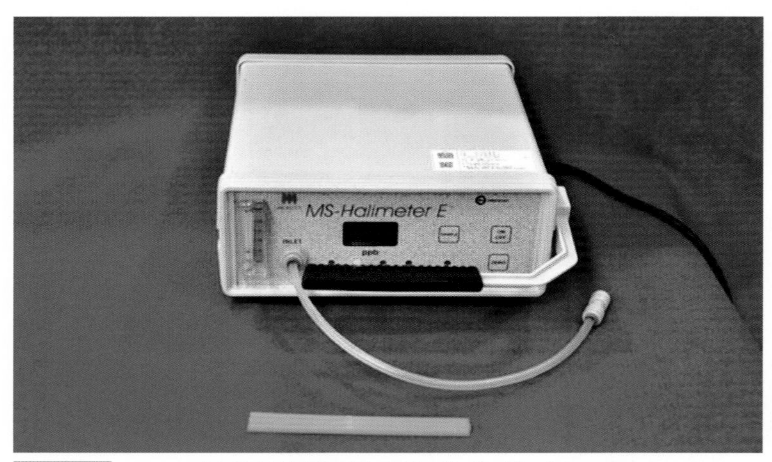

Fig. 11-4 Halimeter를 이용한 구취 측정 시 필요한 재료 및 기구

(2) 측정 과정

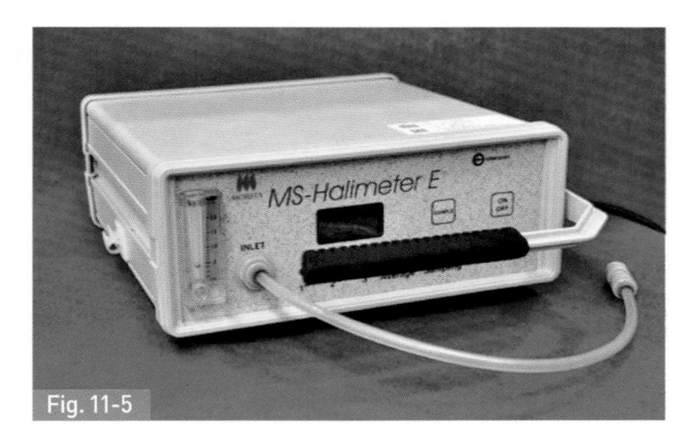

Fig. 11-5

① 처음 가동시킬 때, 최소한 30분 이상의 warming-up이 필요하므로 전원을 미리 연결시켜 놓는다(Fig. 11-5).

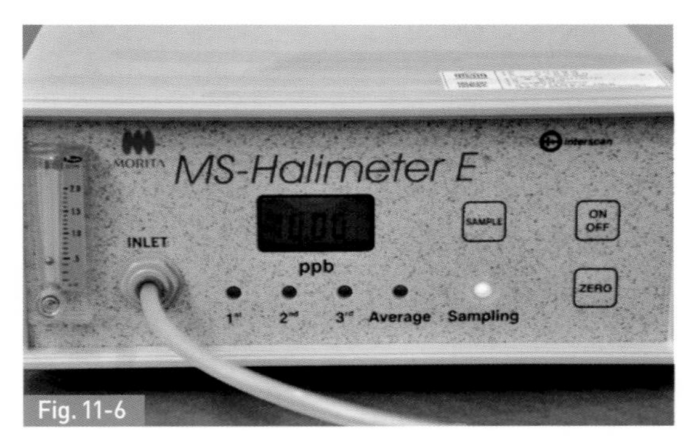

Fig. 11-6

② Halimeter의 수치가 10 ppb 사이에 위치하도록 영점 조정을 한다(Fig. 11-6).

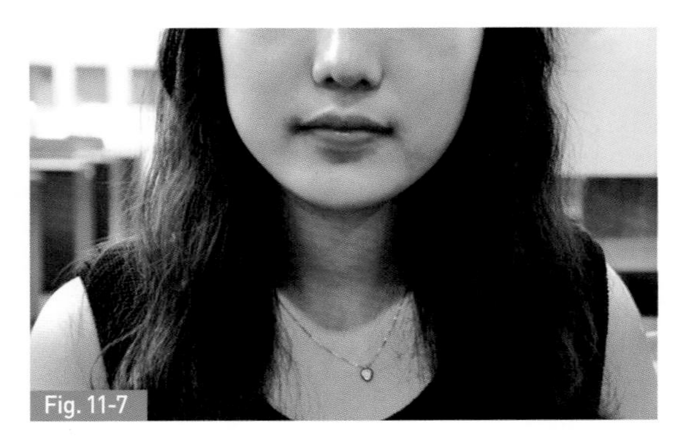
Fig. 11-7

③ 측정 전에 휘발성 황화합물(VSC)를 충분히 모으기 위해 환자는 약 2~3분간 입을 다물고 숨은 코로 쉬도록 하며 말하는 것도 삼가도록 교육시킨다(Fig. 11-7).

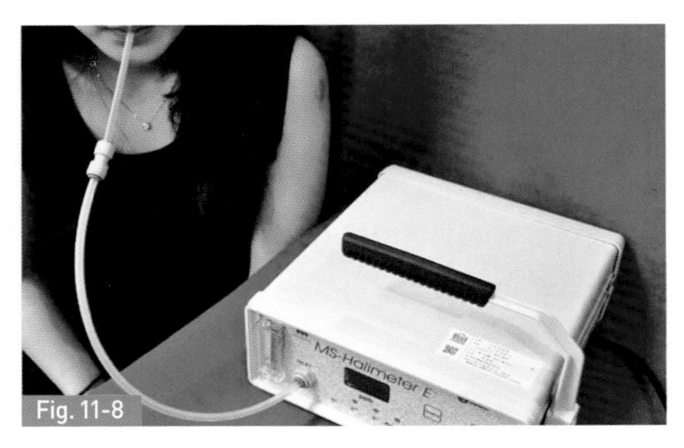

Fig. 11-8

④ Halimeter에 연결되어 있는 1회용 tube를 환자의 구강 내 제1대구치 부위에 점막에 닿지 않게 삽입시킨 후, 약 1분가량 입을 다물도록 한다(입으로 바람을 불거나 침을 삼키지 못하도록 하고, 숨을 참게 하거나 코로 숨을 쉬게 한다)(Fig. 11-8).

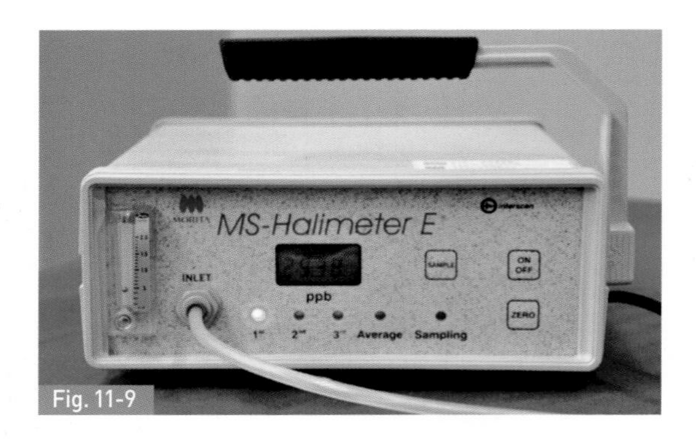

Fig. 11-9

⑤ 측정 계기판에 나타난 수치는 ppb (parts per billion) 수치를 나타내며, 구강 내 삽입 후 수치가 상승한 후 일정한 수치를 나타낼 때의 수치를 기록한 후 tube를 제거한다(Fig. 11-9).

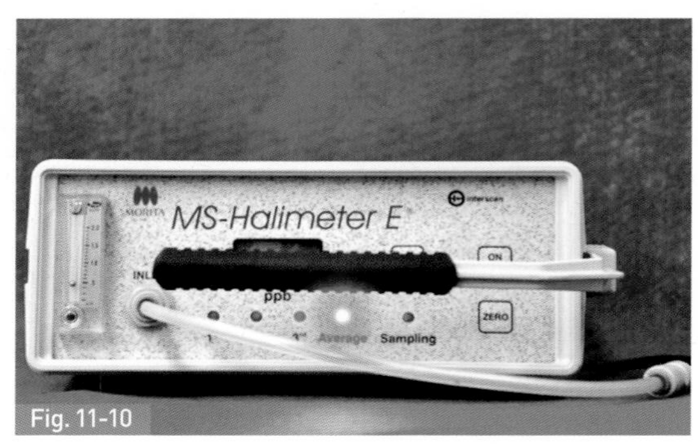

Fig. 11-10

⑥ 다음 측정을 하기 위해 수치가 다시 10 ppb 사이에 위치할 때까지 기다린 다음 앞의 과정을 반복해서 3회의 구취를 측정하여 평균값을 구하여 기록한다(Fig. 11-10).

(3) 판독 및 평가

판 독	평 가
50~80 ppb	뚜렷한 구취를 못 느낄 정도
80~150 ppb	구취를 느낄 정도
150~200 ppb	구취 관리가 필요한 정도
200 ppb 이상	확실한 치료가 필요한 정도

3) Oral Chroma를 이용한 구취 측정

저농도 가스 측정에 뛰어난 반도체 가스센서를 이용하여 간이 가스크로마토그래프 방식을 채용한 휘발성 황 화합물(VSC) 측정기로 구취의 3대 성분을 분리 정량화하여 치과분야에서 간편하고 유용하게 사용할 수 있도록 개발된 구취 측정기이다. VSC를 황화수소, 메틸머캅탄, 디메틸머캅탄의 3가지 성분으로 분리하여, 농도를 측정하여 표준단위로 농도 표시를 한다.

(1) 실습 준비물

- Oral Chroma 기기
- 기록용 컴퓨터 기기
- 가스 주입 syringe (1인당 1개씩)

(2) 측정 과정

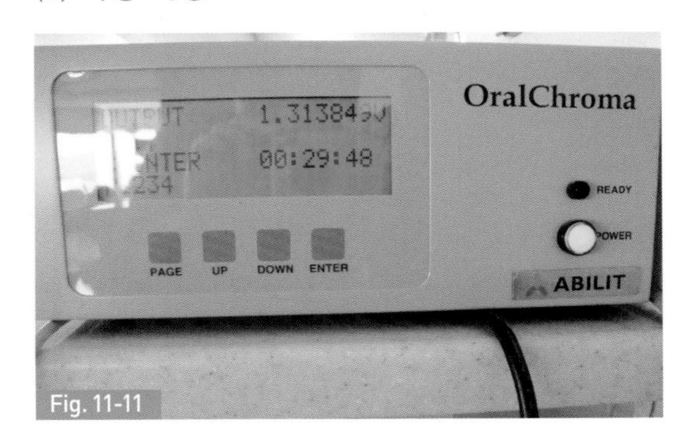

Fig. 11-11

① Oral Chroma를 측정 시작 전에 최소 30분간 전원을 연결시켜 놓는다(Fig. 11-11).

② 측정 전 3분간 구강 내에 휘발성 황화합물을 모으기 위해 입을 다물고 있게 한다.

③ 환자의 정보를 입력한다.

④ 1회용 syringe를 환자의 구강 내 제1대구치 부위에 점막에 닿지 않게 삽입시킨 후, 약 1분가량 입을 다물도록 한다(입으로 바람을 불거나 침을 삼키지 못하도록 하고, 숨을 참게 하거나 코로 숨을 쉬게 한다)(Fig. 11-12A, B).

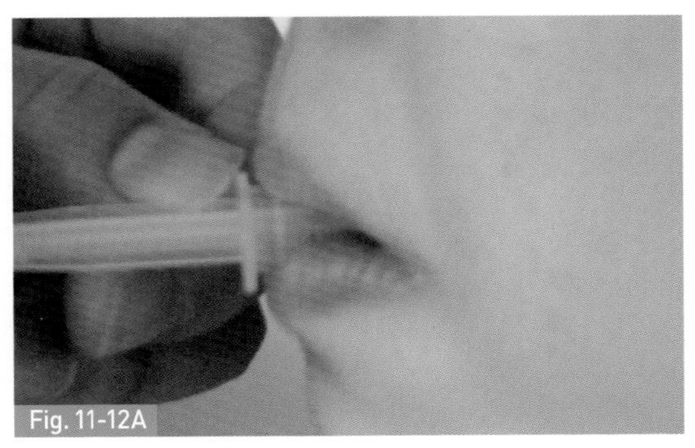
Fig. 11-12A

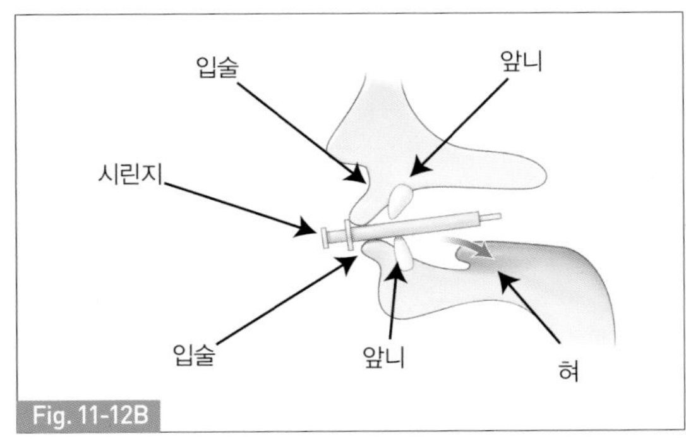

Fig. 11-12B

⑤ Syringe에 구강 내 공기를 흡인한 후 구강 밖으로 꺼내어 Oral Chroma의 가스 주입구에 넣는다(Fig. 11-13A~D).

Fig. 11-13A

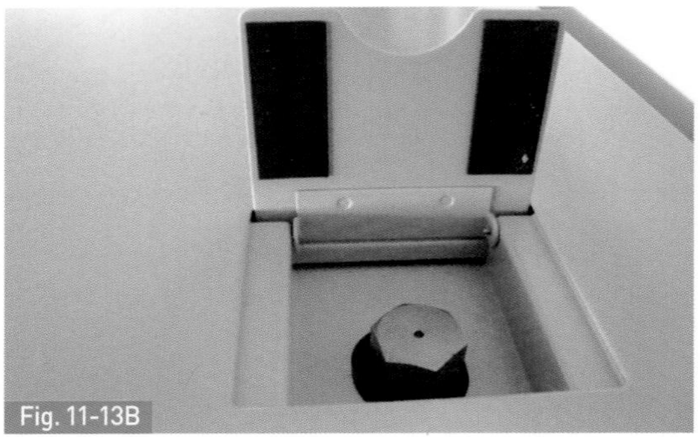
Fig. 11-13B

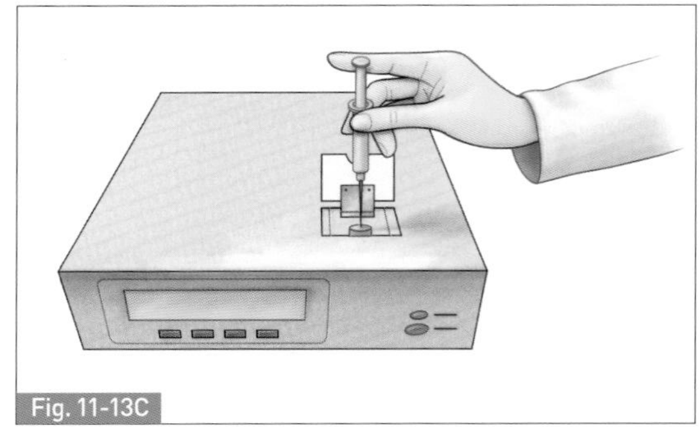
Fig. 11-13C

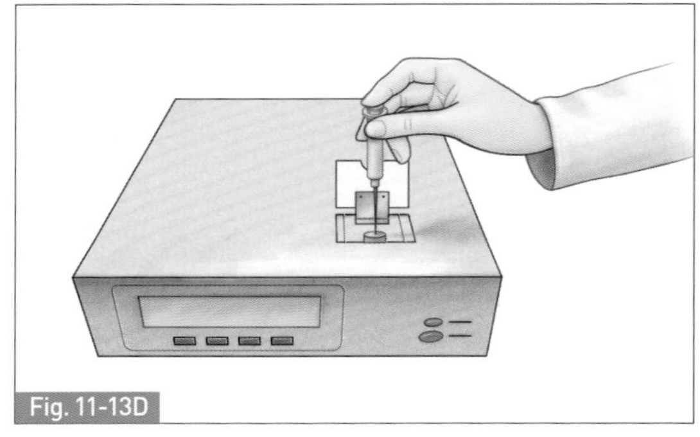
Fig. 11-13D

⑥ 8분 후 Oral Chroma의 측정 결과가 컴퓨터에 측정데이터 그래프와 판정 결과가 표시되면 확인 후 저장한다(Fig. 11-14A, B).

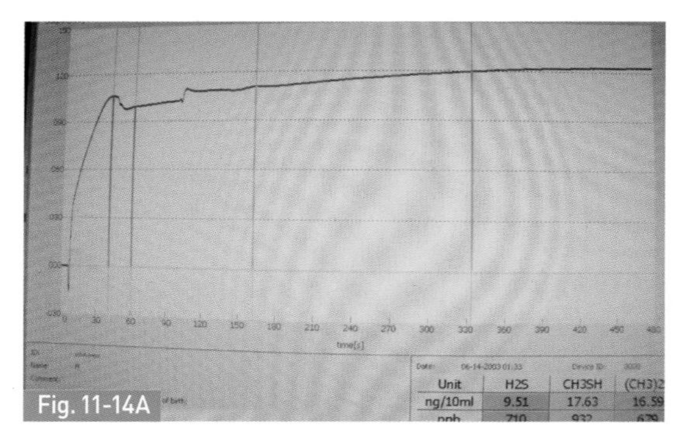

Fig. 11-14A

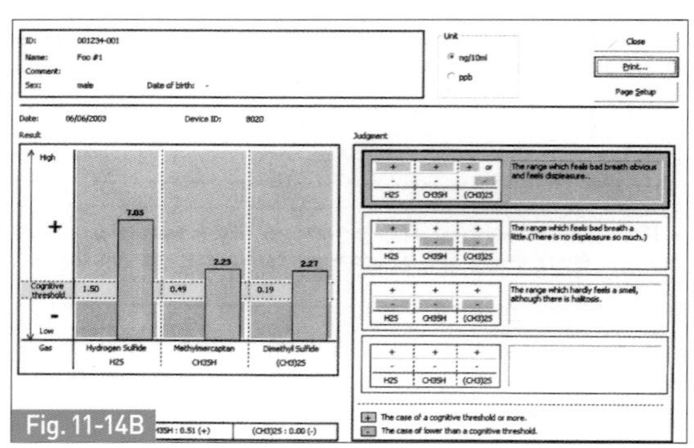

Fig. 11-14B

(3) 가스별 구취 인지 역치

성 분	역 치
황화수소	112 ppb
메틸머캅탄	26 ppb
디메틸머캅탄	8 ppb

4) Refres를 이용한 구취 측정

악취 성분의 대표로 여겨지는 VSC를 측정하는 간단한 측정기기로, 외부요인으로서 섭취한 음식물 등에 포함되어 있는 알코올류, 유기산류, 각종 냄새 등이 수치에 영향을 미칠 수 있는 단점이 있다. 따라서 측정 2시간 전에는 물 외에는 섭취하지 않는 것이 바람직하다.

(1) 실습 준비물

- Refres 기기
- 마우스피스 2개(구강 내 가스용, 호기가스용)

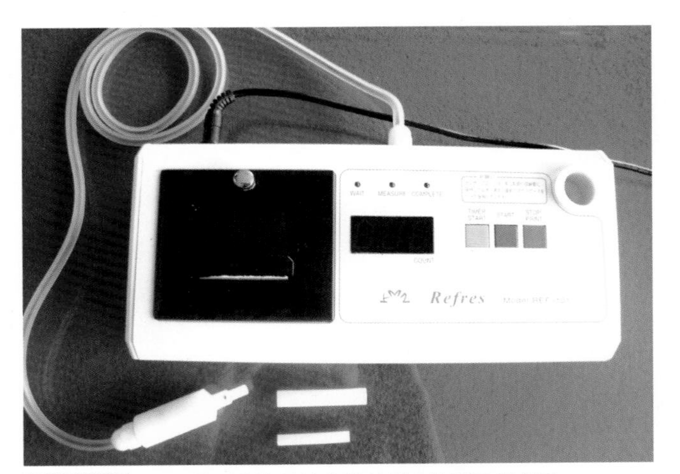

Fig. 11-15 Refres를 이용한 구취 측정 시 필요한 재료 및 기구

(2) 측정 과정

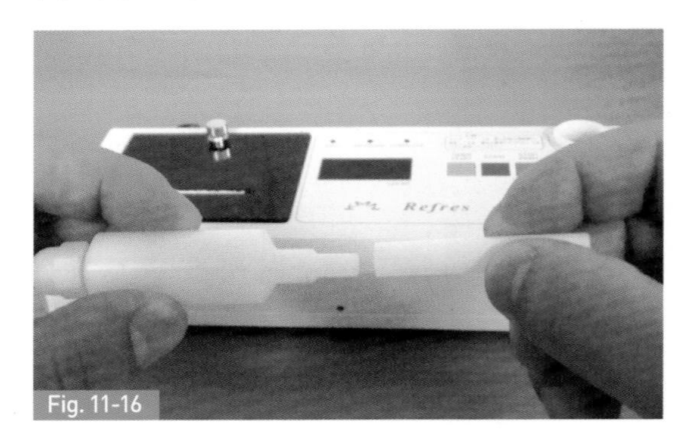

Fig. 11-16

① 센서 프로브에 구강 내 가스 측정용 마우스피스 A (대형)를 연결하여 측정 준비를 한다.

② 일반 측정 시작버튼 START (청색)를 누른다.

③ 이후 램프 WAIT가 점멸하고 30부터 카운트다운되는 것이 표시되는데, 3-2-1 후 부저가 "삐"하고 울리면 재빠르게 마우스피스를 환자의 구강에 넣어 치아로 가볍게 물고 숨은 멈추게 한다 (Fig. 11-16).

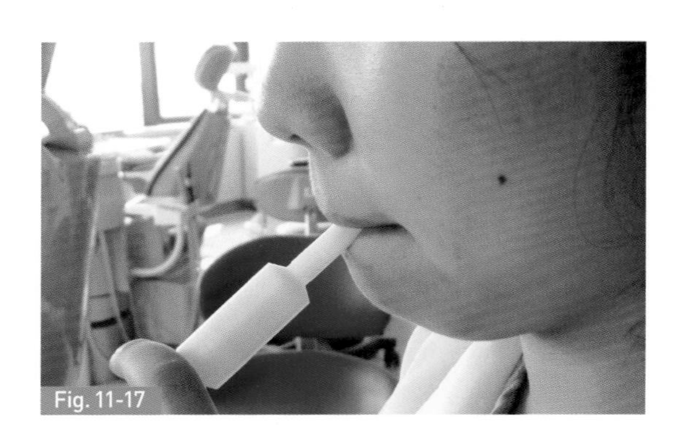
Fig. 11-17

④ 램프 MEASURE가 점멸하고 20부터 카운트다운하여 부저가 "삐"하고 울리면, 13에서 부저가 "삐"하고 울릴 때까지는 마우스피스를 그대로 유지하여 그 이후에 프로브를 구강으로부터 분리한다(Fig. 11-17).

⑤ 카운트다운이 0이 되면 측정 처리가 완료되어, 측정 결과치가 표시됨과 동시에 프린트된다.

⑥ 센서 프로브에 호기가스 측정용 마우스피스 B (소형)를 연결하여 측정 준비를 한다.

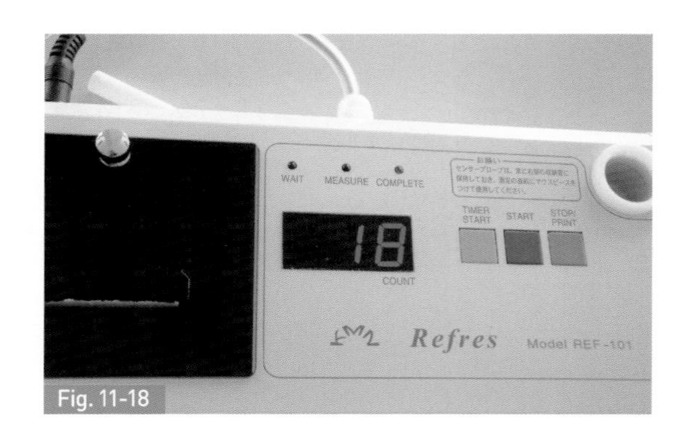

Fig. 11-18

⑦ 일반 측정 시작버튼 START (청색)를 누른다 (Fig. 11-18).

⑧ 램프 WAIT가 점멸하고 30부터 카운트다운이 되어 3-2-1 다음 부저가 "삐"하고 울리면 재빠르게 마우스피스를 환자의 구강에 넣어 치아로 가볍게 물듯이 하여 숨을 조용하게 마우스피스에 불어넣는다.

⑨ 램프 MEASURE가 점멸하고 20부터 카운트다운하여 부저가 "삐"하고 울리면, 13에서 부저가 "삐"하고 울릴 때까지는 마우스피스를 그대로 유지하여 그 이후에 프로브를 구강으로부터 분리한다.

⑩ 카운트다운이 0이 되면 측정 처리가 완료되어, 측정 결과치가 표시됨과 동시에 프린트된다.

(3) 판독 및 평가

판 독	평 가
0~30 ppm	구취를 느끼지 못한다.
30~50 ppm	약간 구취를 느낀다.
50~70 ppm	항상 구취를 느낀다.
70~90 ppm	확실하게 구취를 느낀다.
90~100 ppm	강하게 냄새를 느낀다.

5) BB checker 구취 측정

여러가지 구취 성분들에 반응하는 센서로 측정하며, 구강내가스(OG)와 호기가스(EG)를 나누어서 측정할 수 있다는 특징이 있다. 측정이 쉽고 간단하며 상대적 측정치 BBV 단위로 표시한다.

(1) 실습 준비물

- B/B checker 기기
- 마우스피스
- 프린트 용지

Fig. 11-19 B/B checker 기기를 이용한 구취 측정 시 필요한 재료 및 기구

(2) 구강 내 가스 측정 OG (Oral gas)

Fig. 11-20

① 전원 아답터를 접속하면 자동적으로 전원이 켜지고 5분간 warming up한다(Fig. 11-20).

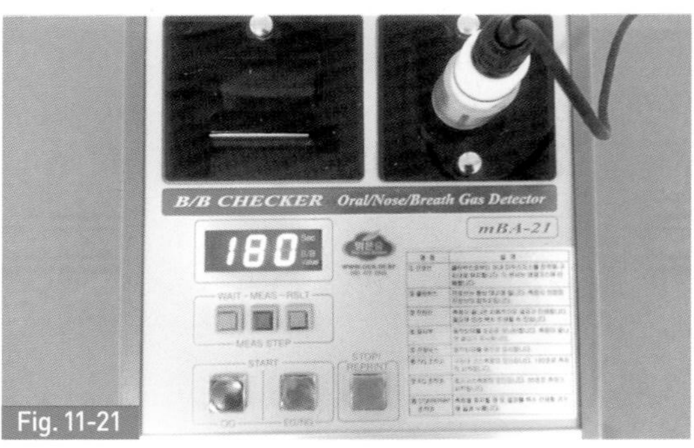

Fig. 11-21

② OG버튼을 누르면 표시부에 180초의 카운트다운이 시작된다(Fig. 11-21).

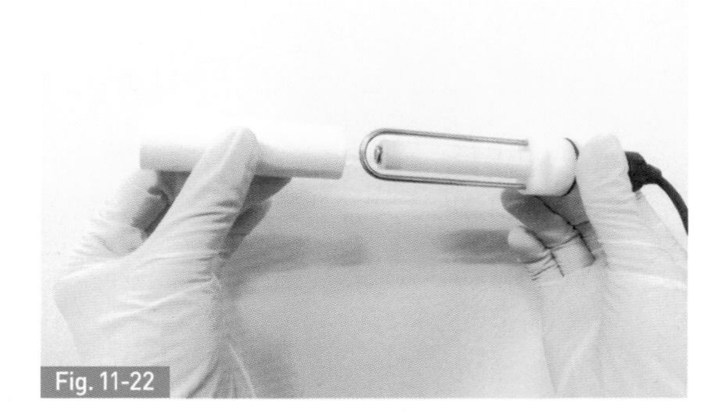
Fig. 11-22

③ 최초 카운트다운이 시작되면 마우스피스를 프루브에 씌운다(Fig. 11-22).

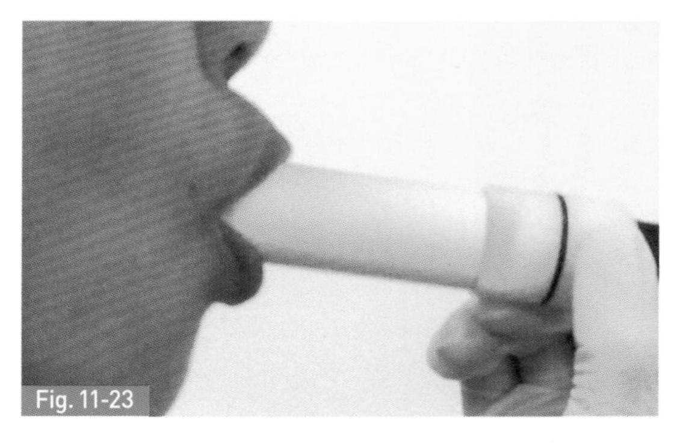
Fig. 11-23

④ 카운트다운이 5초가 남았을 때부터 '삐' 소리가 울리며, 0이 되면 다시 15의 카운트다운이 시작된다. 이 때 마우스피스를 입에 물고 15초간 입으로 숨을 쉬지 않도록 하여 측정한다(Fig. 11-23).

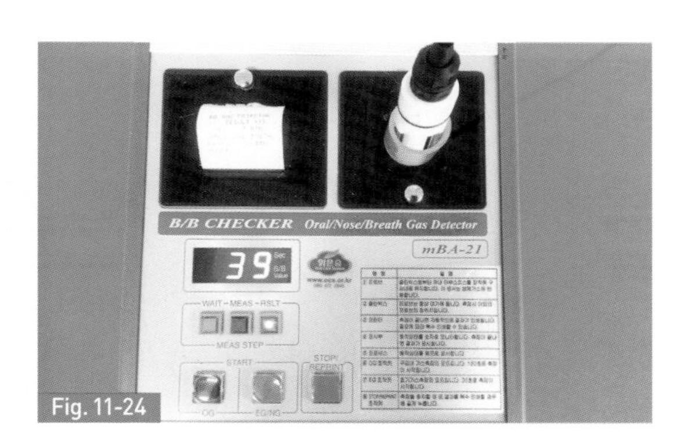

Fig. 11-24

⑤ 측정이 완료되면, 마우스피스를 제거하고 측정값이 출력된다(Fig. 11-24)

(3) 호기가스 측정 EG (Extra oral gas)

① 전원 아답터를 접속하면 자동적으로 전원이 켜지고 5분간 warming up한다.

② EG버튼을 누르면 표시부에 30초의 카운트다운이 시작된다.

③ 최초 카운트다운이 시작되면 마우스피스를 프루브에 씌운다.

④ 카운트다운이 5초가 남았을 때부터 '삐' 소리가 울리며, 0이 되면 다시 15의 카운트다운이 시작된다. 이 때 마우스피스를 입에 물고 15초간 길게 숨을 내뱉도록 하여 측정한다.

⑤ 측정이 완료되면, 마우스피스를 제거하고 측정값이 출력된다.

(4) 판정

측정값	판정
0~50 BBV	정상
50~59 BBV	경미하게 냄새를 느낀다
60~79 BBV	조금 냄새를 느낀다
80~89 BBV	비교적 느낀다
90이상 BBV	강한 냄새를 느낀다

5. 예방과 치료

1) 설태 제거

(1) 기계적 청소

혀 뒤쪽 2/3, 특히 설태의 퇴적이 심한 설편도 바로 앞을 청소하는 것이 중요하다. 각종 유두가 분포하는 요철이 심한 혀 표층의 청소에는 찰과상을 막고 청소 효율이 높은 브러시 형태의 전용 혀 청소용구를 선택한다.

(2) 화학적 청소

구취 방지 효과가 인정되는 것으로는 염화아연 양치제, 이산화염소, 에센셜 오일이 들어있는 에탄올 양치제, 클로르헥시딘 양치제 등을 들 수 있다.

2) 기타 구강환경 개선

구취의 예방·치료는 혐기성균 수의 컨트롤이 기본이 된다. 따라서 본인 스스로의 구강 청결과 함께 치간 청결물리요법(PMTC)이 필요하다.

3) 원인이 되는 구강질환의 치료

구강내 요인인 진성 구취증의 대부분은 치주 질환에 기인하기 때문에 치주 치료가 구취 예방으로 이어지는 것은 당연한 일이다. 그 외에 구강점막의 염증성 질환이나 구강암 치료, 구강건조증 치료도 빼놓을 수 없다.

4) 의과대진(Consultation)과 치과진료

전신적 요인의 병적 구취증은 원인질환 치료를 의과에 의뢰한다. 예를 들어 당뇨병 환자의 아세톤 냄새는 그 자체가 결코 불쾌한 냄새는 아니므로, 구강 내의 원인이 되는 불쾌한 냄새를 없애면 환자의 만족도는 훨씬 향상된다. 또한 타액분비 기능 저하가 있는 경우는 PMTC를 포함한 정기적인 구강관리가 필요하다. 그리고 구취공포증 예방으로는 가급적 빨리 내과나 정신과로 의뢰하는 것이 좋다. 환자와의 신뢰관계를 깨지 않기 위해 의과적 치료와 구강관리를 병행하는 것이 필요하다.

실습보고서

년 월 일	학번		성명	
실습제목	구취 검사법			
준 비 물				
실습과정				
실습소견				
담당교수 확 인				

실습보고서

년 월 일	학번		성명	
실습제목	Halimeter를 이용한 구취 측정			
준 비 물				
실습과정				
실습소견				
담당교수 확 인				

실습보고서

	년 월 일	학번		성명	
실습제목	Oral Chroma를 이용한 구취 측정				
준 비 물					
실습과정					
실습소견					
담당교수 확 인					

실습보고서

년 월 일		학번		성명	
실습제목	**Refres를 이용한 구취 측정**				
준 비 물					
실습과정					
실습소견					
담당교수 확 인					

실습보고서

년 월 일	학번		성명	
실습제목	BB checker 구취 측정			
준 비 물				
실습과정				
실습소견				
담당교수 확 인				

P R E V E N T I V E   D E N T I S T R Y

Chapter 12 전문가 치아청결술

학 습 목 표

1. 치간 부위를 물리적으로 세정하는 치간 청결 물리요법의 정의와 목적을 이해한다.
2. 치간 청결 물리요법에 필요한 기구와 사용법을 습득한다.
3. 와타나베 칫솔질의 목적을 이해하고 사용법을 습득한다.

1. 치간 청결 물리요법

1) PMTC의 정의

치간 청결 물리요법(professional mechanical tooth cleaning, PMTC)이란 스웨덴의 예방치의학자인 Per Axelsson이 만들어낸 시스템으로서, 물리적 기구(치주조직의 형태에 준하여 고안된 핸드피스와 버)를 이용하여 치은연상 및 연하 1~3 mm까지 모든 치아 사이를, 특히 칫솔질만으로는 잘 제거하기 힘든 치아 사이의 치면세균막과 연성부착물을 제거하고 치간부 치은을 정기적으로 마사지하여 치아와 치아주위 조직을 건강하게 유지할 수 있도록 하면서 치면세균막의 재부착 억제를 기대하는 예방치과 진료술식이다.

2) 기구 및 재료

- 기본 기구 세트(Mirror, explorer, pincette)
- Two tone 치면착색제 또는 일반 상용 치면착색제
- PMTC용 Profin angle
- Eva tip
- 일반 저속엔진용 Contra angle
- 러버컵
- 연마제
- 면구

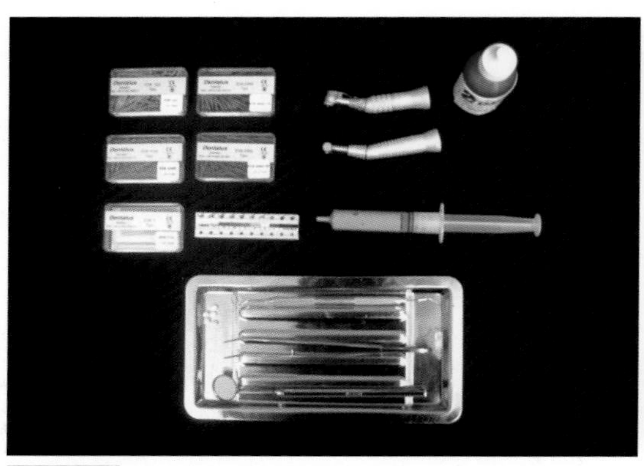

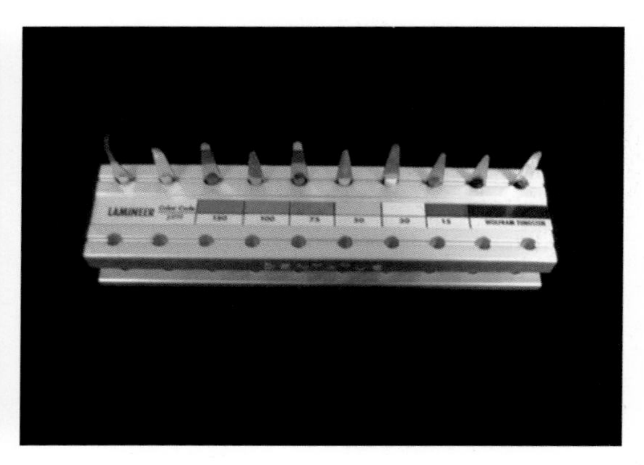

Fig. 12-1 PMTC를 위한 기본 준비물

(1) Profin angle (Fig. 12-2)

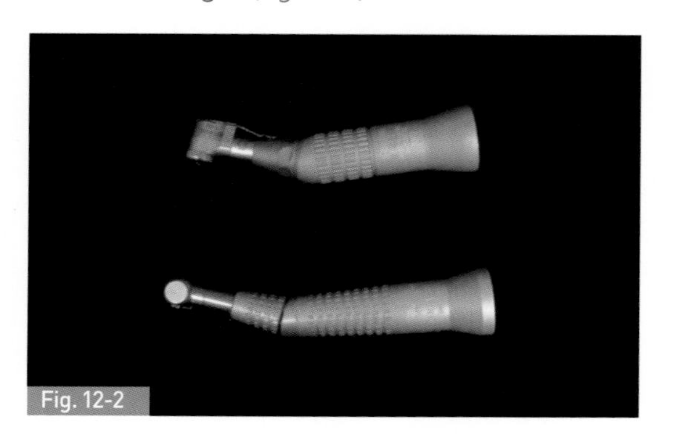
Fig. 12-2

① 1~1.2 mm 왕복운동을 하는 특수 핸드피스

(2) EVA 5000: Dark blue (Fig. 12-3)

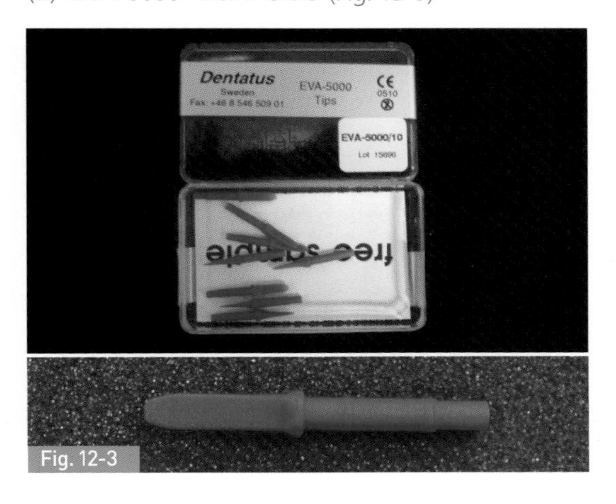

Fig. 12-3

① 끝이 라운드형, 치간 간격이 좁은 경우와 전치부 등에 사용

(3) EVA 123: Blue (Fig. 12-4)

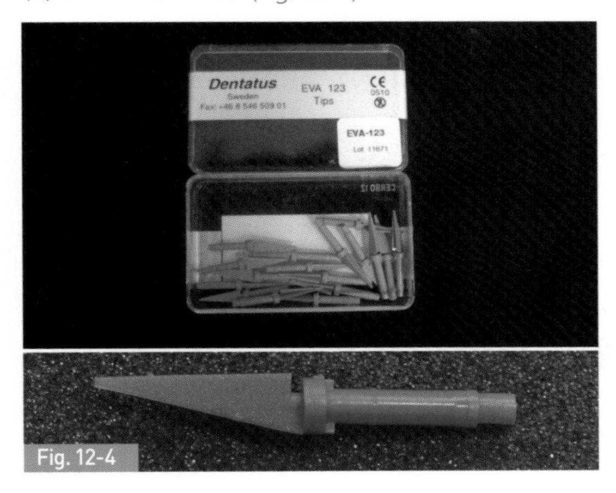

Fig. 12-4

① 치간부 해부학적으로 적합하도록 되어 있음

(4) EVA123S: Pink (Fig. 12-5)

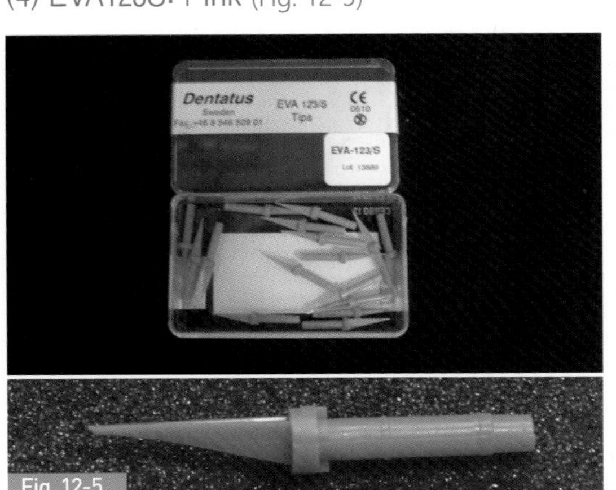

Fig. 12-5

① 일반적인 치면세균막 제거
② 임플란트 환자의 보철물에 적합, 전치부 사용

(5) EVA 2000: Green (Fig. 12-6)

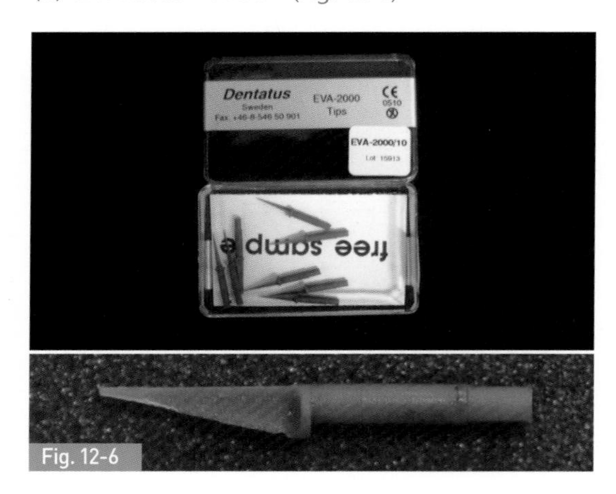

Fig. 12-6

① 끝이 유연하게 생김
② 치아의 총생과 같은 긴밀한 부위에 적합
③ 전치부 등에 사용

(6) EVA 7: Wooden (Fig. 12-7)

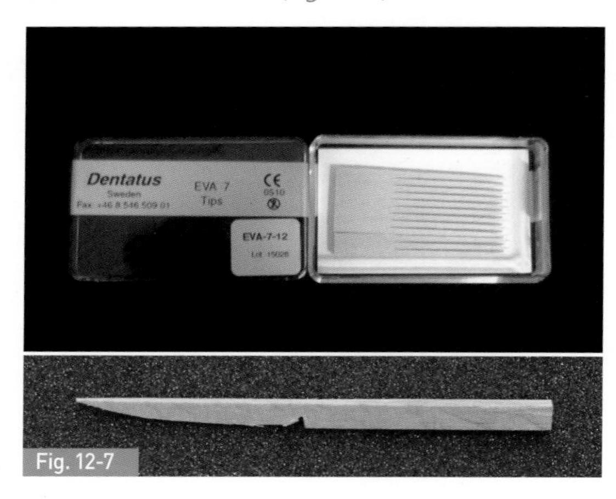

Fig. 12-7

① Wedge형
② Stimulator로 부드러운 목재 재질
③ 치간 청결 및 치은부의 마사지 효과

3) 실습 과정

(1) 치면세균막 착색

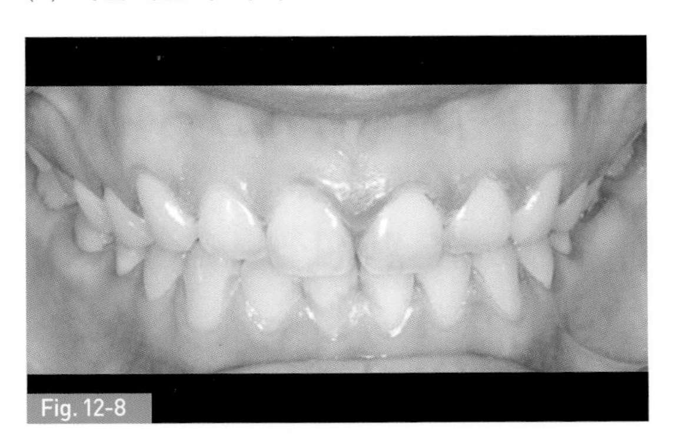
Fig. 12-8

① 면구와 2 tone R이라는 치면착색제(오래되고 두꺼우며 우식활성이 높은 치면세균막은 파란색으로 염색, 반면에 생긴 지 얼마 되지 않아서 우식활성이 비교적 낮은 치면세균막은 붉은색으로 염색)를 이용하여 착색시킨다(Fig. 12-8).

(2) 연마제 도포

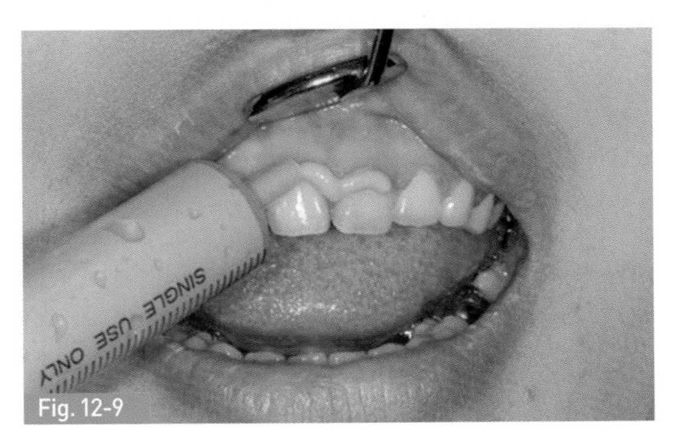

Fig. 12-9

② 불소가 함유된 연마제를 일회용 주사기를 이용하거나 EVA tip이나 러버 컵에 묻혀서 사용한다(Fig. 12-9).

(3) 인접면 치면 세마

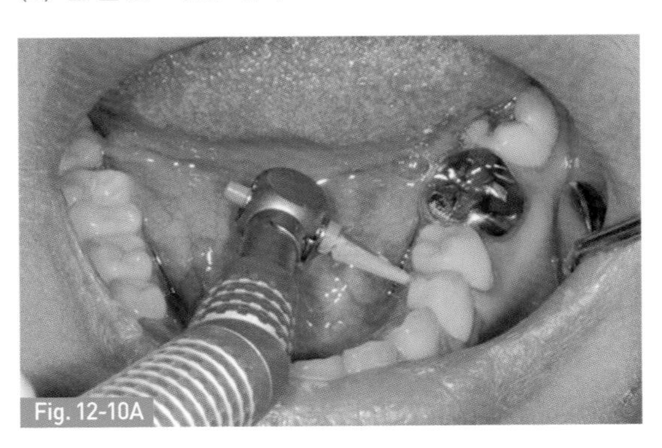
Fig. 12-10A

③ Profin angle에 적합한 크기의 EVA tip을 끼운 뒤 사용하며 치간부로 들어갈 때 tip은 치간유두가 내려갈 때까지 교합면쪽으로 10° 정도의 각을 준다(Fig. 12-10A~H).

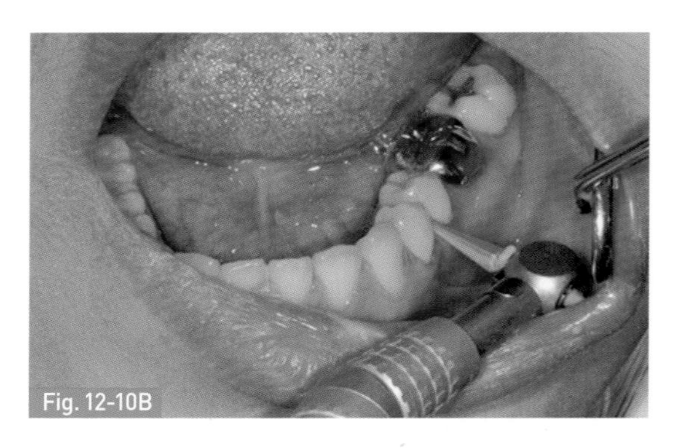
Fig. 12-10B

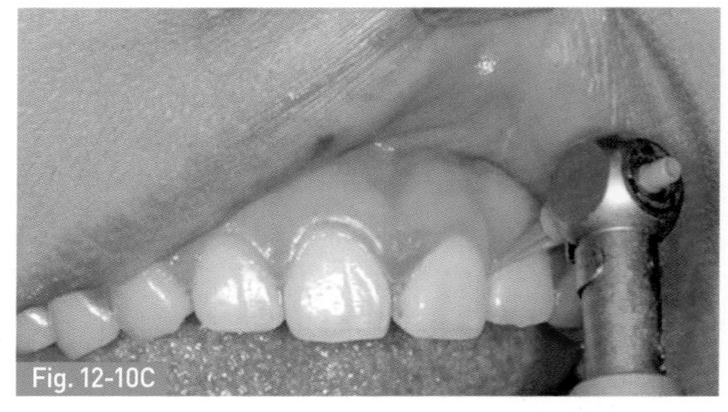
Fig. 12-10C

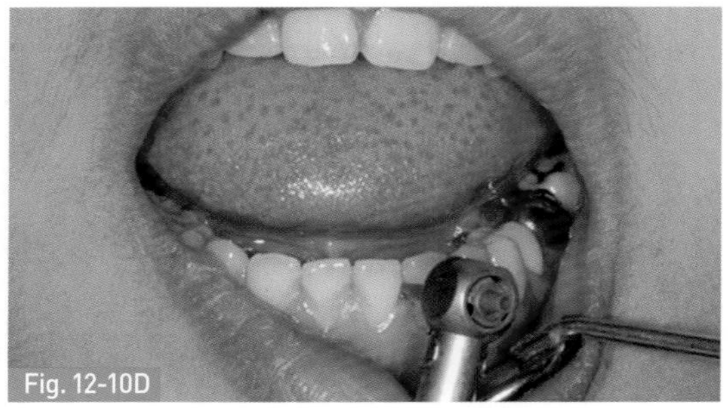
Fig. 12-10D

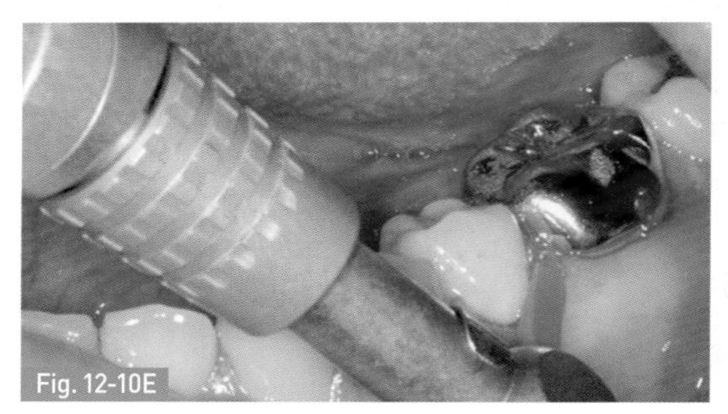
Fig. 12-10E

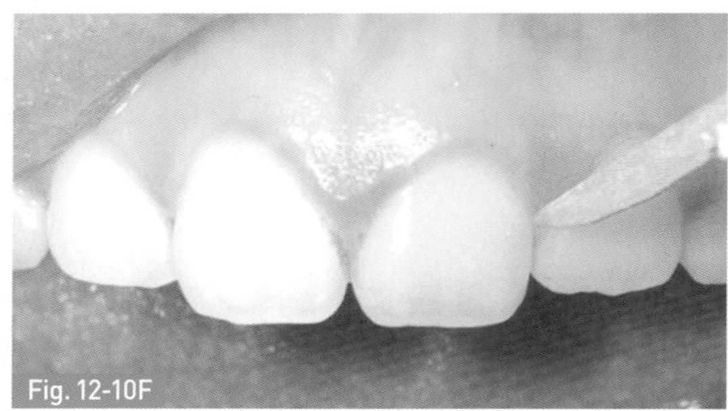
Fig. 12-10F

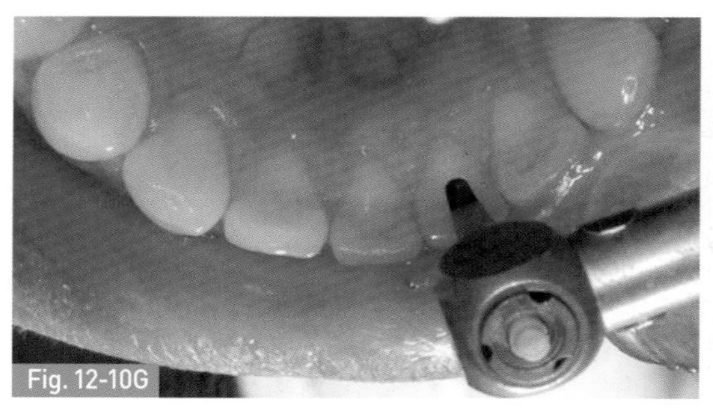
Fig. 12-10G

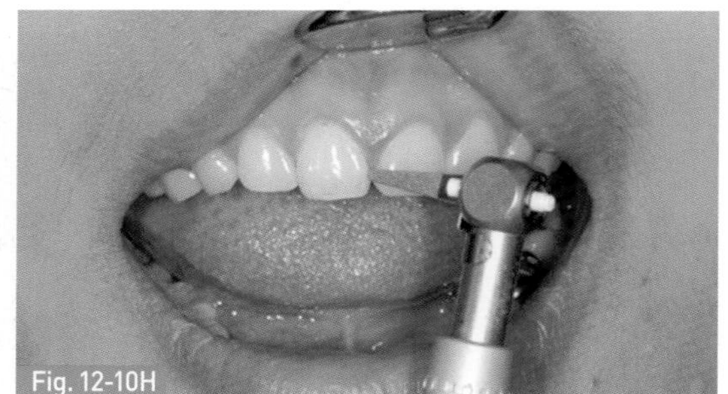
Fig. 12-10H

(4) 협, 설면 세마

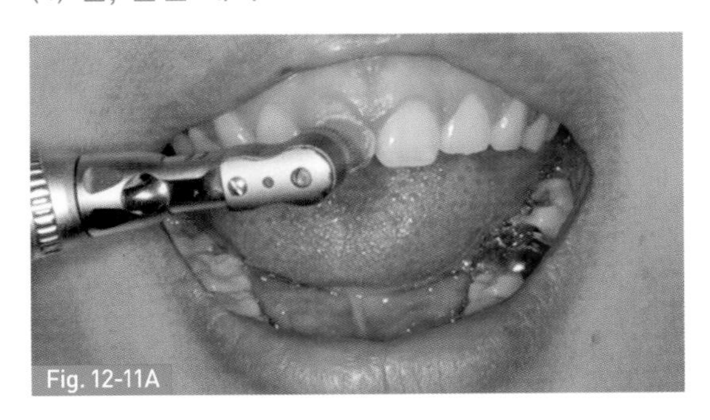
Fig. 12-11A

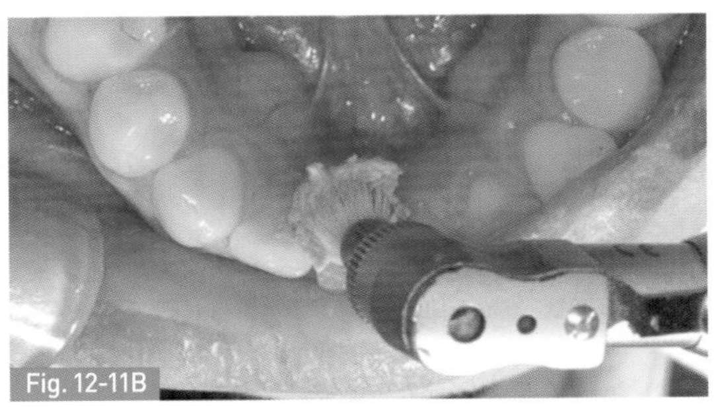
Fig. 12-11B

④ Prophylactic angle에 러버 컵이나 연마용 브러쉬 등을 부착해 연마제를 묻힌 후 협·설면에 치면 세마를 시행한다(Fig. 12-11A, B).

(5) 양치

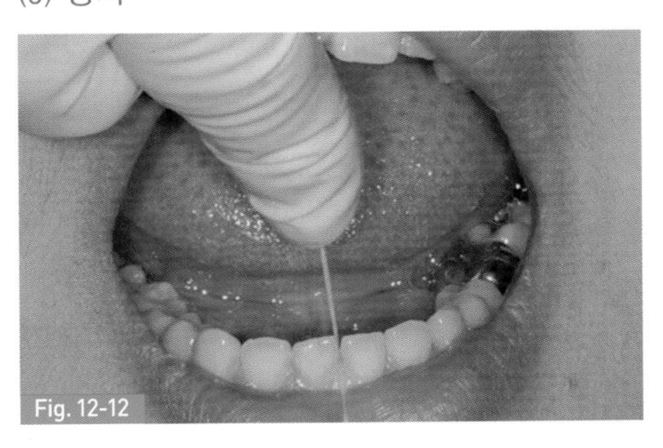
Fig. 12-12

⑤ 구강 내의 잔존 연마제를 모두 제거하도록 하고, 치실을 이용해서 치간부에 붙어 있는 치면 세균막과 연마제를 깨끗이 제거한다(Fig. 12-12).

(6) 불소 도포

모든 과정을 거친 뒤 초기 우식증을 확인하고, 전문가 불소 포도를 시행한다.

(7) 구강보건교육

환자에게 치면세균막 관리 후의 치간청결 상태를 구강카메라 등을 통해 보여주며 구강보건교육을 실시한다.

4) PMTC의 기대 효과

① 치아 사이의 치면세균막의 제거
② 치아 사이의 치면세균막의 재부착 억제 효과
③ 치아우식과 치주낭의 예방 및 감소 효과

2. 와타나베 칫솔질법

1) 정의

와타나베 칫솔질 방법(Watanabe method, tooth pick method)은 치아 사이에 끼어 있는 음식 잔사와 치면세균막을 강모단(剛毛端)으로 밀어내어 뚫는 방법으로, 치간과 순면 및 설면을 세정하는 특수 칫솔질 방법을 말한다. 치아 사이에 부착된 치면세균막이나 음식 잔사 혹은 이물질로 인한 화학적, 물리적 자극에 의해서 치아 사이에 만성적인 염증이 나타나기 때문에, 이를 완화 혹은 예방하기 위한 치료 목적으로 전문가에 의해 치간청결과 치간치은의 마사지를 도모하기 위한 칫솔질 방법이다.

2) 와타나베 칫솔질 시 사용하는 칫솔

Fig. 12-13

① 치간에 효과적으로 강모가 삽입될 수 있도록 두 줄과 여섯 열로 강모가 심어진 칫솔을 사용하여 칫솔질한다. 치주질환자에게 적합한 칫솔의 강도로 약강도의 칫솔을 추천하기도 하나, 전문가 칫솔질 시에는 효율적인 치면세균막 제거를 위해 칫솔의 탄력이 유지되는 것이 필요하므로 중강도의 강도를 사용하는 것이 좋다(Fig. 12-13).

3) 기구 및 재료

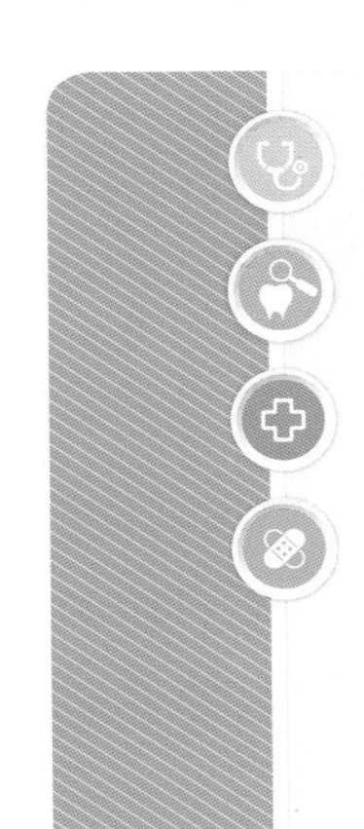

- 기본 기구 세트(Mirror, explorer, pincette)
- 세치제
- 면구
- 악치 모형
- 칫솔(직진형 2열속 칫솔, 치아 1/2~2개 정도를 덮을 수 있는 칫솔)
- Two tone 치면착색제 또는 일반 상용 치면착색제
- 기타 소독약품

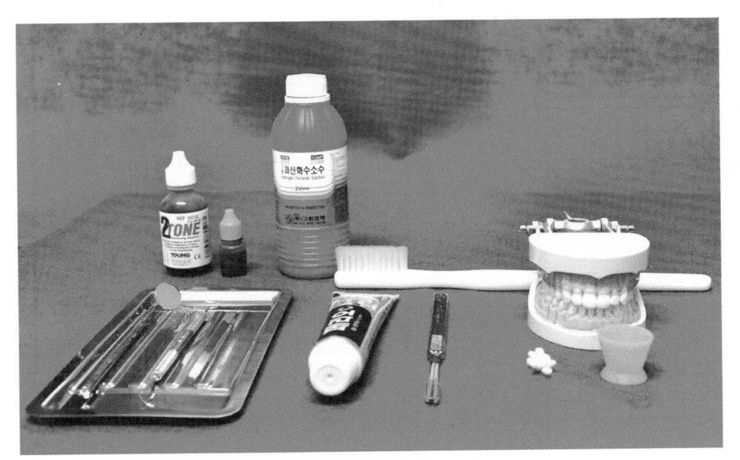

Fig. 12-14 와타나베 칫솔질법을 위한 기본 준비물

4) 실습 과정

(1) 치면세균막 착색

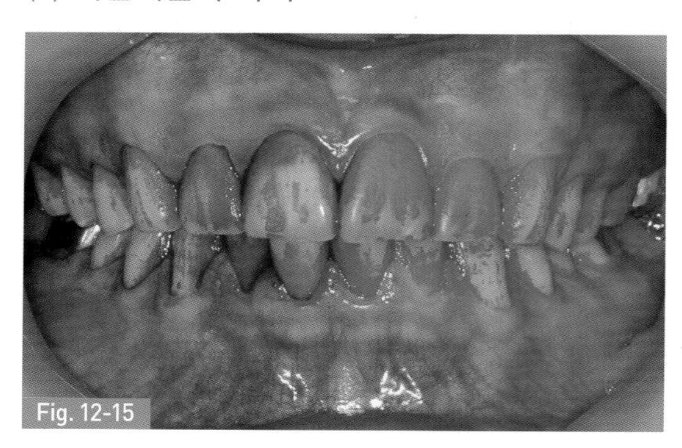
Fig. 12-15

① 면구를 이용하여 치면착색제를 치면에 착색시킨다(Fig. 12-15).

(2) 칫솔 잡는 방법

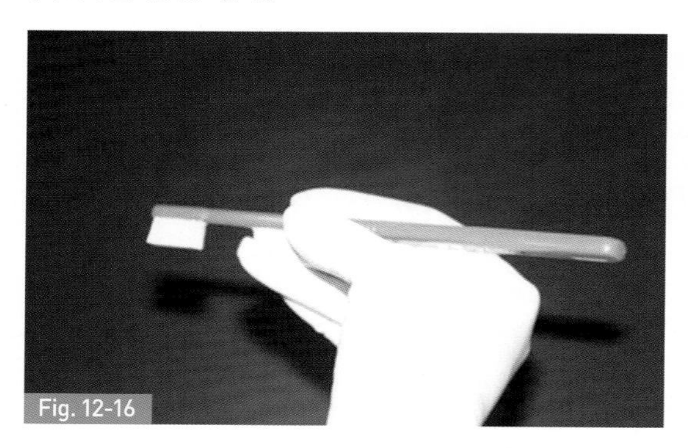
Fig. 12-16

② 2×6 칫솔을 이용하여 치면세균막을 제거하는 과정으로, 기구를 잡는 법과 비슷하게 '펜잡이 방법(pen grasp)'으로 칫솔을 잡고 세치제를 칫솔에 도포한다(Fig. 12-16).

(3) 전치부 순면 칫솔질 방법

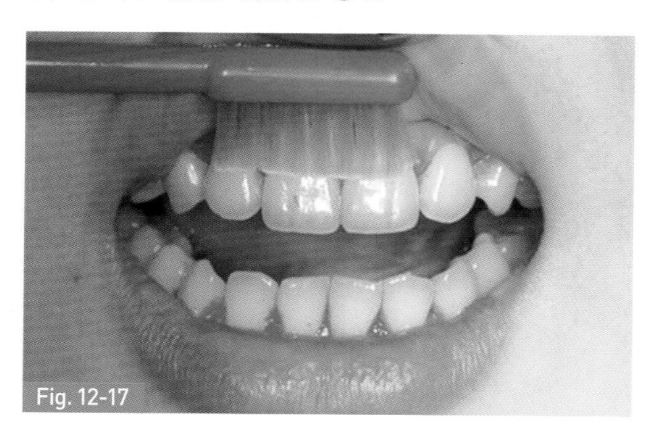
Fig. 12-17

③ 전치부 순면은 치아장축과 칫솔대가 30° 각도가 되게 한 다음, 치경부에서 2~3 mm 하방인 부착치은에 칫솔을 위치시키도록 한다(Fig. 12-17).

(4) 전치부 설면 칫솔질 방법

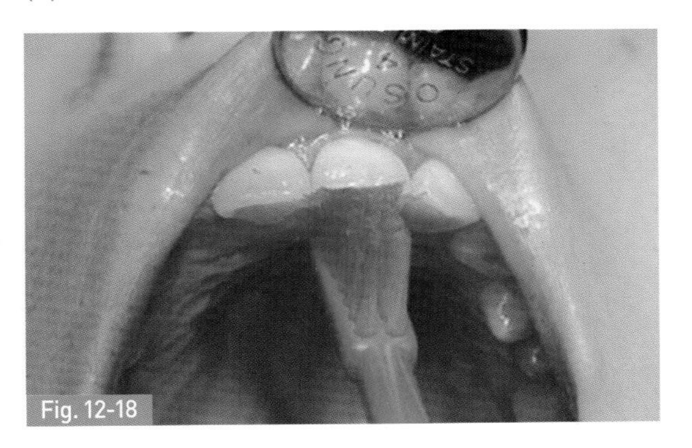
Fig. 12-18

④ 전치부 설면은 칫솔대를 구강 내에 삽입할 때 악궁의 방해를 받으므로 이를 닦고자하는 쪽의 반대편에 칫솔대를 대각선 방향으로 위치시킨다(Fig. 12-18).

(5) 구치부 협면 칫솔질 방법

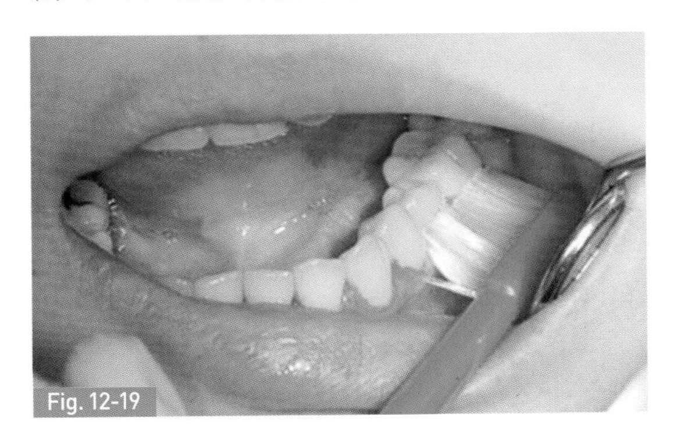
Fig. 12-19

⑤ 구치부 협면의 방법과 원리는 전치부와 동일하며, 소구치는 50° 내외, 대구치 부위는 70° 내외의 각도로 위치시킨다(Fig. 12-19).

(6) 구치부 설면 칫솔질 방법

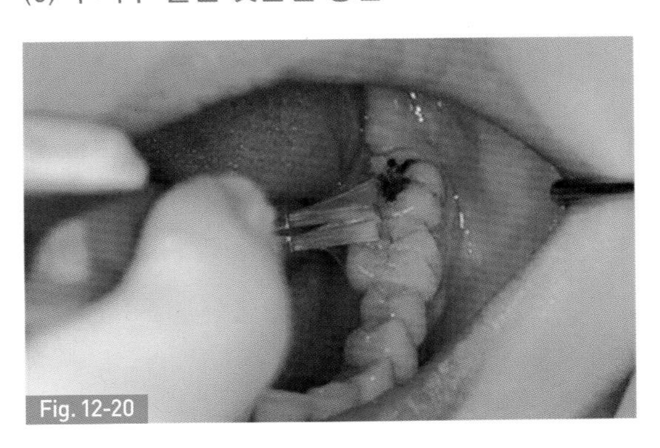
Fig. 12-20

⑥ 구치부 설면은 칫솔대를 구강 내에 삽입할 때 악궁의 방해를 받으므로 이를 닦고자하는 쪽의 반대편에서 대각선 방향으로 위치시킨다(Fig. 12-20).

(7) 칫솔질 교습

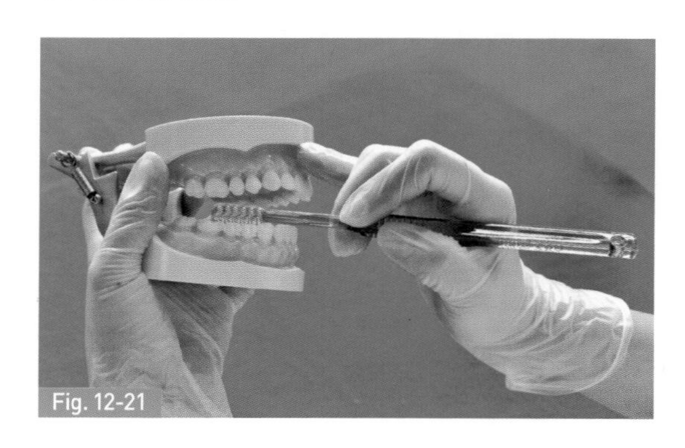
Fig. 12-21

⑦ 진료 초기에는 전문가가 수회 직접 진료해주면서 거울을 통해 관찰하게 한다. 이 과정에 환자는 자신의 치아 사이에 작용하는 압력과 느낌의 감을 익히도록 하여, 거울을 보고 수회 연습한 후 스스로 할 수 있도록 한다. 한 부위 당 10회 정도 반복하여 한 부위가 끝나면 치경부측 치열을 따라 계속 옆으로 조금씩 움직이며 이 동작을 계속하도록 한다(Fig. 12-21).

5) 와타나베 칫솔질법의 기대 효과

① 치간과 순면 및 설면의 청결
② 음식물 잔사 제거
③ 치은 마사져로 치은염 완화 효과
④ 치주조직의 회복을 촉진시켜 비외과적인 방법으로 치주조직 완화 효과를 기대할 수 있다.
⑤ 사춘기 급성 치은염 환자, 만성 치은염 환자, 만성 치주염 환자 등 염증 완화 효과

실습보고서

년 월 일	학번		성명	
실습제목	치간 청결 물리요법(PMTC)			
준 비 물				
실습과정				
실습소견				
담당교수 확 인				

실습보고서

년 월 일	학번		성명	
실습제목	와타나베 칫솔질법(Toothpick method)			
준 비 물				
실습과정				
실습소견				
담당교수 확 인				

1. 강부월, 김광수 외. 현대예방치학. 5판. 군자출판사;2014
2. 강시묵, 정회인, 정승화, 권호근, 김백일. 새로운 색지표를 이용한 우식활성검사법 개발. 대한구강보건학회지 2010;34(1):9-17.
3. 강은혜, 임회순, 김동기, 성진효. Toothpick method를 이용한 구취 감소효과. 대한구강보건학회지 2004;28(1):127-138.
4. 공중구강보건교재개발위원회. 공중구강보건학. 고문사;2019.
5. 구취조절연구회. 구취관리학. 고문사;2014
6. 권도윤, 권도윤, 김희진, 남옥형, 김미선, 최성철 외. 실시간 중합효소연쇄반응 방법을 이용한 새로운 치아우식 활성 검사법의 유효성. 대한소아치과학회지 2018;45(3):354-362.
7. 권현정, 박지원, 윤미숙, 정성균, 한만덕. 한국인의 구취에 대한 자가 인식과 관련인자. 대한구강보건학회지 2008;32(2):231-242.
8. 권호근, 김동기, 김백일 외 역. Primary preventive dentistry 6판. 대한나래출판사;2006:82-88.
9. 권호근, 김한중. 중학교 학생들의 식이섭취와 치아우식증 발생의 관련성. 대한구강보건학회지 1994;18(1):119-143.
10. 김귀옥. 학령기 아동의 충치실태와 식습관 및 간식 습관과의 관계 [석사학위논문]. 서울:이화여자대학교 교육대학원;1988.
11. 김백일, 정승화, 김민영, 김해선, 유자혜, 권호근. Curcuma xanthorrhiza oil이 함유된 구강분무액의 구취감소효과에 관한 임상적 연구. 대한구강보건학회지 2006;30(1):75-84.
12. 김숙향, 오정숙, 정순희 외 역. 임상치위생학. 9판. 대한나래출판사;2007:426-438.
13. 김아현, 한선영, 김형규, 권호근, 김백일. 한국 12세 아동 중 치아우식증 고위험군의 특성. 대한구강보건학회지 2010;34(2):302-309.
14. 김영남, 권호근, 정원균, 조영식, 최연희. 한국 성인의 주관적 구강건강인식과 객관적 구강건강상태와의 관련성. 대한구강보건학회지 2005;29(3):250-260.
15. 김종배, 백대일, 문혁수 외. 임상예방치학. 4판. 고문사;2000:205-213.
16. 김주심, 장기완. 자가중합형레진과 광중합형레진에 의한 치면열구전색효과. 대한구강보건학회지 1992;16(2):253-263.
17. 김화영, 양은주. 식품섭취빈도조사지의 개발 및 타당도 검증에 관한 연구. 한국영양학회지 1998;31(2):220-230.
18. 김희은, 권호근, 김백일. 불소이온도포법과 일반 불소도포법 간의 우치 법랑질에 대한 내산성 비교. 대한구강보건학회지 2008;32(1):10-19.
19. 남정모. 청소년 식품섭취빈도조사도구 개발연구 보고서. 보건복지부;2006.
20. 대한구강보건학회. 2009 국민구강건강실태조사 조사자 교육훈련 자료집. 2009.

21. 대한예방의학회. 건강통계자료 수집 및 측정의 표준화연구. 1993.
22. 도영주, 신영림, 송근배. 치면열구전색의 우식예방효과 및 탈락율에 관한 조사. 대한구강보건학회지 1997;21(1):73-86.
23. 마득상, 이병진, 김동기, 김백일, 김영수, 박덕영 외. 예방치과학. 대한나래출판사;2016.
24. 박경숙, 서은숙, 신미경. 초등학교 아동의 식품섭취실태가 치아우식에 미치는 영향. 한국조리과학회지 1999;15(1):16-22.
25. 박광균, 김영지, 박영민, 정원윤. 치과영양학. 대한나래출판사;2007:56-58.
26. 박덕영, 마득상, 김백일 외. 치과의원에서 가능한 계속 구강건강관리법. 1판. 동우;2008:37-87.
27. 박영규, 김병재, 한동헌, 배광학, 이기현, 김진범. 합천군 합천읍 수돗물불소농도조정사업과 치면열구전색사업의 상가적 우식예방효과 평가. 대한구강보건학회지 2008;32(4):517-527.
28. 배광학, 이병진, 장윤경, 이병렬, 이원재, 장덕수 외. NaF CPC 녹차추출액 및 솔잎 추출물을 배합한 구강양치액의 치주질환예방효과와 구취감소효과 및 치아우식증예방효과에 관한 연구. 대한구강보건학회지 2001;25(1):51-59.
29. 배광학, 하정은, 전은주, 한동헌, 백대일, 김진범. 수용성환원키토산 배합 양치액의 구취 형성 억제 효과. 대한구강보건학회지 2009;33(3):339-345.
30. 백대일, 김현덕, 진보형, 박용덕, 신승철, 조자원 외. 임상예방치학. 5판. 고문사;2011.
31. 백병주, 양정숙, 이영수, 양연미, 김재곤. Cariostat를 이용한 아동의 우식활성에 관한 임상적 연구. 대한소아치과학회지 1998;25(3):576-582.
32. 백혜진, 정성화, 이형숙, 최연희, 송근배. 일부 청소년들의 간식섭취 행태와 치아우식증과의 관련성. 대한구강보건학회지 2009;33(1):30-39.
33. 보건복지부, 한국영양학회. 2020 한국인 영양소 섭취기준. 세종:보건복지부;2020.
34. 보건복지부. 2000년도 국민구강건강실태조사. 보건복지부;2001.
35. 보건복지부. 2001년도 국민건강영양조사. 영양조사부문(1). 보건복지부;2002.
36. 보건복지부. 2003년도 국민구강건강실태조사. 보건복지부;2004.
37. 보건복지부. 2006년도 국민구강건강실태조사. 요약본III. 보건복지부;2007.
38. 신승철, 이건수. 한국인의 구취실태에 대한 역학조사연구. 대한구강보건학회지 1999;23(4):343-359.
39. 신원창, 김동기. 비외과적 방법에 의한 치주질환 개선효과에 관한 연구. 대한구강보건학회1999;23(S):57-58.
40. 심지선, 오경원, 서일, 김미양, 손춘영, 이은주 외. 성인의 식이섭취 조사를 위한 반정량 식품섭취빈도 조사지의 타당도 연구. 대한지역사회영양학회지 2004;7(4):484-494.
41. 예방치학연구회. 현대예방치학. 1판. 군자출판사;2007:29-52,112-127.

42. 예방치학연구회. 현대예방치학. 5판. 군자출판사;2014:125-149.

43. 오세영, 홍명희. 한국노인을 위한 반정량적 식품섭취빈도조사지의 신뢰도 검증. 한국영양학회지1998;31(7):1183-1191.

44. 원복연. 대전시 초등학교 아동의 식생활 습관과 치아우식 발생에 관한 조사연구. 대한구강보건학회지1999;23(특별호):43-44.

45. 윤한결, 박성규, 김진. 구강세균 유전자 검사(easy perio test)법을 이용한 치아우식 검사. 대한치과의료관리학회지 2018;6(1):11-18.

46. 이가령. 일부 치위생과 학생들의 구취발생 및 관련요인 분석. 대한구강보건학회지 2007;31(2):286-294.

47. 이숙희, 김재문, 김신, 정태성. 불소바니쉬와 클로르헥시딘 바니쉬의 항우식 효과. 대한소아치과학회지 2008;35(1):83-91.

48. 이영수, 장종화, 태범석, 전재규, 장기완. 불화나트륨 전기이온도포법과 산성불화인산나트륨 겔 도포법의 법랑질 불소이온농도 비교. 대한구강보건학회지 2008;32(1):31-41.

49. 이영은, 백혜진, 정성화, 김종화, 김혜영, 최연희 외. 시판 불소도포제제들의 법랑질 내산성 증진효과. 대한구강보건학회지 2009;33(1):19-29.

50. 이영희, 권호근. 2000년 한국 국민구강건강실태조사자료에 근거한 Significant Caries (SIC) Index 조사 연구. 대한구강보건학회지 2004;28(3):438-448.

51. 이춘선, 이선미, 김창희. 치주질환 유무에 따른 건강행태와 영양상태. JKSDH 2021;21(5):611-620.

52. 이희자, 이행신, 하명주, 계승희, 김초일, 이충원 외. 대도시 지역 성인의 식이 섭취 조사를 위한 간소화된 반정량 빈도조사도구의 개발 및 평가. 지역사회영양학회지 1997;2(3):349-365.

53. 장기완, 김진범. 세계보건기구가 권장하는 구강보건조사법. 고문사;2000.

54. 장소영, 이고은, 송제선, 김성오, 이제호, 최형준. 비색법을 이용한 모자간 우식 경험 및 활성의 상관성. 대한소아치과학회 2018;45(2):162-169.

55. 정성화, 김은경, 최충호, 정승화, 손창균, 최연희 외. 2018년도 아동구강건강실태조사. 보건복지부;2018.

56. 조영식. 2015 년도 아동구강건강실태조사. 보건복지부;2015.

57. 조응휘, 신승철. 수종의 구강환경검사 결과와 현존 구강상태와의 상관관계에 관한 임상적 연구. 대한구강보학회지 1990;14(2):243-258.

58. 질병관리본부. 국민건강영양조사 제4기 1차년도 구강검사 인력훈련 및 정도관리. 2008.

59. 한경순, 김영남, 양승경, 배광학. 수도권지역 성인에서 구취와 치주상태의 관련성. 대한구강보건학회지 2010;34(1):50-57.

60. 허혜영, 신승철, 조자원, 박광식. 성인에서 구취실태와 요인들 간의 상관관계에 관한 연구. 대한구강보건학회지 2005;29(3):368-384.

61. A review of the developmental defects of enamel index (DDE Index). Commission on Oral Health, Research & Epidemiology. Report of an FDI Working Group. Int Dent J 1992;42(6):411–426.
62. Ainamo J, Barmes D, Beagrie G, Cutress T, Martin J, Sardo–Infrri J. Development of the World Health Organization(WHO). Int Dent J 1982;32(3):281–291.
63. Ambati SA, Kulkarni S, Doshi D, Reddy MP, Reddy S. Determining Caries Activity Using Oratest Among 12–to 15–year–old Children. Oral Health Prev Dent 2018;16(1):93–96.
64. American Dental Association Council on Scientific Affairs. Professionally applied topical fluoride: evidence–basedclinicalrecommendations. J Am Dent Assoc 2006;137(8):1151–1159.
65. Andriani A, Wilis R, Liana I, Keumala CR, Mardelita S, Zahara E. The effect of dental health education and the total quality management approach on the behavior of dental and oral health maintenance and the status of the oral hygiene index simplified in elementary school students in Aceh Besar. OAMJMS 2021;9(F):47–51.
66. Armfield JM, Spencer AJ. Community effectiveness of fissure sealants and the effect of fluoridated water consumption. Community Dent Health 2007;24(1):4–11.
67. Attin T, Lennon AM, Yakin M, Becker K, BuchallaW, Attin R, et al. Deposition of fluoride on enamel surfaces released from varnishes is limited to vicinity of fluoridation site. Clin Oral Investig 2007;11(1):83–88.
68. Axelsson P, Odont D. Concept and practice of plaque control. Pediatr Dent 1981;3:101–113.
69. Axelsson P. Mechanical plaque control. Proceedings of the 1st European Workshop on Periodontics. Quintessence;1993:219–243.
70. Axelsson P. New ideas and advancing technology in prevention and nonsurgical treatment of periodontal disease. Int Dent J 1993;43(3):223–238.
71. Azarpazhooh A, Main PA. Fluoride varnish in the prevention of dental caries in children and adolescents: asystematicreview. J Can Dent Assoc 2008;74(1):73–79.
72. Badersten A, Nilv us R, Egelberg J. Effect of nonsurgical periodontal therapy. III. Single versus repeated instrumentation. J Clin Periodontol 1984;11(2):114–124.
73. Beltr n–Aguilar ED, Goldstein JW, Lockwood SA. Fluoride varnishes. A review of their clinical use, cariostatic mechanism, efficacy and safety. J Am Dent Assoc 2000;131(5):589–596.
74. Bergenholtz A, Olsson A. Efficacy of plaque–removal using interdental brushes and waxed dental floss. Scand J Dent Res 1984;92(3):198–203.
75. Birkhed D, Edwardsson S, Andersson H. Comparison among a dip–slide test (Dentocult), plate count, and snyder test for estimating number of lactobacilli in human saliva. J Dent Res 1981;60(11):1832–1841.

76. Bratthall D. Estimation of global DMFT for 12-year-olds in 2004. Int Dent J 2005;55(6):370-372.

77. Clark DC, Berkowitz J. The relationship between the number of sound, decayed, and filled permanent tooth surfaces and the number of sealed surfaces in children and adolescents. J Public Health Dent 1997;57(3):171-175.

78. Clark WB, Yang MCK, Magnusson J. Measuring clinical attachment: reproducibility of relative measurements with an electronic probe. J Periodontol 1992;63(10):831-838.

79. Darby ML, Walsh MM. Dental hygiene: theory and practice. 2nd ed. Saunders;2003:352-357, 373-375.

80. Ersin NK, Eden E, Eronat N, Totu Fi, Ates M. Effectiveness of 2-year application of school-based chlorhexidine varnish, sodium, fluoride gel, and dental health education programs in high-risk adolescents. Quintessence Int 2008;39(2):45-51.

81. Faragó I, Márton S, Túry F, Bagi I, Madléna M. Dietary, oral hygienic habits, dental surgeon attendance, andsocialbackgroundinpolicestudent's population. Fogorv Sz 2009;102(1):13-20.

82. Ghazal TS, Levy SM, Childers NK, Carter KD, Caplan DJ, Warren JJ, et al. Mutans streptococci and dental caries: A new statistical modeling approach. Caries Res 2018;52(3):246-252.

83. Greene JC, Vermillion JR. The oral hygiene index: a method for classifying oral hygiene status. J Am Dent Assoc 1960;60:172-179.

84. Greene JC, Vermillion JR. The simplified oral hygiene index. J Am Dent Assoc 1964;68:7-13.

85. Griffin So, Griffin PM, Gooch BF, Barker LK. Comparing the costs of three sealant delivery strategies. J Dent Res 2002;81(9):641-645.

86. Harris NO, Garria-Godoy F, Nathe CH, Primary preventive dentietry. 8th ed. Pearson;2014.

87. Hassall DC, Mellor AG, Blinkhorm AS. Prevalence and attitudes to fissure sealants in the general dental service in England. Int J Paed Dent 1999;9(4):243-251.

88. Hellstr m M, Ramberg P, Krok L, Lindhe J. The effect of supragingival plaque controlonthesubgingivalmic roflorainhumanperiodontitis. J Clin Periodontol 1996;23(10):934-940.

89. Holler BE, Friedl KH, Jung J, Hiller KA, Schmalz G. Fluoride uptake and distribution in enamel and dentin after application of different fluoride solutions. Clin Oral Investig 2002;6(3):137-144.

90. Hunter F. Probe and probing. Int Dent J 1994;44(5 Suppl 1):577-583.

91. International Organization for Standardization. Dentistry-oral hygiene products manual interdental brushes-requirement.

92. Jardim JJ, Pagot MA, Maltz M. Artificial enamel dental caries treated with different topical fluoride regimes:an in situ study. J Dent 2008;36(6):396-401.

93. Jensen B, Bratthall D. A new method for the estimation of mutans Streptococci in human saliva. J Dent Res 1989;68(3):468–471.

94. Katsanoulas T, Reneè I, Attström R. The effect of supragingival plaque control on the composition of the subgingival flora in periodontal pockets. J Clin Periodontol 1992;19(10):760–765.

95. Kiger RD, Nylund K, Feller RP, et al. A comparison of proximal plaque removal using floss and interdentalbrushes. J Clin Periodontol 1997;18(9):681–684.

96. Kokichi M, et al. The principle of oral health. 2nd ed. Ishiyaku publishing;2001.

97. Koo SY, LEE SY. Caries management of high-risk children by caries risk assessment. J Dent Hyg Sci 2018;18(2):97–104.

98. Kumar JV, Wadhawan S. Targeting dental sealants in school-based programs:evaluation of an approach. Community Dent Oral Epidemiol 2002;30(3):210–215.

99. Lima AR, Herrera DR, Francisco PA, Pereira AC, Lemos J, Abranches J, et al. Detection of Streptococcus mutans in symptomatic and asymptomatic infected root canals. Clinical oral investigations, 2021;25(6): 3535–3542.

100. Lin XH, Wang WH, Zou XX, Miao JW, Cui XL. Correlation between early childhood caries and Cariostat score of caries activity test in children aged 0 to 2 years in Beijing. Chinese Journal of Child Health Care 2019;27(2):222–225.

101. Loe H, Theilade E, Jensen SB. Experimental gingivitis in man. J Periodontol 1965;36:177–187.

102. Matsumoto Y, Sugihara N, Koseki M, Maki Y. A rapid and quantitative detection system for Streptococcus mutans in saliva using monoclonal antibodies. Caries Res 2006;40(1):15–19.

103. Matsumoto-Nakano M. Role of Streptococcus mutans surface proteins for biofilm formation. Jpn Dent Sci Rev 2018;54(1):22–29.

104. McNabb H, Mombelli A, Lang N. Supragingival cleaning 3 times a week. The microbiological effect in mederlately deep pockets. J Clin Periodontol 1992;19(5):348–356.

105. Nishimura M, Oda T, Kariya N, Matsumura S, Shimono T. Using a caries activity test to predict caries risk in early childhood. J AM Dent Assoc 2008;139(1):63–71.

106. O'Leary TJ, Drake RB, Naylor JE. The plaque control record. J Periodontol 1972;43(1):38.

107. Ogard B, Seppä L, Rølla G. Professional topical fluoride applications-clinical efficacy and mechanismofaction. Adv Dent Res 1994;8(2):190–201.

108. O'Leary, Timothy J. The plaque control record. J Periodontol 1972;43(1):38.

109. Oral Health Surveys. Basic methods. 4th edition. World Health Organization;1997.

110. Oral Health Surveys. Basic methods. 5th edition. World Health Organization;2013.

111. Osborn J, Stoltenberg J, Huso B, Aeppli D, Pihlstrom B. Comparison of measurement variability using a standard and constant force periodontal probe. J Clin Periodontol 1990;61(7(Pt2)):497–500.

112. Prima N, Boy Sandy S, Tito Y. Differences in Caries Prediction Test of Cariostat and Plaque Formation Rate Index (PFRI) on Children. Indian J Public Health 2019;10(7):465–469.

113. Rachmawati E, Setiawan AS, Hayati AT, Saptarini RP, Carolina DN, Rusminah N. Determination of oral hygiene status (OHI-S) and dental health status (DEF-T) of elementary school age children in Bandung City. JIDMR 2019;12(4):1447–1451.

114. Rosin-Grget K, Lincir I, Andrijanic A. In vitro fluoride uptake by enamel from differentamine fluoride concentrations. Caries Res 2002;36(4):266–269.

115. Ruottinen S, Karjalainen S, Pienihäkkinen K, Lagström H, Niinikoski H, Salminen M, et al. Sucrose intake since infancy and dental health in 10-Year-Oldchildren.Caries res 2004;38(2):142–148.

116. Sanzi-Schaedel S, Bruerd B, Empey G. Building community support for a school dental sealant program. J Dent Hyg 2001;75(4):305–309.

117. Seemann R, Kison A, Bizhang Metal. Effectiveness of mechanical tongue cleaning on oral levels of volatil esulfur compounds. J Am Dent Assoc 2001;132(9):1263–1267.

118. Sharma M, Pandit IK, Srivastava N, Gugnani N, Gupta M. A comparative evaluation of efficacy of Streptococcus mutans counts in saliva: an in vivo study. Int J Clin Pediatr Dent 2018;11(2):94–99.

119. Shimono T, Sobue S. A new colormetric caries activity test. Dent Outlook 1974;43(6)829–835.

120. Silva CBD, Mendes MM, Rodrigues BR, Pereira TL, Rodrigues DBR, Rodrigues Junior V, et al. Streptococcus mutans detection in saliva and colostrum samples. Einstein (Sao Paulo) 2019;17(1): eAO4515.

121. Sims W. A modified Snyder test for caries-activity in humans. Arch Oral Biol 1968;13(8):853–856.

122. Singal P, Gupta R, Pandit N. 2% sodium fluoride-iontophoresis compared to a commercially available desensitizing agent. J Periodontol 2005;76(3):351–357.

123. Snyder ML. A simple colorimetric method for the estimation of relative numbers of lactobacilli the saliva. J Dent Res 1940;19(4):349–355.

124. Sohn W, Burt BA, Sowers MR. Carbonated soft drinks and dental caries in the primary dentition. J Dent Res 2006;85(3):262–266.

125. Sounah SA, Madfa AA. Overview of Method for Detecting of Streptococcus mutans and Lactobacillus in Saliva. J Dent & Oral Disord 2020;6(1):1122.

126. Sterritt GR, Frew RA, Rozier RG, Brunelle JA. Evaluation of a school-based fluoride mouthrinsing and clinic-based sealant program on a non-fluoridated island. Community Dent Oral Epidemiol 1990;18(6):288-293.

127. Sterritt GR, Frew RA. Evaluation of a clinic-based sealant program. J Public Health Dent 1988;48(4):220-224.

128. Tinanoff N, Palmer CA. Dietary determinants of dental caries and dietary recommendations for preschool children. J Public Health Dent 2000;60(3):197-206.

129. Trairatvorakul C, Kladkaew S, Songsiripradabboon S. Active management of incipient caries and choice of materials. J Dent Res 2008;87(3):228-232.

130. Tu YK, Jackson M, Kellett M, Clerehugh V. Direct and indirect effects of interdental hygiene in a clinical trial. Dent Res 2008;87(11):1037-1042.

131. Van der Weijden GA, Timmerman MF, Nijboer A, Van der Velden R. Comparison of different approaches to assess bleeding on probing as indicators of gingivitis. J Clin Periodontol 1994;21(9):589-594.

132. Vanobbergen J, Martens L, Lesaffre E, Bogaerts K, Declerck D. Assessing risk indicators for dental caries in the primary dentition. Community Dent Oral Epidemiol 2001;29(6):424-434.

133. White GE, Armaleh MT. Tongue scraping as a means of reducing oral mutans streptococci. J Clin Pediatr Dent 2004;28(2):163-166.

134. WHO Expert Group on Equipment and Materials for Oral Care (EGEMOC). The periodontal probe for use with the community periodontal index of treatment needs (CPITN). World Health Organization;1990.

135. Wiegand A, Krieger C, Attin R, Hellwig E, Attin T. Fluoride uptake and resistance to further demineralization of demineralised enamel after application of differently concentrated acidulated sodiumfluoridegels. ClinOralInvestig 2005;9(1):52-57.

136. Wilkins EM. Clinical practice of the dental hygienist. 10th ed. Lippincott Williams & Wilkins;2009:411-419.

137. World Health Organization. Oral health surveys: basic methods. World Health Organization;2013.

138. Ximénez-Fyvie LA, Haffajee AD, Som S, Thompson M, Torresyap G, Socransky SS. The effect of repeated professional supragingival plaque removal on the composition of the supra.and subgingival microbiota. J Clin Periodontol 2000;27(9):637-647.